CABEÇA FRIA
CORAÇÃO QUENTE

…
ABEL FERREIRA

CARLOS MARTINHO

JOÃO MARTINS

TIAGO COSTA

VITOR CASTANHEIRA

**UMA VIAGEM PELOS BASTIDORES
DA EQUIPA TÉCNICA:
SEGREDOS, REFLEXÕES
E MÉTODOS DE TRABALHO
REVELADOS EM PRIMEIRA PESSOA**

CABEÇA FRIA
CORAÇÃO QUENTE

GAROA
LIVROS

© Garoa Livros, 2022; © Abel Ferreira, 2022; © Carlos Martinho, 2022; © João Martins, 2022; © Tiago Costa, 2022; © Vitor Castanheira, 2022.

Todos os direitos reservados. Nenhuma parte deste livro pode ser utilizada ou reproduzida sem a expressa autorização da editora.

Editor
Celso de Campos Jr.

Projeto gráfico
Tatiana Rizzo/ Estúdio Canarinho

Fotos
Cesar Greco
(páginas 3, 5, 7, 9, 11, 14-15, 45, 46, 47, 49, 50, 53, 57, 60, 63, 76, 85, 88, 92a, 98, 102, 106-7, 109, 114, 116, 136, 144, 147b, 149, 153, 162a, 163, 173, 174, 175, 176, 177, 178, 179, 182, 183, 188, 191, 195, 200, 201, 202, 207, 217, 220a, 221, 222-3, 225, 233, 245, 261, 270, 285, 291, 294, 301, 312, 313, 314, 323, 324-5, 332, 336, 345, 374, 375, 376, 377 e 406-7.)
Staff Images/ Conmebol
(páginas 125, 162b e 257)
Divulgação Conmebol
(Capa, quarta capa e página 385)

Artes/ S.E. Palmeiras
Mauricio Rito

Consultoria
Acervo Histórico/ S. E. Palmeiras
Fernando Razzo Galuppo
Fernão Ketelhuth
José Ezequiel de Oliveira Filho

Produção e logística
Simei Junior

Revisão
Shark Comunicação

Impressão
Gráfica Ipsis

www.garoalivros.com.br

Dados Internacionais de Catalogação na Publicação (CIP)
Angélica Ilacqua CRB-8/7057

Cabeça fria, coração quente / Abel Ferreira...[et al]. - São Paulo : Garoa Livros, 2022.
    408 p.
ISBN 978-65-990963-8-9
1. Sociedade Esportiva Palmeiras - História
2. Futebol I. Ferreira, Abel
22-0705   CDD 796.3340981

Índices para catálogo sistemático:
1. Treinadores de futebol: biografia
2. Sociedade Esportiva Palmeiras

*A todos aqueles com quem partilhamos
o relvado do futebol e o relvado da vida...*

*Em especial... Aos titulares absolutos, as nossas famílias.
Elas, que mais sofrem a nossa ausência.
Elas, as maiores prejudicadas pela nossa paixão pelo futebol.
Elas, as mais sacrificadas pela nossa dedicação diária ao trabalho.
Elas, que mais sentem as derrotas e que mais vibram com as vitórias.
Elas, que conseguem lidar com nossa paixão e continuam a amar-nos.
Obrigado por tudo. Fazemos o que fazemos por vocês.*

*E também... Ao público que tem estado
nas bancadas da nossa carreira.
Ao público com lugar cativo que gosta
de ver as nossas equipas jogarem.
A todos aqueles que pensam, que indagam
e que questionam o próprio método.
A todos os insatisfeitos e inconformados
que vivem na busca da própria evolução.
Aos interessados no modus operandi
de uma equipa técnica no futebol profissional.
Aos interessados em conhecer os bastidores
dos meses mais vitoriosos da história do Palmeiras.
Que o presente livro vos faça pensar e refletir.
Se o fizer, a nossa missão está cumprida.*

SUMÁRIO

AGRADECIMENTOS 21

APRESENTAÇÃO 22

PARTE I 26
GRANDE PRÊMIO PALMEIRAS

VOLTA 1   "Querem ir para o Palmeiras?" 28
VOLTA 2   Reunião do Abel com a diretoria e as perguntas 30
VOLTA 3   A decisão final 33
VOLTA 4   A lição de casa e a análise-diagnóstico 35
VOLTA 5   O primeiro contato com os capitães de equipa 42
VOLTA 6   As primeiras impressões 44
VOLTA 7   As três reuniões "mágicas" 48
VOLTA 8   Primeira coletiva como cartão de visita 56
VOLTA 9   "Não temos tempo para treinar. O que vamos fazer?" 64
VOLTA 10   Um exercício nunca feito 68
VOLTA 11   Dois jogos, duas vitórias e duas lesões graves 74
VOLTA 12   Surto de Covid-19 no CT e jogadores nas seleções 79
VOLTA 13   A regra das 24 horas 81
VOLTA 14   Gramado sintético: uma batalha ganha! 84
VOLTA 15   A recuperação entre jogos e as "lesões" 86
VOLTA 16   "Só troco o Palmeiras pela minha esposa" 90
VOLTA 17   Comandar "online" 92
VOLTA 18   Adversários diferentes a cada dois dias 95
VOLTA 19   "Não nos falta nada!" e "o melhor de cada um" 99
VOLTA 20   A gestão de energia para jogar na máxima força 101
VOLTA 21   "A 'construção a 3 jogadores' é como fazer amor" 103
VOLTA 22   Treino complementar: análise-vídeo 108
VOLTA 23   Os "moleques" da base e os "mais velhos" 111
VOLTA 24   Jogo: América Mineiro 0x2 Palmeiras (Copa do Brasil - semi - volta) 117

1º PIT STOP	"Ainda não ganhamos nada" e "os sacrifícios de hoje vão valer a pena no futuro"	121
VOLTA 25	Jogo: River Plate 0x3 Palmeiras (Libertadores - semi - ida)	123
VOLTA 26	Jogo: Palmeiras 0x2 River Plate (Libertadores - semi - volta)	131
VOLTA 27	O marcador somático "COMPETIR" e a folga pedida	137
VOLTA 28	A história do livro sobre o Marcelo Gallardo	140
VOLTA 29	Jogo: Palmeiras 4x0 Corinthians (Brasileirão - 28ª rodada)	142
VOLTA 30	Brasileirão: interruptor oficialmente desligado	148
VOLTA 31	A semana de treinos e a base a serviço do profissional	150
VOLTA 32	O primeiro passo para a vitória na Libertadores	156
VOLTA 33	Preparação mental para a final da Libertadores de 2020	158
VOLTA 34	Jogo: Palmeiras 1x0 Santos (Libertadores - final)	164
VOLTA 35	A conquista da "Glória Eterna" que era "Obsessão"	180
VOLTA 36	A música "O melhor de mim"	184
VOLTA 37	Conquistar, festejar, treinar (?), jogar (?) e viajar... em 75 horas	186
VOLTA 38	Jogos do Mundial de Clubes	187
VOLTA 39	Balanço do Mundial: "Temos de aumentar o sarrafo!"	192
VOLTA 40	Festa da conquista da Libertadores	194
VOLTA 41	Críticas ao calendário e cinco jogos em onze dias	196
VOLTA 42	"As mulheres têm uma sensibilidade diferente"	197
VOLTA 43	Entrega à diretoria do relatório final	198
VOLTA 44	Preparação mental para a final da Copa do Brasil	203
VOLTA 45	Jogo: Grêmio 0x1 Palmeiras (Copa do Brasil - final - ida)	206
VOLTA 46	A (retirada da) primeira e última "semana limpa" da temporada	212
VOLTA 47	Jogo: Palmeiras 2x0 Grêmio (Copa do Brasil - final - volta)	213
VOLTA 48	A adaptação ao contexto, a criatividade e a coragem	224
2º PIT STOP	"Ganhar é como um orgasmo"	229
VOLTA 49	Férias: um mal necessário	231
VOLTA 50	Duas finais intercaladas em sete dias	234
VOLTA 51	As consequências de duas finais perdidas... ambas nos pênaltis	237
VOLTA 52	As redes sociais e os três budas	239
VOLTA 53	Insanidade de jogos e o desafio: Paulista x Libertadores	242

VOLTA	54	O "laboratório" do Paulista 244
VOLTA	55	Jogo: Palmeiras 0x0 São Paulo (Paulista - final - ida) 246
VOLTA	56	Jogo: São Paulo 2x0 Palmeiras (Paulista - final - volta) 251
VOLTA	57	A escalada de uma nova montanha na Libertadores 254
VOLTA	58	Derrota para o CRB (nos pênaltis): Choque, Realidade, Benefício 258
VOLTA	59	As convocações para as seleções nacionais e as consequências 260
VOLTA	60	Brasileirão: os objetivos de resultado e de processo (e o G8/G11) 262
VOLTA	61	Jogo: U. Católica 0x1 Palmeiras (Libertadores - oitavas - ida) 266
VOLTA	62	Jogo: Palmeiras 1x0 U. Católica (Libertadores - oitavas - volta) 272
VOLTA	63	Jogo: São Paulo 1x1 Palmeiras (Libertadores - quartas - ida) 276
VOLTA	64	Jogo: Palmeiras 3x0 São Paulo (Libertadores - quartas - volta) 286
VOLTA	65	A preparação mental para uma semifinal com entorno de final 292
VOLTA	66	Jogo: Palmeiras 0x0 Atlético Mineiro (Libertadores - semi - ida) 297
VOLTA	67	Jogo: Atlético Mineiro 1x1 Palmeiras (Libertadores - semi - volta) 302
VOLTA	68	"Se não ganharmos nenhum título, vou embora" 315
VOLTA	69	O novo colega de gabinete: o peixe Libertadores 318
VOLTA	70	(Novamente) seis vitórias consecutivas 322
VOLTA	71	Reunião com a nova presidente, o relatório e o recrutamento 326
VOLTA	72	"O Plano" 333
VOLTA	73	O convencimento dos jogadores da estratégia defensiva 336
VOLTA	74	O convencimento dos jogadores da estratégia ofensiva 343
VOLTA	75	Preparação mental para a final da Libertadores de 2021 347
VOLTA	76	Jogo: Palmeiras 2x1 Flamengo (Libertadores - final) 356
VOLTA	77	Um término de Brasileirão sacrificado 378
VOLTA	78	A Glória Eterna 2.0 com festejos ao quadrado 381

e *FINAL LAP*

PARTE II 386
REFLEXÃO SOBRE O FUTEBOL BRASILEIRO

PARTE III 400
AVANTI PALESTRA!
SCOPPIA CHE LA VITTORIA È NOSTRA!

AGRADECIMENTOS

"A gratidão é a memória do coração."
Antístenes

Este livro apresenta as vivências e as reflexões do nosso trabalho no Brasil, mas é essencialmente fruto do contato com as pessoas que caminham ao nosso lado ou que um dia caminharam conosco. Foi apenas pelo significativo contributo de todas elas que esta obra se tornou possível. Foi a sua colaboração direta, ou somente a sua presença, que tornou a nossa trajetória notável e prazerosa. Assim...

A todos os **clubes** que tivemos o prazer e a honra de servir.

A todos os **presidentes e direções** que nos escolheram.

A todos os **funcionários das estruturas** que nos serviram e nos apoiaram.

E principalmente... Aos **nossos jogadores**. A todos aqueles com os quais trabalhamos desde 2011. Todos contribuíram para nosso percurso e para o conhecimento que adquirimos. Eles são os verdadeiros protagonistas do jogo e os principais juízes do nosso trabalho. Aprendemos muito com eles, todos os dias, com aquilo que nos dizem e com aquilo que deixam de dizer. Nossa missão é ajudar cada jogador na sua progressão e evolução. Nem sempre o conseguimos fazer, mas tentamos sempre ser coerentes, justos e nunca desistir de nenhum jogador.

A todos... A nossa **Gratidão Eterna**! Este livro tem muito de vocês!

APRESENTAÇÃO

(Nota prévia: ao conceber o roteiro deste livro, encaramos este período de nossas carreiras no futebol brasileiro como se tratasse de uma corrida de Fórmula 1. Um Grande Prêmio da Sociedade Esportiva Palmeiras constituído por 78 voltas – subentenda-se, capítulos –, no qual, desde o momento em que entramos no carro para iniciar a prova, tínhamos um objetivo claro: trabalhar, trabalhar, trabalhar para vencer, vencer, vencer.)

> "Para ser grande, sê inteiro: nada
> Teu exagera ou exclui.
> Sê todo em cada coisa. Põe quanto és
> No mínimo que fazes.
> Assim em cada lago a lua toda
> Brilha, porque alta vive."
>
> *Ricardo Reis*
> *Heterônimo de Fernando Pessoa*

Esta obra foi escrita na íntegra e em primeira pessoa por uma equipa técnica liderada por Abel Ferreira, com o auxílio direto de Carlos Martinho, João Martins, Tiago Costa e Vitor Castanheira. E antes de prosseguir com este livro, impõe-se compreender o que nos levou a concebê-lo e a publicá-lo. O *porquê*, o *como* e o *quê*. Afinal, quantas equipas técnicas decidiram fazê-lo?

Sobre o *porquê*...

> "De que adianta falar de motivos,
> às vezes basta um só,
> às vezes nem juntando todos."
>
> *José Saramago*

Este livro é, em sua origem, o resultado de uma semente plantada há muito tempo. Por volta de 2009, o Abel foi desafiado a publicar um livro sobre seu percurso enquanto jogador. Na altura, o momento não era apropriado e a vontade não era muita. Quase uma década depois, foi o Abel quem propôs um desafio ao Tiago Costa: escrever um *Diário da Época 2019/2020 do Sporting Clube de Braga* quando iniciávamos a terceira temporada na equipa principal. Duas semanas depois, porém, o destino levou-nos para o PAOK, da Grécia, e a ideia ficou em *stand by*. Ao final da primeira temporada no Palmeiras, o assunto voltou. O Abel desafiou-nos a fazer um trabalho diferente daquele que realizamos diariamente nos seis anos anteriores: um livro que retratasse as vivências e o trabalho a serviço da Sociedade Esportiva Palmeiras. O desafio foi aceito.

Ao longo de todos os anos de carreira e, em particular, no bem-sucedido ano de 2021, foram inúmeras as entrevistas que o Abel recusou, e várias as ações de formação das quais todos nós, integrantes da equipa técnica, declinamos de participar. Tais negativas nunca estiveram relacionadas com a falta de disponibilidade ou de vontade para a partilha. Nossa postura enquanto equipa técnica sempre foi reservada, sendo isso um reflexo de uma convicção do Abel, que sempre acreditou e nos fez acreditar que pode existir partilha sem estar necessariamente debaixo dos holofotes. Apesar de termos a plena consciência de que vivemos na era da informação digital e de também nós consumirmos bastante informação através dessa fonte de aprendizagem, continuamos a acreditar numa das mais belas formas de partilha de conhecimento e experiências: o livro.

Também decidimos escrevê-lo pela essência da partilha com aqueles que amam verdadeiramente o Jogo de futebol (aquele que é jogado dentro das quatro linhas). Partilha não só da filosofia e do método de trabalho que temos aperfeiçoado ao longo dos anos, como também de tudo o que vivemos no Palmeiras. As experiências e reflexões no Brasil romperam completamente dogmas e conceitos criados durante o trabalho na Europa; a densidade competitiva enfrentada no comando técnico do Palmeiras fez-nos adaptar nosso método e nosso pensamento sobre diferentes áreas – treino, jogo, análise, preparação física, psicologia, entre outras – à realidade do futebol brasileiro. Além disso, não seríamos o que somos hoje se também não tivessem partilhado experiências conosco ou se não tivéssemos lido os livros que lemos.

O último motivo foi o fato de quase não existirem obras escritas na íntegra pelos membros de uma equipa técnica e que retratem a vivência de treinadores ao mais alto nível. E menos ainda que falem, em primeira pessoa, do método de trabalho de uma equipa técnica no futebol profissional. Ademais, quando nos chegou a informação da virtual inexistência desse tipo de conteúdo no Brasil, a vontade de avançar com este livro acentuou-se com um propósito claro: deixar nosso contributo ao futebol brasileiro e a todos os que gostam de entender o treino e o jogo. Apresentar o futebol que realmente nos fez apaixonar pelo desporto, e não aquele futebol que é jogado fora das quatro linhas. Produzir conteúdo que tornasse o leitor mais consciente dos bastidores de uma equipa de futebol e mais conhecedor do jogo. Todas essas foram razões para avançarmos com este projeto.

Sobre o *como*...

> *"No que diz respeito ao empenho, ao compromisso, ao esforço, à dedicação, não existe meio termo. Ou você faz uma coisa bem-feita ou não faz."*
> *Ayrton Senna*

Após uma longa discussão a respeito de como esta ideia poderia ser desenvolvida, o Abel concluiu o debate com aquele que seria o mote do presente livro: "Vamos fazer um trabalho de grupo e publicá-lo".

Era algo inédito, para nós, membros de uma equipa técnica. Tal como todos os trabalhos de grupo, a exemplo daqueles feitos nas escolas e universidades, houve necessidade de planejamento, pelo que cada um de nós ficou com sua responsabilidade definida. O Tiago Costa com a tarefa de escrever o livro em primeira pessoa, como se a própria equipa técnica estivesse a narrá-lo. Todos juntos (Abel Ferreira, Carlos Martinho, João Martins, Tiago Costa e Vitor Castanheira) teríamos o papel de desenvolver o conteúdo. Por fim, mais do que rever todo o trabalho para verificar que não faltava nada, o Abel ficou ainda com a responsabilidade de encaixar as peças do quebra-cabeça que esta obra se tornou. Sua presença e seu contributo, portanto, estão em cada uma das palavras deste livro.

Sobre o *quê*...

> *"Só é tua a loucura*
> *Onde, com lucidez, te reconheças..."*
> Miguel Torga

Nosso percurso até conquistar os primeiros três títulos no futebol profissional. Os segredos das grandes vitórias, em particular das conquistas de ambas as Libertadores e da Copa do Brasil. Nossas experiências. Nossas vivências. Nossas crenças (que não são imutáveis). Os desafios que enfrentamos ao longo de nossa cruzada e, em particular, nos primeiros meses à frente do Palmeiras. A filosofia e o método de trabalho que adaptamos ao contexto em que fomos inseridos. Além disso, partilhamos também vários microciclos de trabalho e a consequente preparação para 16 diferentes jogos, descrevendo exercícios de treino, as respectivas análises pré e pós-jogo, e ainda a consequência da preparação no próprio jogo.

Temos consciência de que, ao expor tanto sobre nós, estamos a revelar todo nosso pensamento sobre as diferentes áreas do futebol... Mas o fazemos com confiança, porque acreditamos que essa é uma forma de nos colocarmos à prova e de nos desafiarmos. Não há crescimento, desenvolvimento ou evolução sem indagação, reflexão e inovação. Por isso, com cabeça fria e coração quente, escrevemos este livro – que é mais um exemplo da nossa filosofia de ser e de estar na vida e, muito em particular, no futebol.

Em suma, pretendemos que este livro seja um retrato fiel não só daquilo que vivenciamos ao longo da nossa carreira, mas também daquilo que fizemos no Palmeiras e, principalmente, daquilo que somos. Como treinadores e como homens.

PARTE I

GRANDE PRÊMIO PALMEIRAS

"Querem ir para o Palmeiras?"

VOLTA 1

"Quando realmente todos querem muito alguma coisa, ela acontece."
Abel Ferreira

Salônica, 26 de outubro de 2020

Estávamos reunidos no gabinete de trabalho, no centro de treinos de Nea Mesimvria (em Salônica, na Grécia), quando o Abel recebeu uma ligação. Não conhecia o número, mas acabou por atender. E então ouvimos:

– Desculpe interrompê-lo, mas essa é uma situação que tem de falar com o meu empresário. Fale diretamente com ele, por favor.

Todos nós percebemos a forma assertiva como o Abel respondeu, e como, poucos segundos depois, se despediu gentilmente de quem lhe telefonou. Depois dessa chamada, ele ficou muito pensativo; durante vários minutos, não se ouviu sua voz nem se viu qualquer gesto de sua parte. O dia de trabalho terminou e cada um de nós foi para sua casa.

No dia seguinte (quarta-feira, 27 de outubro), o expediente prolongou-se. Quando já estávamos a arrumar o material para ir embora, o Abel nos interrompeu.

– Malta, há uma coisa sobre a qual quero conversar convosco… – disse, pedindo a atenção de todos.

Paramos de arrumar os computadores nas mochilas. O Abel fez um compasso de espera, para que todos nos sentássemos.

– Querem ir para o Palmeiras? – perguntou, com um leve sorriso no rosto.

Ninguém respondeu. A pergunta apanhou a todos de surpresa – como, a bem da verdade, também havia apanhado ao Abel. Todos conhecíamos o Campeonato Brasileiro, porém não éramos conhecedores profundos da realidade do Palmeiras, nem sequer assistíamos aos jogos com a frequência necessária para responder à pergunta. Na verdade, o Abel não queria respostas. Só queria ver nossa reação e interpretar nossa linguagem corporal: se nesse primeiro momento, era mais o que nos levava a querer ir ou a querer ficar.

E o sentimento que absorveu de cada um de nós foi um só: entusiasmo. Uma das poucas coisas de que tínhamos conhecimento do Palmeiras era a própria grandeza do clube, no Brasil e no mundo. A possibilidade de trabalhar numa instituição desse porte despertou em todos a excitação e o desejo por aquele passo em nossas carreiras. O Abel só lançou a pergunta à equipa técnica depois de ter falado com algumas pessoas na noite anterior; quando voltou para casa, foram várias as chamadas feitas e recebidas com o objetivo de ter um conhecimento mais profundo da realidade do Palmeiras.

– Existe essa possibilidade, mas vamos ver no que vai dar – complementou. – Agora, temos de continuar a fazer nosso trabalho e ganhar o próximo jogo. O que tiver de acontecer depois, acontecerá.

Embora ninguém tenha combinado nada, todos começaram a pesquisar o contexto do clube e a tirar suas conclusões. Quanto mais investigávamos e procurávamos, mais motivos tínhamos para desejar a mudança.

Reunião do Abel com a diretoria e as perguntas

2

"Quando a oportunidade surge, temos de mostrar que estamos preparados para ela."
Abel Ferreira

Salônica, 28 de outubro de 2020

Confirmado o interesse do Palmeiras e a abertura para ouvir o que a direção do clube tinha a dizer, o Abel foi claro com seu empresário. Transmitiu-lhe a informação de que só conversaria com outro clube caso o PAOK autorizasse e tivesse interesse em liberá-lo. Caso contrário, não falaria com ninguém.

Anteriormente, ele já havia dito o mesmo ao presidente do Sporting Clube de Braga, quando surgiu o interesse do PAOK. Mais do que um princípio enquanto treinador, é uma forma de ser e estar na vida.

Pouco tempo depois, o empresário confirmou aquilo que todos esperávamos que acontecesse: o PAOK autorizou a conversa do Abel com a direção do Palmeiras, e aceitaria nos liberar em troca de alguma contrapartida. Assim começaram os contatos – e assim se iniciou uma situação que o Abel nunca vivera enquanto treinador: ser entrevistado formalmente por um time, e não apenas em conversas informais.

Apesar de esta ter sido uma situação inédita, estávamos preparados para o momento. Ao longo dos anos, fomos elaborando uma apresentação justamente para quando essa ocasião chegasse. Não sabíamos quando iríamos precisar dela, contudo tínhamos certeza de que tê-la preparada era fundamental para demonstrar organização e para ajudar o Abel a transmitir visualmente a mensagem que pretendia passar, fosse através de diagramas e organogramas como também de vídeos.

A abordagem da direção do Palmeiras foi muito séria e profissional. Na verdade, somente quiseram ouvir do Abel as ideias e a dinâmica de trabalho, porque a lição de casa já estava feita: eles haviam telefonado para pessoas que trabalharam com o Abel e conosco, obtendo referências sobre o homem e o treinador e também um conhecimento aprofundado de como jogavam suas equipas.

As reuniões com a direção do Palmeiras tiveram como objetivo um conhecimento mútuo e uma manifestação formal de interesses. O Abel também aproveitou para dar a conhecer sua filosofia enquanto treinador e nossa forma de trabalhar por meio de uma apresentação com slides e vídeos.

O Abel iniciou essa apresentação com um sumário dos pontos que considera essenciais para abordar num momento como este (Figura 1). Nomeadamente: seu percurso como jogador e treinador, com as respectivas conquistas; a apresentação geral e individual da equipa técnica, designando a área de responsabilidade de cada elemento, idade, nível de treinador, nível de formação acadêmica e anos de experiência; a clarificação de seus pilares de trabalho, do modelo de jogo que preconiza, de seu método (processo de análise, de treino e de jogo) e de sua visão de como deve ser estruturado um clube. Por fim, algumas questões do Abel para o clube.

Figura 1: Segundo slide da apresentação à diretoria do Palmeiras

"Os meus amigos não são meus assistentes, mas os meus assistentes são meus amigos." Assim o Abel iniciou a apresentação da equipa técnica (Figura 2) e da organização da mesma. De fato, este é um princípio que o guia ao longo do tempo: o que nos uniu foi a competência de cada um de nós – e o que nos mantém unidos é a competência e a exigência diária que colocamos em nossas funções e nas dos outros.

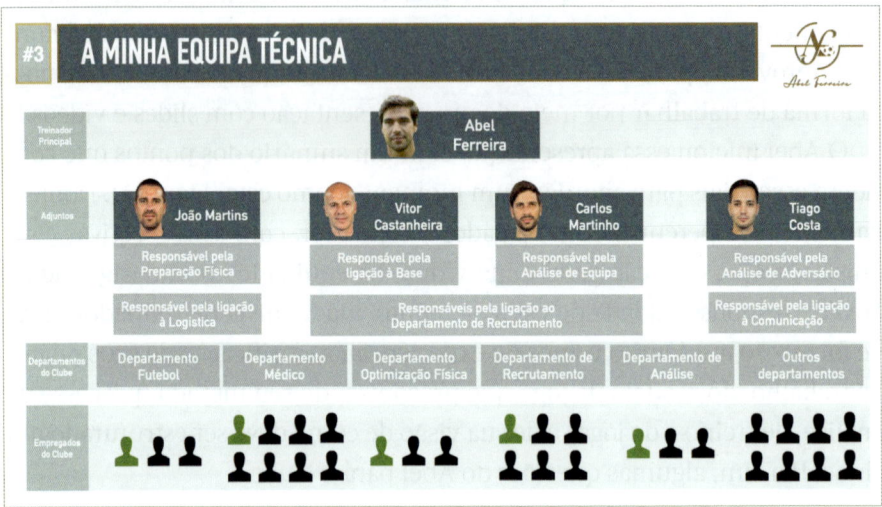

Figura 2: Quinto slide da apresentação à diretoria do Palmeiras

A reunião terminou com o Abel fazendo três perguntas à direção do Palmeiras. Esta é uma convicção que ele tem: não são só os clubes que devem entrevistar os treinadores, também os treinadores devem entrevistar os clubes. Só assim é possível obter clareza a respeito dos interesses e objetivos de ambas as partes.

Após esse primeiro encontro, foram realizadas mais duas reuniões com outros membros da diretoria. Em todas elas, a mesma apresentação foi utilizada, gerando o impacto que desejávamos. Para nós, a organização e a preparação garantem tranquilidade.

Tudo estava a correr como o esperado. A oportunidade havia aparecido. A mensagem tinha sido transmitida como tínhamos planejado. Agora, a questão se resumia a uma "simples" decisão. Ir ou não ir?

A decisão final

VOLTA **3**

*"Sou um homem de convicções.
Gosto de seguir meus instintos, gosto de me desafiar."*
Abel Ferreira

Porto, 29 de outubro de 2020

(*Como na Fórmula 1, existem algumas voltas e circuitos mais complicados do que outros... E entre todas as voltas descritas neste livro, esta foi a mais difícil de percorrer. As curvas eram apertadas. Chovia muito, tornando a pista escorregadia. O vento estava forte. O carro, o piloto e os seus assistentes tremeram por todo o lado. O que nos fez terminar esta volta foi a convicção de que a oportunidade compensaria todos os riscos.*)

Após a reunião com a diretoria, havia chegado o momento de tomar uma decisão. Foi na Grécia, sozinho em sua casa, que o Abel decidiu que iríamos para o Brasil. Além de todos os motivos que nos levavam a abraçar o novo desafio, era uma oportunidade demasiado boa para não aceitar. Só de se imaginar declinando a oportunidade de treinar um clube com aquela grandeza, depois de todas as informações que obtivemos, o Abel já podia sentir a dor do arrependimento. Ao contrário de outros convites que ele rejeitara ao longo da carreira, este vinha de um clube gigante, que nos oferecia todas as condições para disputar títulos.

Esta decisão significou um misto de emoções para todos os integrantes de nossa equipa técnica. Num contexto social em que estivemos privados de ver nossas famílias durante muito tempo, iríamos agora trabalhar em outro continente, ficando a uma distância muito maior do que aquela que separa Portugal da Grécia. Além disso, a instabilidade de um treinador numa equipa brasileira é tão grande que a mudança de contexto profissional assustava qualquer um de nossos familiares. E, como se não bastasse, o contexto de pandemia no Brasil apresentava números de infectados e de mortes avassaladores, sendo um dos países com maior número de mortes por milhão de habitantes. Cada um de nós sentiu a decisão à sua maneira, mas houve similaridades entre todos: as lágrimas de uma nova despedida da família e a convicção de uma mudança positiva para nossa carreira.

Com o "sim" do Abel, o Palmeiras, em 30 de outubro de 2020, anunciou oficialmente a contratação de nossa equipa técnica.

Aconteceu tudo muito depressa. A mudança de clube e a despedida dos jogadores/staff do PAOK foram rápidas. A despedida da família, também. No entanto, todos estávamos convictos de que o sacrifício valeria a pena – e ainda mais convencidos de que não podíamos perder a oportunidade. Afinal, elas nunca se perdem. Há sempre alguém que as aproveita. E queríamos ser nós a aproveitá-la.

A mensagem de despedida aos atletas do PAOK deixada num quadro tático do CT do clube grego

A lição de casa e a análise-diagnóstico

VOLTA **4**

"O Abel Ferreira chegou e já sabia o nome de todo mundo. Falou como se conhecesse a gente há algum tempo. Pensei: 'ele deve ter estudado'."
Raphael Veiga

Porto, 31 de outubro de 2020

Os (quase) dois dias entre o fim de um ciclo e o início de outro não foram de descanso. Ao contrário. Era o momento de fazermos nossa lição de casa: dois dias de investigação intensa e estudo profundo da realidade que nos esperava no Brasil.

Nossa análise-diagnóstico abordou diversas variáveis: a cultura do país, o futebol brasileiro, o clube e a equipa/elenco que teríamos à disposição.

O Brasil apresenta uma diversidade cultural enorme. Foi e ainda é influenciado por diferentes povos. Devido à colonização e às ondas migratórias, a formação da cultura brasileira resultou da integração de elementos dos povos indígenas, portugueses, espanhóis, africanos, italianos, japoneses, holandeses, entre outros.

Outros dos aspectos que contribuíram e contribuem para a diversidade cultural do Brasil são a grande extensão territorial e as consequentes características geradas em cada região do país. O Brasil é divido em cinco grandes regiões: Norte, Nordeste, Centro-Oeste, Sudeste e Sul. Cada uma delas possui elementos próprios. Essas diferenças culturais são fáceis de perceber quando viajamos ou quando entramos num vestiário com atletas provenientes de diversos lugares do Brasil. O sotaque, a culinária e até a mentalidade das pessoas variam de região para região.

A língua também faz parte da identidade cultural de um país. Portugal e Brasil são pátrias irmãs e têm muitas coisas em comum, inclusive a língua. Embora o idioma seja o mesmo, são muitos os nomes e expressões diferentes, em todas as áreas. Para citar alguns exemplos: o que nós portugueses chamamos de autocarro, os brasileiros dizem ônibus. Balneário é vestiário, casa de banho é banheiro, telemóvel é celular, pequeno-almoço é café da manhã, frigorífico é geladeira, número "seis" diz-se "meia", entre muitos outros termos.

Para uma melhor compreensão da linguagem do esporte em geral, tivemos de aprender os termos que são utilizados no Brasil por profissionais e torcedores (Tabela 1).

PORTUGUÊS (DE PORTUGAL)	PORTUGUÊS (DO BRASIL)	PORTUGUÊS (DE PORTUGAL)	PORTUGUÊS (DO BRASIL)
Desporto	Esporte	Golo	Gol
Equipa	Equipe / Time	Baliza	Gol
Plantel	Elenco	Bancada	Arquibancada
Suplentes	Reservas	Taça	Copa
Claque	Torcida	Equipamento	Uniforme
Adepto	Torcedor	Camisola	Camisa
Árbitro	Juiz	Fato	Terno
Apanha-bolas	Gandula	Jornada	Rodada
Relvado	Gramado	Poste	Pau / trave
Ginásio	Academia	Jogo a duas mãos	Jogo de ida e volta

Tabela 1: Comparativo de termos relacionados ao esporte em geral

Estudamos também a linguagem relacionada à organização do dia a dia de um clube e à estruturação de uma equipa (Tabela 2).

PORTUGUÊS (DE PORTUGAL)	PORTUGUÊS (DO BRASIL)	PORTUGUÊS (DE PORTUGAL)	PORTUGUÊS (DO BRASIL)
Estágio	Concentração	Direção	Diretoria
Comitiva	Delegação	Treinador principal	Técnico / professor
Convocatória	Convocação	Treinador-adjunto	Auxiliar técnico
Regresso aos treinos	Reapresentação	Observador	Analista de desempenho
Palestra	Preleção	Treinador guarda-redes	Preparador de goleiros
Lista	Relação	Staff	Comissão técnica
Época	Temporada	Equipa técnica	Comissão técnica
Conferência de imprensa	Coletiva		

Tabela 2: Comparativo de termos relacionados à organização do dia a dia de um clube e à estruturação de uma equipa de futebol

Tivemos também de estudar os termos que os brasileiros usam em relação ao próprio jogo de futebol (Tabela 3).

PORTUGUÊS (DE PORTUGAL)	PORTUGUÊS (DO BRASIL)	PORTUGUÊS (DE PORTUGAL)	PORTUGUÊS (DO BRASIL)
Guarda-redes	Goleiro	Pontapé de baliza	Tiro de meta
Defesa central	Zagueiro	Construção	Saída de bola
Médio defensivo	1º volante	Fase de criação	Intermediária
Médio	2º volante	Fase de finalização	Terço final
Médio ofensivo	Meia-atacante	Jogar entrelinhas	Flutuar
Extremos	Pontas	Receber orientado	Receber no giro
Ponta de lança	Centroavante	Movimentos rutura	Movimentos facão
Avançados	Atacantes		
Joker	Coringa	Desviar a bola de cabeça	Casquinha
Pontapé de canto	Escanteio	Remate	Chute
Pontapé livre	Cobrança de falta	2ª Bola	Rebote
Fora de jogo	Impedimento	Defender	Marcação
Lançamento longo	Arremesso lateral longo	Pressão individual	Encaixe marcação
Bola longa	Lançamento longo	Basculação	Balanço
		Prevenção à perda	Cobertura ofensiva

Tabela 3: Comparativo de termos relacionados ao jogo de futebol

Esses termos compõem uma simples amostra de palavras/expressões que fazem parte do nosso vocabulário diário, seja em casa ou no trabalho, e que diferem do português de Portugal para o português do Brasil. Compreendê-los, antes da nossa chegada ao clube, foi um passo importante para a rápida adaptação e para uma transmissão mais clara e efetiva de nossas mensagens.

(Mesmo com todo estudo e preparação, e apesar dos meses de trabalho e convivência no Brasil, ainda não conseguimos usar todos os termos na sua plenitude! Foi e continua a ser fundamental a contribuição e a ajuda dos jogadores e dos elementos da estrutura.)

Outro aspecto que tivemos de aprender foi a numeração das posições dos jogadores no Brasil, visto que há diferenças para a numeração utilizada em Portugal (Figura 3). Apesar de parecer um detalhe insignificante, para nós é de importância tremenda, já que o Abel tem por hábito utilizar a numeração de 1 a 11 para falar das posições de nossa equipa e a designação das posições ("lateral", "zagueiro", etc.) para falar das posições de nossos adversários.

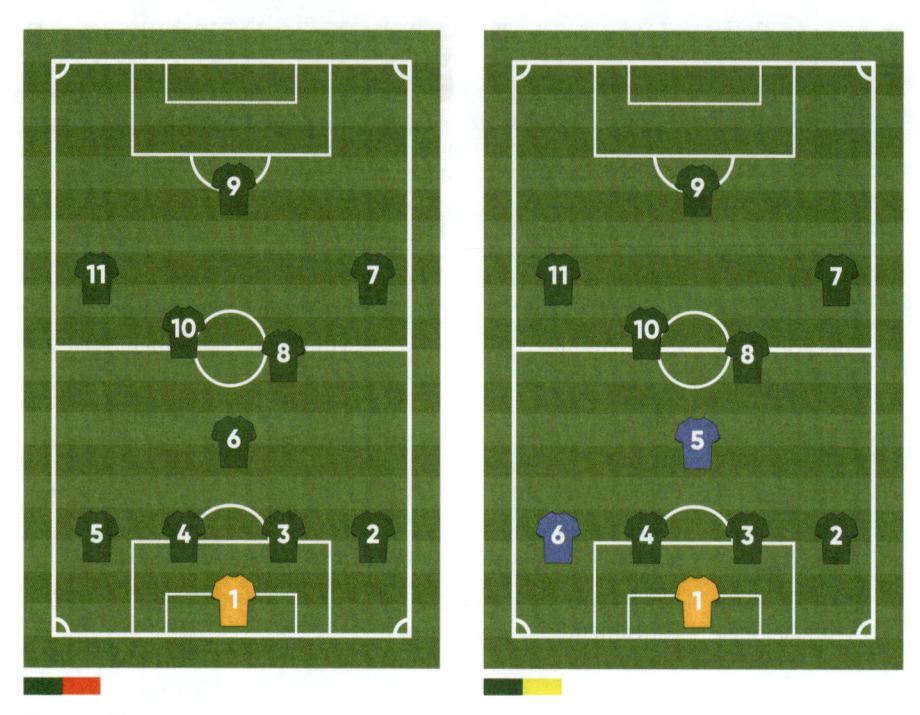

Figura 3: Diferença entre a numeração das posições utilizadas em Portugal e no Brasil

Para melhor conhecermos o futebol brasileiro, realizamos um estudo profundo do Brasileirão, recorrendo à amostra dos onze anos anteriores (Figura 4). A análise levou sempre em consideração as equipas campeãs em comparação com as restantes, e nos permitiu traçar um perfil do campeonato. As variáveis estudadas foram: número de pontos de que precisaríamos para ser campeão e para terminar no G4; o aproveitamento do campeão brasileiro em comparação com o campeão português e os campeões das ligas *big five*; os golos marcados; os golos sofridos; influência dos jogos casa-fora e dos jogos contra os times de diferentes grupos na tabela (1º a 6º, 7º a 13º e 14º a 20º) para a conquista do título; e os dados de desempenho que as equipas campeãs obtêm e que consentem aos adversários. Este estudo, além de útil na temporada de 2020, também nos orientaria em 2021, fornecendo metas que precisaríamos alcançar para aumentar a probabilidade de chegar ao título.

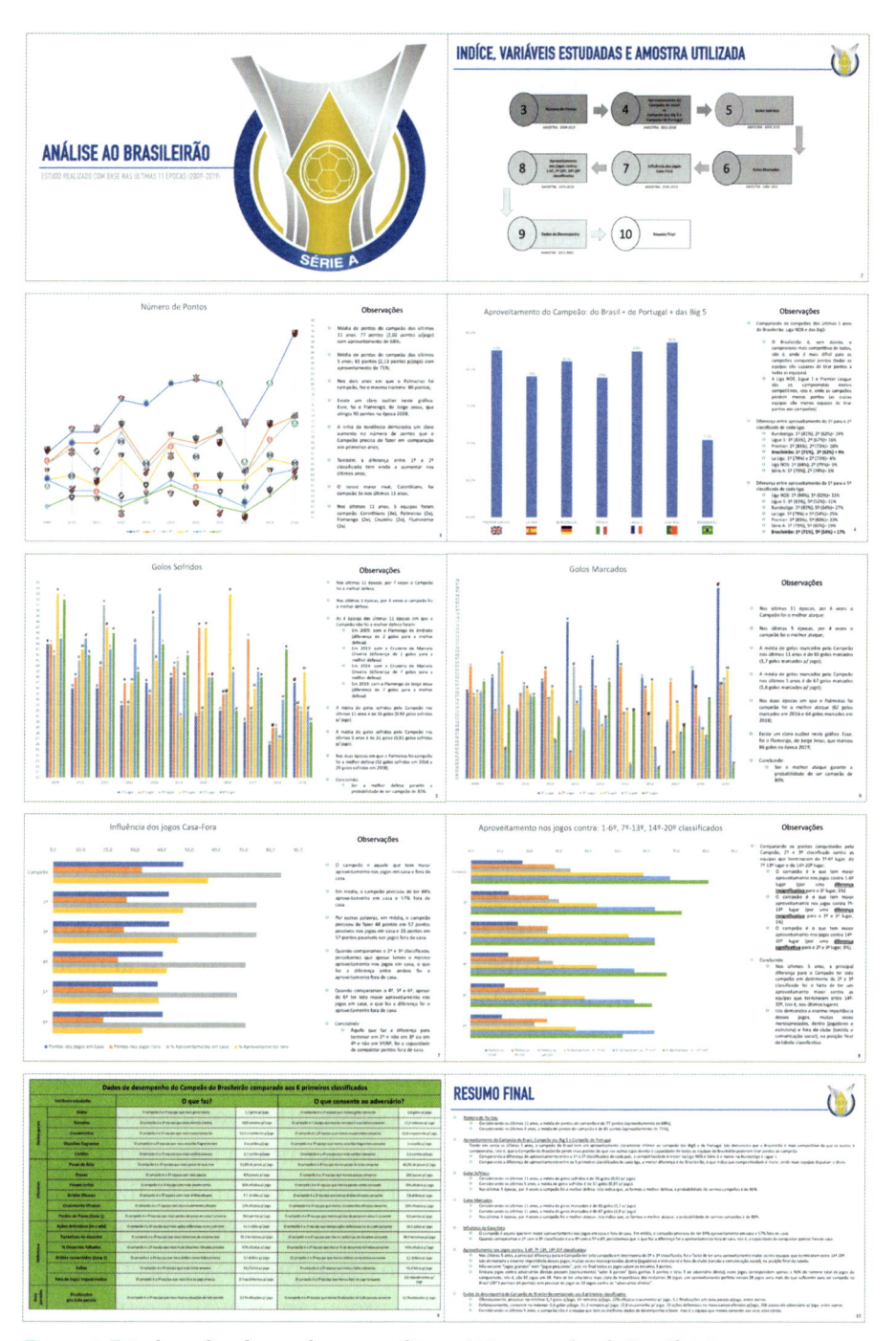

Figura 4: Estudo realizado com base nas últimas 11 temporadas do Brasileirão

A LIÇÃO DE CASA E A ANÁLISE-DIAGNÓSTICO 39

Além de realizar esse trabalho de investigação, nesses dois dias também iniciamos os contatos com os profissionais do clube. Uma vez que não havia tempo a perder, a adaptação da estrutura do Palmeiras ao método da nossa equipa técnica teria de acontecer o mais rapidamente possível. Por meio de mensagens de texto e chamadas telefônicas, procuramos nos inteirar dos procedimentos e métodos utilizados em cada um dos departamentos, solicitando que nos enviassem exemplos do trabalho que faziam. Para facilitar a interligação com as pessoas do clube, criamos uma regra: teríamos de cumprimentá-las pelo nome desde o primeiro dia. Para isso, fizemos um organograma com as fotografias dos funcionários que se encontram no site oficial do Palmeiras e tentamos criar associações dos nomes aos departamentos de cada um. Dessa forma, desde o primeiro momento que entramos na Academia de Futebol, procuramos tratar os profissionais pelos nomes.

A análise do clube e do futebol brasileiro teve como fonte principal as ligações que fizemos para colegas que já haviam trabalhado no Brasil ou que tinham um conhecimento profundo da realidade local. Seus *feedbacks* foram importantes para complementar nossa primeira visão do futebol nacional – isto porque a visão final seria sempre nossa e recolhida quando estivéssemos dentro do contexto em si.

A análise do plantel centrou-se essencialmente em dois componentes: uma análise com fontes internas, feita por elementos da estrutura do clube, e uma análise externa, feita por nós.

Em relação à análise interna, solicitamos à diretoria e ao Centro de Inteligência do Palmeiras (CIP) que preenchessem uma análise-diagnóstico individual de cada um dos jogadores do elenco (Figura 5).

Este modelo de análise-diagnóstico é algo que utilizamos desde nossa ida para o PAOK. Seu objetivo é obter, o mais rapidamente possível e antes de estar no contexto em si, informações sobre os atletas oriundas de quem melhor os conhece. Além disso, nos permite ter uma visão geral dos jogadores em diferentes dimensões. Demoraríamos semanas se fizéssemos esta análise por nós próprios, ou seja, entender o lado mental de um jogador, o contexto social em que está inserido e suas próprias expectativas.

No que diz respeito à análise externa, procuramos avaliar o plantel de duas formas: por meio de uma análise qualitativa (em que todos colabo-

Figura 5: Exemplo de uma análise-diagnóstico solicitada aos elementos do Palmeiras

ramos: cada de um nós assistiu a diferentes jogos do Palmeiras, quer sob o comando do treinador Vanderlei Luxemburgo, quer sob o comando do treinador interino Andrey Lopes) e de uma análise quantitativa (na qual, com base em dados estatísticos, procuramos traçar um perfil coletivo da equipa e fazer uma caraterização individual dos jogadores, estabelecendo comparações estatísticas entre eles).

Em suma, foram dois dias (!) intensos e de muito trabalho. Quanto maior fosse nosso conhecimento prévio, mais preparados estaríamos para tomar decisões e, consequentemente, obter resultados. Afinal, o tempo estava correndo – e ele não corria a nosso favor...

O primeiro contato
com os capitães de equipa

VOLTA **5**

"É muito mais fácil explicares o que tu queres quando o outro está de mente e coração abertos."
Abel Ferreira

Porto, 1º de novembro de 2020

Domingo. Últimas horas antes da partida para o Brasil. O Abel sentiu a necessidade de começar a criar laços com quem estava do outro lado do Atlântico. Além disso, queria compreender a explicação de um dado que detectamos em nossa análise-diagnóstico: o Palmeiras tinha pior rendimento nas partidas em casa do que fora. Até aquele momento, de um total de 20 equipas, o Palmeiras era a segunda melhor nos jogos fora e a segunda pior nos jogos em casa.

Com números de telefone fornecidos pela diretoria, o Abel ligou para todos os capitães de equipa e falou individualmente com cada um deles. Esta conversa teve um aspecto muito positivo: ocorreu olhos nos olhos. Através de chamada em vídeo no WhatsApp, o Abel pôde ver o rosto dos jogadores enquanto falava com eles e, por outro lado, os jogadores também tiveram a oportunidade de sentir o novo treinador.

Nessa chamada, foi feita uma primeira introdução. O Abel falou um pouco de suas ideias, disse que estaria presente no jogo seguinte e que contava com o apoio deles para nossa adaptação.

Pediu também a colaboração deles naquilo que são as dinâmicas da equipa, visto que os capitães são elementos determinantes para o bom funcionamento do grupo. E, antes de terminar a conversa, fez a pergunta que nos intrigava.

– Por que razão vocês têm piores resultados nos jogos em casa do que fora?

E completou:

– Uma equipa grande como o Palmeiras não pode perder tantos pontos na própria casa! Nossa casa tem de ser nossa fortaleza, onde não damos nada a ninguém.

Inicialmente os jogadores ficaram surpresos com a pergunta. Não esperavam que uma conversa informal de apresentação levasse a assunto tão sério. No entanto, não havia tempo a perder, e o tema teria de ser abordado o quanto antes. Quanto mais cedo percebêssemos o pensamento dos atletas sobre o problema, mais tempo teríamos para atuar na respectiva solução.

– O gramado sintético é muito lento! – disse um jogador.

– O gramado está sempre seco! – afirmou outro.

– Professor, o gramado seca muito rápido! – respondeu um terceiro.

O relvado sintético fora o motivo que grande parte dos atletas interiorizara como o principal problema dos maus resultados no Allianz Parque. Apesar de compreender que o gramado pudesse ser um adversário extra caso a irrigação não fosse a mais adequada – e por isso lhes prometeu fazer o que pudesse para resolver esta questão –, o Abel disse a eles que apenas isso não era a razão de todo o insucesso. Afinal, o relvado sintético é o mesmo para as duas equipas que nele jogam.

Não há melhor forma de conhecer a organização de um ambiente do que compreender os elementos que o integram. Por isso, este diálogo olhos nos olhos foi muito importante para obtermos mais informações sobre o ambiente vivido na chamada Família Palmeiras. Além disso, o primeiro contato com os líderes do grupo estava feito e o gelo inicial estava quebrado.

Terminado o domingo, havia chegado a hora de embarcar rumo ao Brasil. Partíamos na viagem com tudo de que precisávamos para enfrentar a nossa nova aventura. Ou quase tudo... Nos faltava o tempo!

Mas o tempo era um adversário que teríamos de superar com uma rápida integração, com nossas competências técnicas e sociais e com uma boa dose de criatividade.

As primeiras impressões

6 VOLTA

"Não foi pelo que os outros disseram ou mostraram. Foi única e exclusivamente por convicção de que tenho, com o Palmeiras, a hipótese de acrescentar títulos à minha carreira. Só estando junto dos melhores isso é possível."
Abel Ferreira

São Paulo, 2 de novembro de 2020

Precisamente 48 horas depois de sairmos da Grécia, estávamos a aterrissar em São Paulo. Nesses dois dias, muita coisa tinha acontecido e, obviamente, as emoções estavam à flor da pele de todos nós.

O primeiro dia foi muito corrido. Desembarcamos em São Paulo às 9h41, deixamos as malas no hotel, conhecemos toda a Academia de Futebol na parte da manhã, nos reunimos com o presidente Maurício Galiotte e a direção e, ao final da tarde, assistimos ao jogo Palmeiras x Atlético Mineiro, pela 19ª rodada do Brasileirão, no Allianz Parque. Após o término da partida, o Abel foi ao vestiário para conhecer os jogadores. As imagens desse momento são demonstrativas de algo que viria a se manter ao longo do tempo: a proximidade do treinador com os jogadores, e a importância do abraço, do toque e do sorriso.

As primeiras impressões foram fantásticas e muito positivas: o Palmeiras demonstrou ser um clube extremamente organizado e com os departamentos bem estruturados. Além disso, a infraestrutura era muito boa e os recursos materiais estavam de acordo com nossas necessidades e expectativas. O que mais nos impressionou foram as estruturas e o ambiente vivido dentro da Academia de Futebol. Para o Abel, as instalações do Palmeiras estão ao nível do centro de treinos do Manchester City, que ele visitou em 2018. A diferença está somente no número de campos de treino: 16 no CT do clube inglês, 3 na Academia de Futebol.

Sabemos que as primeiras impressões nem sempre são as que ficam. Muitas vezes, julgamos ou somos julgados com base nelas, acabando por perceber mais tarde que elas não correspondiam à realidade. Mas, definitivamente, não foi isso que aconteceu nesta situação: percebemos que o clube tinha uma visão exata do que queria. Havia um sentimento transversal a todos nós: estávamos num clube muito bem organizado, com uma visão ambiciosa e que nos oferecia condições para lutar por títulos. Essa organização e essa ambição nos uniam!

O Abel é apresentado às instalações da Academia. Abaixo, o primeiro encontro pessoal com o presidente Galiotte. Nas páginas seguintes, cenas do primeiro encontro com os jogadores

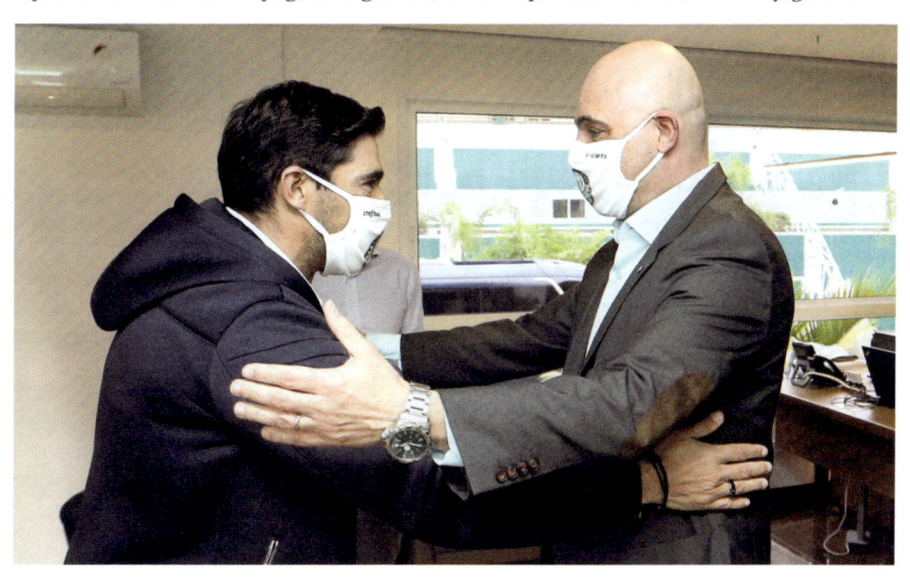

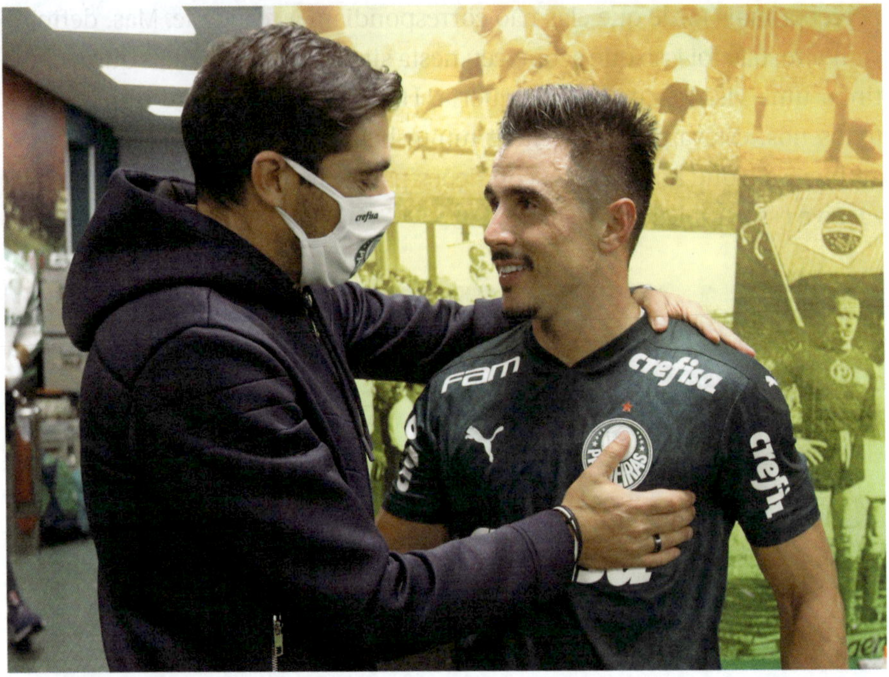
crefisa
Fam
crefisa
PALMEIRAS

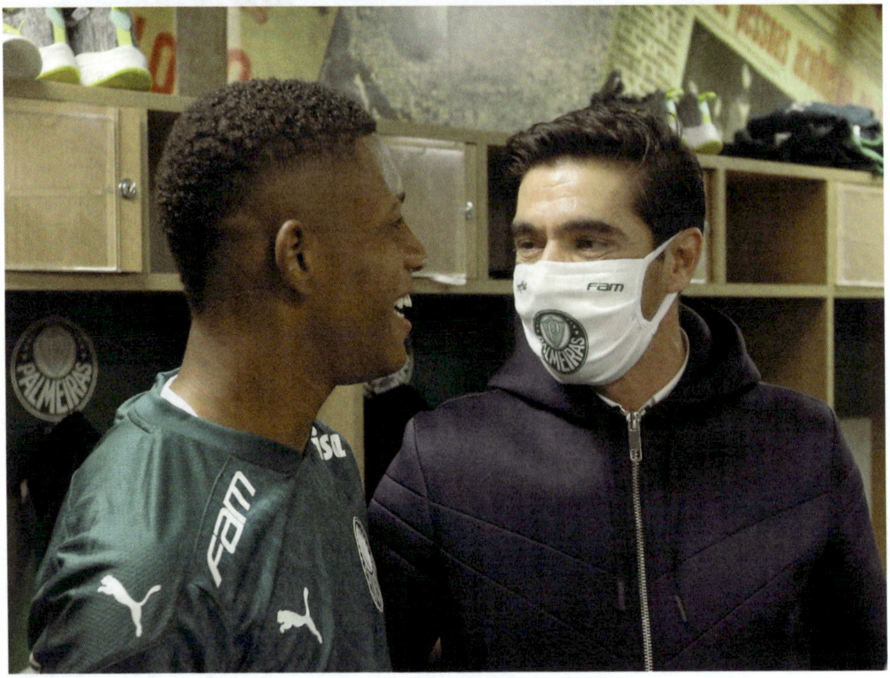
Fam
PALMEIRAS
Fam

AS PRIMEIRAS IMPRESSÕES 47

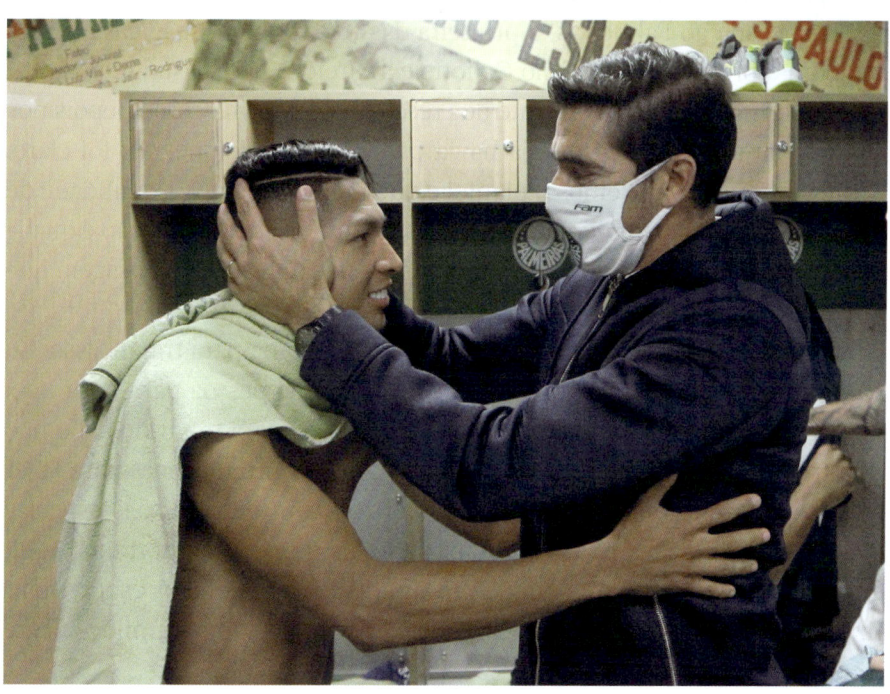

As três reuniões "mágicas"

VOLTA 7

"Ao longo da minha carreira, fui criando minha equipa técnica, especificando o que cada um teria de fazer dentro da nossa organização. Não são meus adjuntos ou meus auxiliares, são meus treinadores."
Abel Ferreira

São Paulo, 3 de novembro de 2020

Nossa experiência nos diz que existem três reuniões mágicas quando chegamos a um novo clube, fundamentais para o bom desenrolar do trabalho e uma correta orientação do caminho a seguir. São elas: (1) a reunião com o presidente e com a diretoria, (2) a reunião com todos os funcionários que trabalham diariamente no local de trabalho e (3) a reunião com todos os departamentos da estrutura.

Na chegada ao Palmeiras, a primeira das três reuniões mágicas aconteceu com o presidente Maurício Galiotte e a diretoria. Foi bastante positiva, desde a forma como o presidente nos recebeu até a forma como depois nos comunicou a mensagem que já havia passado por telefone. Ele foi claro. Pediu-nos que avaliássemos o plantel e que melhorássemos a qualidade de jogo da equipa. Não nos exigiu títulos, e sim entrega, determinação e qualidade no trabalho. De tudo o que ouvimos, destacamos uma mensagem que nos surpreendeu.

– Eu não faço contratos, mas contratei uma pessoa para tratar disso. Eu não trato das finanças do clube, mas contratei uma pessoa para fazer isso. Eu não cuido da grama, mas contratei uma pessoa para tratar dela. Eu não dou treinos nem oriento o time de futebol, mas contratei vocês para fazer isso. Ou seja, eu tenho a responsabilidade de contratar pessoas especializadas e qualificadas para executar as tarefas que eu não domino. Aqui, eu sou o rosto do clube, o cara que responde pelos resultados esportivos e financeiros – disse-nos o Maurício Galiotte, de uma forma humilde, alegre e confiante.

A verdade é que esta visão não é muito comum por parte de um presidente de um clube de futebol. Mas é bastante corriqueira quando falamos de um CEO, presidente ou *chairman* de uma empresa. Nesta reunião, começamos a perceber isso mesmo: o Palmeiras tem um modelo de organização e princípios como se de uma empresa se tratasse, o que nos surpreendeu, claro, positivamente.

Esta reunião serviu para o Abel ouvir de novo o que já tinha ouvido por videochamada e nas reuniões que tivera. No entanto, para o restante da equipa técnica, acabou sendo uma experiência única, e extremamente agradável: foi a primeira vez que presenciamos uma reunião deste teor – e foi também a primeira vez em que sentimos o mesmo tratamento por parte do clube a um treinador principal e aos seus assistentes.

Nestes pormenores – ou seriam "pormaiores"? –, começamos também a perceber algo que se confirmou mais tarde: o Palmeiras entende que todos são importantes na obtenção do sucesso, valoriza todos os seus funcionários e é preocupado com a dimensão humana de cada um. Algo que deveria ser o princípio de qualquer clube de futebol e/ou empresa.

Reunião da equipa técnica com o presidente Maurício Galiotte durante a visita ao Centro de Excelência do Palmeiras

Esta reunião permitiu-nos traçar um primeiro perfil do presidente Maurício Galiotte, que se confirmou mais tarde: um presidente cordial, simples, direto, com uma liderança humana e ideias muito claras e específicas do que queria para o presente e para o futuro do clube. Esta clareza de ideias tem uma dupla importância, que para nós é fundamental: orientar o trabalho daqueles que trabalham sob a sua alçada e, além disso, indicar o rumo a ser tomado por todos.

Em seguida, reunimo-nos com a direção do clube, representada pelo Cícero Souza, gerente de futebol, e pelo João Paulo Sampaio, coordenador da base. Neste encontro apresentaram-nos o organograma do futebol profissional, o organograma do departamento de base, os objetivos do clube, o modelo de gestão, a visão para o futebol, os processos utilizados, os recursos materiais e humanos ao nosso dispor, os atletas inscritos por competição e, por fim, informações pertinentes das rotinas do departamento de futebol. Além disso, nos explicaram a política do clube nas categorias de base, a organização das academias de formação e como se dava a interligação entre os diversos escalões. Ao contrário das reuniões que se seguiram, nesta ouvimos mais do que falamos.

Em nosso primeiro encontro com a diretoria, o Abel havia feito um pedido: queria juntar toda a estrutura que trabalha no CT e organizar uma breve reunião, a "segunda reunião mágica".

Reunião da equipa técnica com o gerente de futebol e o coordenador do departamento de base

A ideia era a de que estivessem presentes não só jogadores e comissão técnica, mas todos os departamentos e funcionários que trabalham no dia a dia das instalações da Academia de Futebol do Palmeiras. É dessas pessoas que um clube depende para ter resultados; por isso, é essencial que todas percebam o papel determinante que têm na dinâmica do clube e da equipa de futebol.

Os objetivos do Abel nesta reunião eram claros: apresentar-se a toda a gente, pedir a colaboração de todos para que nos ajudassem em uma adaptação rápida e incentivar os elementos dos departamentos a dar o melhor de si, para que nada faltasse aos jogadores. A estes, pediu apenas que mostrassem, nas partidas seguintes, o que haviam mostrado no dia anterior, na vitória frente ao Atlético Mineiro: qualidade, atitude, exigência, compromisso e espírito de equipa. O resultado seria consequência!

Demonstramos assim, com atos e palavras, que todos são importantes para a obtenção do sucesso de uma equipa. Todos, afinal, trabalham para um bem comum: para que não falte nada aos jogadores, a fim de que estes estejam focados apenas na preparação dos jogos e na obtenção de vitórias. Mais tarde, o Abel e nossa equipa técnica confirmaram esta filosofia com a implementação do lema TODOS SOMOS UM – preceito reforçado *a posteriori*, pelo presidente, quando este decidiu atribuir um salário extra a todos os funcionários do CT após a conquista da Libertadores de 2020.

Esta reunião foi, provavelmente, nosso primeiro grande passo nessa caminhada. Com uma simples conversa, os funcionários compreenderam a importância que eles têm na nossa dinâmica de trabalho e no equilíbrio das fundações da casa do Palmeiras. Este foi o discurso que o Abel partilhou com eles na ocasião.

"É um gosto, uma honra e uma grande responsabilidade representar este clube. Vocês sabem melhor do que eu.

Honestamente e humildemente, tenho a dizer-vos que vou precisar mais da vossa ajuda do que serei capaz de ajudar-vos, nesta parte inicial.

Sabemos da exigência que nos espera, sabemos que temos muito trabalho pela frente, sabemos que dependemos todos dos nossos jogadores e sabemos também que todas as estruturas do clube têm a responsabilidade e a exigência de fazer tudo para que nada falte aos nossos jogadores.

Devemos fazer tudo para que nossos jogadores só se preocupem com jogar bem e ganhar. Tal como fizeram ontem. Sem espinhas. Não foi culpa minha, foram vocês que puseram o sarrafo a esta altura. Ontem, mostraram qualidade, atitude, compromisso, espírito de equipa. O que eu quero agora é ver isso tudo que mostraram juntamente com disciplina, ambição, trabalho e exigência. E, aconteça o que acontecer, que mantenham a consistência do que fizeram ontem.

Minha função e a da minha comissão técnica, essa é minha palavra de honra, é ajudar-vos a serem melhores jogadores. E porque ninguém ganha sozinho, vou precisar da vossa ajuda. Não vão ouvir-me dizer eu ganhei e não vão ouvir-me dizer eu perdi.

Exigência, talento e respeito vão ser palavras de ordem aqui. E vocês vão fazer cumprir. Respeito dos mais novos pelos mais velhos. Vamos ajudar os mais novos, jogadores com talento e qualidade. Mas também é preciso respeitar os mais velhos, e eles têm de ser um exemplo para os mais novos. E acrescento... O Palmeiras começa aqui. Está aqui. A força do nosso clube são vocês. Quem faz lá fora a torcida vibrar são vocês.

Tudo farei para fazer do clube ainda maior e tudo farei para ajudar--vos a serem melhores jogadores. Não tenho muito mais a dizer, espero que tenham a mente e o coração abertos para ajudar que a minha adaptação seja mais rápida. Estes quatro ou cinco dias têm sido loucos e conto com a vossa ajuda para me integrarem no grupo.

Temos todas as condições aqui para triunfarmos e só é possível triunfar no futebol se estivermos todos juntos. Com estes valores: amizade, respeito e competitividade interna.

Mantenham o que fizeram ontem, rapazes. Se esperam que eu chegue aqui e mude tudo, esqueçam isso. Vou ser exigente com aquilo que vocês têm de fazer. Vocês ontem mostraram uma fotografia do caral**!

Eu, nós e quem está lá fora vamos querer ver no mínimo igual ao que fizeram ontem. O resto: acredito e tenho fé que o melhor de nós está para chegar neste ano.

Mais uma vez, obrigado pela vossa presença, espero que me ajudem rapidamente a estar em casa. Obrigado."

Tão importante quanto a mensagem transmitida às pessoas que trabalham no CT foi termos estabelecido as vias de comunicação entre os vários

Reunião com todos os funcionários e colaboradores da Academia de Futebol do Palmeiras

departamentos e a nova equipa técnica: isso aconteceu na terceira e última "reunião mágica".

O Abel decidiu realizar um encontro com todos os responsáveis dos departamentos da estrutura do Palmeiras. A reunião foi no gabinete da equipa técnica: numa sala onde habitualmente coabitavam cinco pessoas, agora estavam treze. Além do treinador e dos quatro elementos da equipa técnica, participaram o coordenador do Departamento de Análise de Mercado[1], o coordenador do Centro de Inteligência do Palmeiras[2], o coordenador da base e os responsáveis pelo Núcleo de Saúde e Performance[3]. O gerente de futebol Cícero Souza e o assessor técnico Edu Dracena também tomaram parte.

"Como interligamos as peças?" foi a pergunta que iniciou a conversa. Subjacente a essa questão estava um quebra-cabeça com o nome de um departamento em cada peça. A imagem ficou exposta durante algum tempo, sem que o Abel dissesse o que quer que fosse, para que cada um dos presentes nela pensasse também. Após dez segundos, o Abel iniciou a apresentação da organização do nosso trabalho e das vias de comunicação a seguir ao longo da temporada.

A forma de trabalhar de nossa equipa técnica é clara e não deixa dúvidas, quer no que diz respeito às responsabilidades de cada um, quer nas vias de comunicação. A apresentação que se segue (Figura 6) serviu para que todos compreendessem essas dinâmicas e para explicar formalmente quais os elementos da equipa técnica responsáveis por cada departamento.

O Abel terminou a reunião com uma mensagem *cliché*, mas muito importante: "Se cada um fizer o que quer, não vamos ganhar nada. Se trabalharmos juntos, podemos alcançar muita coisa. Quando as aranhas tecem juntas, podem matar um leão!".

---

1 O Departamento de Análise de Mercado é composto por 18 pessoas (entre o coordenador, profissionais da formação do clube, treinadores, assistentes, analistas e captadores) que contribuem para os processos de monitoramento de competições e mercados alvos do departamento.

2 O Centro de Inteligência do Palmeiras (CIP) é composto por 3 pessoas e é dividido em 3 grandes áreas de interesse para a comissão técnica: filmagem e análise de treinos, filmagem e análise de jogos e análise de adversários.

3 O Núcleo de Saúde e Performance (NSP) é composto por 29 pessoas e é dividido em 9 áreas: medicina, fisiologia, fisioterapia, preparação física, massoterapia, nutrição, odontologia, psicologia e podologia.

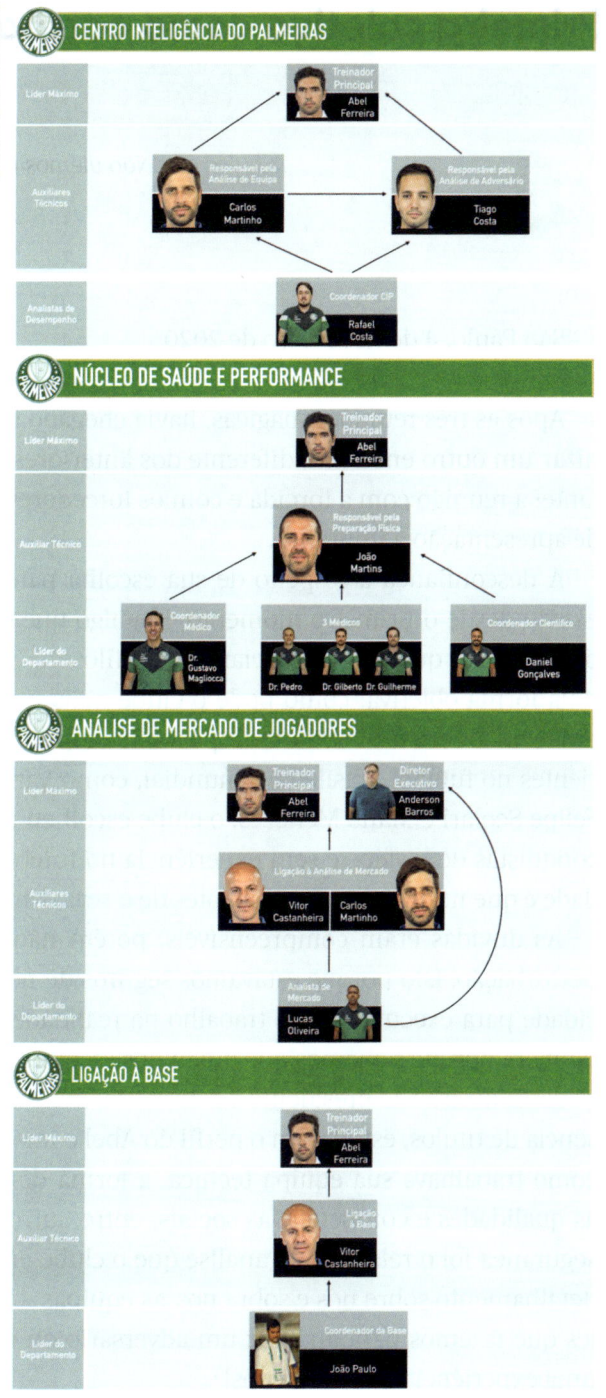

Figura 6:
Slides apresentados aos responsáveis de cada departamento

AS TRÊS REUNIÕES "MÁGICAS" 55

Primeira coletiva como cartão de visita

VOLTA **8**

"Não viemos para o Brasil passar férias!"
Abel Ferreira

São Paulo, 4 de novembro de 2020

Após as três reuniões mágicas, havia chegado a hora de o Abel protagonizar um outro encontro, diferente dos anteriores, mas igualmente importante: a reunião com a torcida e com os torcedores, através de uma coletiva de apresentação à imprensa.

A desconfiança a respeito de sua escolha para treinador do Palmeiras existiu desde o primeiro momento. Era algo que considerávamos legítimo para aqueles que não conheciam nossa filosofia nem nossos métodos. De uma forma objetiva: como pode o clube mais titulado do Brasil contratar um técnico sem títulos? Como, após treinadores vitoriosos e bastante experientes no futebol brasileiro e mundial, como Vanderlei Luxemburgo, Luiz Felipe Scolari e Mano Menezes, o clube escolheu um treinador jovem, sem conquistas de troféus e sem experiência no futebol sul-americano? A verdade é que nunca ninguém foi antes de o ser... Ninguém.

As dúvidas eram compreensíveis, porém não nos causaram qualquer perturbação. Isto porque estávamos seguros de nossa competência e capacidade para executar nosso trabalho na realidade do futebol brasileiro – e também porque sabíamos que quem nos escolhera estava igualmente seguro dessa decisão. O presidente e a diretoria, mais do que olharem para a ausência de títulos, estudaram o perfil do Abel como treinador, seus métodos, como trabalhava sua equipa técnica, a forma de jogar de nossas equipas, as qualidades e competências sociais, entre outros fatores. Exemplo dessa segurança foi o relatório de análise que o clube entregou ao Abel, com um detalhamento sobre nós e sobre nossas equipas – um relatório como aqueles que fazemos para analisar um adversário ou um potencial reforço. Foi uma experiência nova para nós!

A direção ofereceu ao Abel uma camisa com o número 78, o seu número preferido

A coletiva de imprensa durou sessenta e dois minutos. Quem já conhecia o Abel assistiu a uma confirmação de tudo aquilo que ele sempre foi, defendeu e apresentou em sua carreira. Para quem não o conhecia, o cartão de visita estava entregue.

Nosso sentimento era claro e ficou explícito em suas palavras: não havíamos vindo ao Brasil passar férias, com todo o respeito ao que um país tão maravilhoso tem a oferecer. Viemos para conquistar, vencer e fazer história a serviço do gigante que é o Palmeiras. E estávamos preparados. Conhecer o país seria uma consequência natural de uma estadia que se previa duradoura e intensa.

Separadas por temas, estas foram algumas das ideias apresentadas pelo Abel na coletiva.

Treinadores estrangeiros no Brasil

Sou um homem de convicções. Gosto de seguir os meus instintos, gosto de me desafiar. Não foi pelo que os outros disseram ou mostraram, foi por convicção de que tenho, aqui no Palmeiras, a hipótese de acrescentar títulos à minha carreira. E só estando próximo dos melhores é que isso é possível.

Fiz o meu trabalho de casa, como o clube também o fez ao apostar em mim. Não foram os treinadores com quem eu falei, foi unicamente a minha vontade de crescer e de me juntar aos melhores.

A minha referência no futebol é o conhecimento. São os livros, as pessoas, os portugueses, os treinadores brasileiros, todos aqueles que apanhei no passado, pois sou fruto das minhas experiências. Aprendi com todos os técnicos que tive, os bons, os maus, fracos, ótimos. É sobretudo nos momentos de turbulência que se adquirem as maiores aprendizagens.

Primeiro contato com o plantel

Eu penso como os jogadores pensam. Na escola em que eles andam, eu já andei... Sei quando estão frustrados. Mas há algo que eles precisam saber, não só eles, mas todos que trabalham no clube: ninguém está acima da grandeza do Palmeiras e trabalhamos todos para o mesmo. Todos aqui têm a missão de dar o melhor de si, para que em dia de jogo todos possamos dar alegria aos nossos adeptos.

Troca de treinadores no Palmeiras

Algum dia vai acontecer isso. Ainda não fui despedido desde que me tornei treinador profissional, mas um dia vou ser. É natural. Faz parte do processo. No futebol, matamos ou morremos. Vivemos numa selva. Com respeito, princípios, sabemos como ganhar e como fazer. Mas as regras do jogo são claras: ou ganhas ou ganhas.

Vivo minha vida particular e profissional com muita intensidade, não penso a longo prazo. Vivo o aqui e o agora. Defenderei o verde e branco até a morte. E depois, é o resultado que nos guia. É loucura ter dois meses com dezoito jogos, mas OK. Vamos encarar com seriedade, disciplina, talento e comunicação. Estou aqui de alma e coração para dar o melhor de mim.

Jogar bonito ou vencer?

Temos de recuperar nossa identidade. O Palmeiras é conhecido pela Academia, por uma forma e estilo de jogar, não pelo número de títulos que ganhou naquela época, foi pela identidade criada. Os jogadores têm um mapa do futebol dentro deles. O que vamos fazer agora é ajudá-los, fazer com que cada um deles tenha a capacidade para enfrentar o adversário dentro deles. O desafio é ter a capacidade para ser melhor a cada dia. Se fizermos isso como no último jogo, seguramente no futuro teremos muitas alegrias.

Escola portuguesa de futebol

A partilha do conhecimento. Quando comecei a treinar e a criar a minha ideia de jogo, comecei sempre através de uma perspectiva global. Como valorizo jogadores? Como valorizo um clube? Como valorizo o futebol?

Foi a partir daí que gerei meu próprio conhecimento e desenvolvi nossa própria ideia de jogo. Se vocês repararem na minha carreira como treinador, tenho um projeto e tempo nos clubes para cimentar e crescer essa ideia, como têm o Klopp e outros treinadores. Porque sabem o que querem e, mais do que isso, conseguem aguentar a pressão dos adeptos e dos críticos.

Formação de jogadores no Palmeiras

Gosto de gente experiente que dê suporte aos mais novos e gosto de que os mais novos queiram fazer carreira e queiram crescer. Mas tem de ser um trabalho em conjunto, com respeito, amizade e competitividade.

Lembro-me de quando eu era jogador. Eu era mais novo e tinha um jogador mais experiente a competir comigo pela posição. Eu só não lhe roubava o lugar se não pudesse! Os mais velhos só têm de ser exigentes com eles próprios e dar o exemplo. Dependemos de todos.

DNA do clube, estilo de jogo e parte física

É normal ter lesões, que a intensidade seja mais baixa nos jogos. Não há outra forma. Chega a ser desumano, mas vamos apelar a outras capacidades que eles têm, como o sacrifício, estar cansado e ter de correr, pois temos de ganhar o jogo... E só há uma maneira: todos juntos. Temos de ter uma intenção clara das nossas decisões para tornar a equipa competitiva e com os olhos postos na baliza do adversário para jogar e ganhar.

A expressão "jogo propositivo" ou "ofensivo" não significa que vamos ter a bola o tempo todo. Nenhuma equipa do mundo consegue ter a bola

A modernidade das conferências de imprensa (em tempos de pandemia)

o tempo todo. Temos de perceber os momentos do jogo. Quando for o momento de ter a bola, vamos tê-la. Se tivermos de juntar tropas e defender, vamos fazer isso.

Relação com a torcida
Tivemos momentos bons, em que me aplaudiram, outros nos quais me xingaram. Isso faz parte. E o torcedor tem todo o direito de xingar quando não vê a equipa jogar da forma como quer e também tem o direito de aplaudir quando joga bem. Temos de saber lidar com isso (de forma natural). Mas temos de ter a certeza absoluta, isso não posso negociar, de que vamos suar a camisola do primeiro ao último segundo. E vamos tentar aliar essa vontade, essas capacidades volitivas, ao DNA do clube. Aquilo que faz este clube ser diferente pela história que tem.

Pressão no Brasil e o calendário maluco
Sei como é o futebol, qual é o meu lugar e o que tenho de fazer. O foco é naquilo que eu controlo. O que não controlo, deixo para os outros. O

fenômeno do futebol é algo que me apaixona, algo extraordinário. É o principal desporto que consegue unir todos os estratos sociais. E toda a gente entende de futebol, algo que é fabuloso. Até a minha mulher me xinga e me cobra quando eu chego em casa... "Porque tiraste este? Porque colocaste aquele?"

Tudo que faço, todas as minhas decisões e de minha equipa técnica têm um único objetivo: o que é melhor para o clube, o que é melhor para a equipa. Sempre com base no que os olhos veem. Vou focar-me naquilo que me trouxe até aqui e naquilo que eu controlo. O resto é a lei do mercado. É assim que funciona e não sou eu que vou mudar as regras.

Pandemia

Eu gosto do desafio. Gosto de ir por aí e de me desafiar. O projeto e o clube são extraordinários, a vontade de vir para cá foi muito grande. Por isso saí do PAOK: pela vontade de vir representar este clube.

Em relação à pandemia, quando paramos para pensar como homens e não profissionais do futebol sobre esse assunto... Eu acho que a vida nos dá um sinal de que temos de parar um pouco e desfrutar das coisas simples da vida. O nosso mundo, não é só o futebol, mudou radicalmente. Antes éramos livres para fazer o que queríamos, sem constrangimento algum. Agora, vemo-nos condicionados, pela saúde de todos, a ter de tomar medidas para cuidar uns dos outros. Por essa parte social, temos essa responsabilidade de nos ajudar uns aos outros. Para todos nós é algo novo, diferente e difícil. Mas espero que, com a graça de Deus e o trabalho de todos, tenhamos rapidamente a solução para que isto passe.

Treinadores estrangeiros e treinadores brasileiros

Estava a jogar na segunda divisão e, curiosamente, foi um treinador brasileiro, Paulo Autuori, quem foi me buscar e me deu a oportunidade de começar como profissional na primeira liga. Duas semanas antes de me estrear contra o Porto, ele disse-me: "se prepara menino, que vou te meter no jogo contra o Porto". Foram duas semanas que nem dormi. Tenho ótimo relacionamento com o Autuori. Na linha da minha vida, ele está lá.

Tinha um sonho de representar a Seleção Nacional de Portugal, que na altura estava muito bem representada na lateral direita, com grandes jogadores. Em 2007, o Luiz Felipe Scolari chamou-me para fazer quinze dias de trabalho na altura em que Portugal se preparava para o Europeu. Foi ele que me chamou quando eu estava no Sporting e teve uma conversa espetacular comigo. Tínhamos dois jogos para disputar. Ele disse-me: "Abel, não se preocupe. Se conseguirmos a qualificação já no primeiro jogo, dou-te a oportunidade de estrear no outro". Infelizmente isso não aconteceu e tivemos de ir para o último jogo, lá no Dragão, quando ele disse a célebre frase "E o burro sou eu?". Eu estava lá, nessa equipa.

O futebol e a vida são assim. Os mais novos querem tirar o lugar aos mais velhos, os mais velhos querem andar mais, para ter sucesso. A vida é feita disso, não é só o futebol. A vida é competição em todos os detalhes e nós temos que trabalhar, de ir à procura quando a oportunidade surgir, de mostrar que estamos preparados para ela. Independentemente da nacionalidade, cor, idade, do que quer que seja. No futebol há espaço para todos, sobretudo para a competência. Essa é a minha opinião em relação a isso. A vantagem que o treinador português tem é a partilha, e depois cada um gera o seu próprio conhecimento.

Reforços e o plantel atual do Palmeiras

Não é preciso mexer muito, só equilibrar. Temos bons jogadores. Temos jovens com vontade de fazer carreira e de crescer. Temos jogadores experientes com vontade de ajudar os mais novos e com vontade de ganhar. Já entreguei esse diagnóstico ao nosso diretor. E respeitaremos sempre essa linha: primeiro, olhar para dentro. Se tivermos soluções dentro, fica. Se não tivermos, procuramos fora.

Jogar bonito

Ninguém garante que se tiver os melhores jogadores eu vou ganhar. Temos de ter a melhor equipa, aí estaremos mais próximos de ganhar. O Guardiola, o Klopp, os treinadores top, nem esses que têm os melhores jogadores do mundo têm como garantido que vão ganhar.

Eu acredito que quem tem a melhor equipa tem mais probabilidade de ganhar. Não prometo resultados, nem títulos. Prometo trabalho e que tudo faremos para que o Palmeiras, em cada jogo, jogue para ganhar, do primeiro ao último segundo.

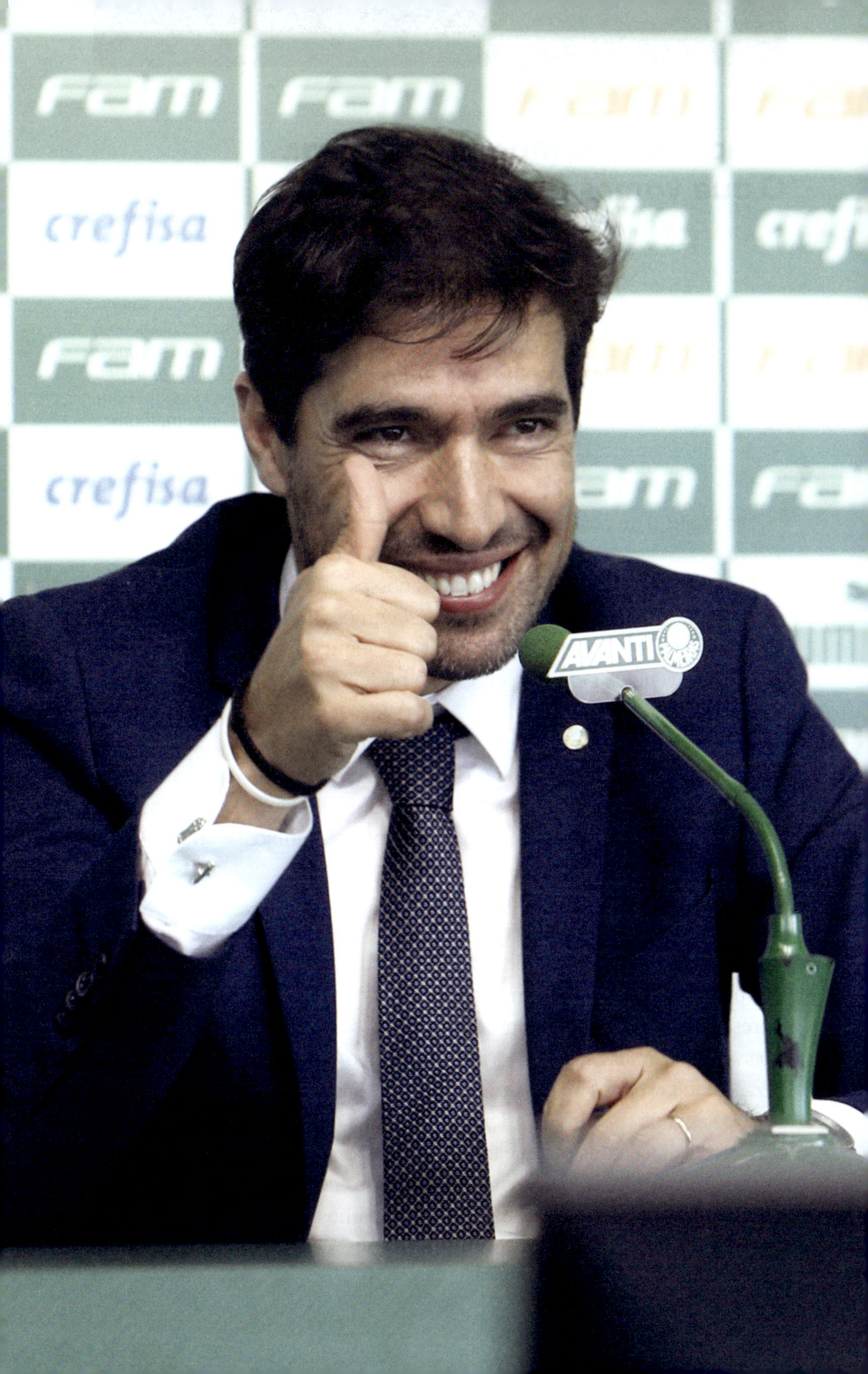
fam
fam
crefisa
fam
crefisa
AVANTI

"Não temos tempo para treinar. O que vamos fazer?"

VOLTA 9

"A gente não tem muito tempo para treinar. Eles (Abel e comissão técnica) têm uma metodologia bacana, chamando a gente várias vezes coletivamente ou individualmente para mostrar coisas boas e outras não tão boas que estamos fazendo nos jogos e nos treinos também. É um trabalho muito legal, tanto dele como da comissão. Às vezes o jogo foi bom, o resultado foi bom, mas temos coisas para melhorar."
Luan Garcia

São Paulo, 5 de novembro de 2020

O dia começou com a assinatura dos nossos contratos de trabalho. Uma curiosidade: isto aconteceu numa sala de reuniões onde estava exposta uma réplica da taça da Libertadores da América conquistada em 1999, que à data era a única vencida pelo Palmeiras. Não hesitamos em tirar fotografia para a posteridade.

Terminadas as três reuniões e consumada a oficialização de nossos documentos, a ficha caiu-nos após o primeiro dia de trabalho. Tínhamos noção de que a densidade competitiva seria totalmente diferente da que havíamos vivido até então, mas só quando nos sentamos no gabinete e olhamos para a calendarização anual é que nos questionamos:

– Não temos tempo para treinar. O que vamos fazer?

Nossa filosofia de trabalho e nossa metodologia de trabalho, ainda que tenham um objetivo comum, devem ser distinguidas. A primeira consiste nos pilares que nos guiam, em todo e qualquer momento: valorizar os jogadores, valorizar o clube e valorizar o futebol. A segunda consiste em como operacionalizamos estes pilares anteriores, e contempla uma ideia de organização que estamos a construir ao longo dos anos. Fazem parte da nossa metodologia de trabalho: o microciclo/semana de trabalho padrão, os dias do microciclo/semana em que fazemos reuniões de análise entre nós e com os jogadores (sobre a equipa e o adversário), os dias do microciclo/semana em que treinamos bolas paradas, como treinamos/recuperamos consoante o tempo de intervalo entre jogos, entre muitos outros aspectos. Também entram nessa metodologia os aspectos mais logísticos, como: horários de treino, horários de refeições e viagens no dia seguinte ao jogo (dia +1), por exemplo. Embora estejamos constantemente questionando nossa metodologia de trabalho, fruto de uma motivação intrínseca em melhorar continuamente os processos, pela primeira vez tivemos essa motivação de forma extrínseca – ou seja, foi o contexto envolvente que nos obrigou a refletir e ajustar procedimentos da nossa metodologia de trabalho.

Portanto, a primeira resposta à pergunta foi simples e quase imediata: num primeiro momento, temos de nos adaptar ao contexto, e não procurar que sejam os elementos do contexto que se adaptem a nós. Isto porque, apesar de estarmos chegando a um clube no meio da temporada, com estas condicionantes – pandemia, quantidade de partidas, entre outras –, entendemos que o mais importante é ter rendimento imediato. Ou seja: é preciso ganhar jogos. Quanto mais alterações fizermos neste primeiro momento, mais adaptações estaremos exigindo, e maior o risco de deixarmos de controlar o mais importante: a confiança dos jogadores.

Como segunda resposta à pergunta que fizemos a nós próprios: era essencial refletir, priorizar e planejar muito bem nossa intervenção nas diversas áreas de atuação, como treinos, análises, preparação e logística. Porque existem hábitos e procedimentos que, não fazendo parte da nossa metodologia de trabalho, fazem parte das rotinas diárias da equipa que iríamos treinar. Nessa circunstância, qualquer adaptação no decorrer da temporada podia deitar tudo a perder.

A terceira resposta surgiu naturalmente: precisávamos avaliar não só o que era feito com os treinadores anteriores (Vanderlei Luxemburgo e Andrey Lopes), como também quais eram os hábitos dos jogadores que tínhamos à nossa disposição. E a partir dessa análise e reflexão, deveríamos definir os aspectos que queríamos manter e os aspectos que queríamos alterar, sem interferir nas rotinas de trabalho dos atletas.

A quarta resposta, e mais importante: tínhamos de arranjar estratégias para mudar o que desejávamos mudar, mas de forma progressiva e sem necessidade de grande adaptação dos jogadores. Ela teria de ser natural e também motivadora para eles. Tais estratégias visavam atender nosso maior objetivo: ter rendimento coletivo imediato e ganhar jogos. E elas foram:

• Continuar a usar o GPS como ferramenta para controlar o padrão físico a que os atletas estavam habituados, para não gerar um processo adaptativo repentino no meio da temporada;

• Criatividade, de nossa parte, ao colocar comportamentos táticos/organizacionais da equipa em todos os momentos do treino (parte inicial, fundamental e final), com o objetivo de proporcionar um maior entendimento dos jogadores de nossas ideias e de nossa forma de jogar, respeitando suas características;

• Exigência, de nossa parte, em relação aos comportamentos coletivos da equipa em todos os exercícios, por mais simples que fossem. Por exemplo:

  • Manutenção de posse de bola: reação à perda, agressividade na pressão, velocidade de decisão/execução, ordem e disciplina tática coletiva;

  • Jogos competitivos: sempre organizados em estrutura de jogo, opções à largura/profundidade/suporte, coberturas, defensivas e ofensivas, movimentos de ataque à profundidade;

• O tempo do treino é precioso; por isso, todos os exercícios de ativação – que servem para colocar o jogador em condições ótimas para iniciar o treino – são feitos antes do início oficial do treino, isto é, no pré-treino em contexto de ginásio;

• Mais foco em comportamentos táticos (relacionados à nossa equipa) e menos foco em questões estratégicas (relacionadas ao adversário), 70%-30% respectivamente;

• Preleções 3:1 (3 em 1), isto é, com conteúdo relacionado ao último jogo, ao próximo adversário e à estratégia para o próximo jogo.

• Nos jogos em casa, utilizar a manhã da partida para realizar um último treino de estratégia, sempre que o jogo acontecesse após as 19h;

• Criar uma mentalidade competitiva e ganhadora nos treinos, através da "tabela de vitórias", na qual determinados exercícios do treino valiam uma vitória/derrota para os jogadores que ganhassem/perdessem o objetivo do exercício.

Tivemos, portanto, a humildade de adaptar nossa metodologia, introduzindo novos procedimentos, quando entendemos que seria uma mais valia; e tivemos a persistência de fazer seguir nossa metodologia quando consideramos que isso seria o melhor para a obtenção do sucesso imediato.

Apesar de termos feito algumas alterações na metodologia em função do contexto, é preciso ressaltar que nossa filosofia e nossos valores não se alteraram. Afinal, há coisas que são negociáveis: ideia de jogo, horários, organização do microciclo... Mas há outras que não são: entre elas, justamente, a filosofia (que já abordamos) e os valores (respeito, disciplina, trabalho e competitividade).

Réplica da Libertadores de 1999, primeira e única na história do clube até então, que estava exposta na sala de reuniões onde assinamos os contratos de trabalho

Um exercício nunca feito

VOLTA **10**

"Futebol é vida. Tem a ver com criatividade e inovação. Esse sou eu e essa é minha equipe. É a minha forma de ser e estar."
Abel Ferreira

São Paulo, 6 de novembro de 2020

A análise profunda que fizemos dos jogadores permitiu ter maior lucidez e conhecimento sobre o grupo de trabalho, em especial sobre as posições em que alguns atletas tinham mais rendimento. No entanto, restavam dúvidas. Procuramos ouvir a opinião de quem já os conhecia há mais tempo e percebemos que eles também compartilhavam de nossas preocupações.

A primeira questão que nos inquietava era: em que posições os jogadores mais gostam de jogar? Isto porque tínhamos um coringa (jogador que pode jogar em várias posições) e pontas (extremos) que podem jogar em ambos os lados. O coringa era o Gabriel Menino, que tinha feito toda a formação como médio e nos últimos jogos estava atuando como lateral-direito, sendo inclusive convocado para a seleção brasileira nessa posição. Os pontas eram o Wesley, o Gabriel Veron e o Rony. Apesar de ser positivo ter jogadores versáteis e com capacidade de apresentar bons níveis de rendimento em diferentes posições, interessava-nos entender qual a posição e/ou lado do campo em que mais gostavam de atuar.

A segunda questão, e para nós a mais importante, era que jogador poderia ser o substituto do Matías Viña na lateral esquerda. Isto porque, naquele momento, só tínhamos um lateral-esquerdo disponível, visto que o Lucas Esteves estava lesionado e o tempo para o regresso ainda era relativamente demorado. Além disso, o Viña estava numa série de treze jogos consecutivos a atuar noventa minutos e, em poucos dias, sabíamos que íamos perdê-lo por três jogos para a seleção do Uruguai.

Estas questões pairavam na nossa cabeça desde o primeiro dia, pois sabíamos que teriam implicações em nossas decisões futuras. Por isso, o Abel havia criado e executado um exercício para obter respostas a estas dúvidas. Em um de nossos primeiros treinos com o elenco, ainda no vestiário, escrevemos os números de 1 a 11 em onze discos de treinamento e fomos para o gramado. O Abel distribuiu os discos num espaço de 15 a 25 metros perto do meio-campo, colocando-os na disposição do 1:4:3:3, com os três médios em três linhas diferentes (o 5 como 1º volante, o 8 como 2º volante e o 10 como meia-atacante).

Antes de o treino começar, o Abel reuniu os jogadores de costas para os discos de treinamento. Falou um pouco sobre as impressões do jogo contra o Atlético Mineiro, que vimos da bancada, e sobre o que ele queria que os atletas continuassem a fazer. E, antes de terminar a conversa, disse:

– Galera, antes de irmos para o nosso treino, tenho um exercício rápido para fazer convosco. É um exercício com objetivo de vos conhecer melhor. Não tem conteúdo técnico-tático, nem nenhuma carga física, mas... Atenção! Tem muita responsabilidade! – E continuou.

– Atrás de vocês há onze sinalizadores com os números de 1 a 11. O 1 é o goleiro, o 2 é o lateral-direito, 3 e 4 são zagueiros, 6 é o lateral-esquerdo, o 5 é o 1º volante, o 8 é o 2º volante, o 10 é o meia-atacante, o 7 é o ponta-direita, o 11 é o ponta-esquerda, o 9 é o centroavante. Agora, quero que vocês escolham a posição onde mais gostam de jogar, onde se sentem mais confortáveis e onde pensam que têm mais rendimento. Quero que sejam sinceros e escolham com a cabeça, mas também com o coração.

No primeiro momento, os jogadores estavam tímidos, mas, pouco a pouco, caminharam para as posições. Segue-se a disposição inicial dos jogadores (figura 7).

Esse posicionamento inicial respondeu às dúvidas de nossa primeira pergunta. O Wesley e o Gabriel Veron gostam de jogar ambos do lado esquerdo, apesar de termos imaginado que poderíamos colocar um na direita e o outro na esquerda. O Rony confirmou nossa ideia de que o lado do campo em que mais gostava de atuar – e por sinal aquele no qual tinha melhor rendimento – era o corredor direito. Já o Gabriel Menino, apesar de ter ido à seleção brasileira como lateral-direito, tem como preferência jogar como 2º volante. Além de vermos essa questão respondida, tivemos uma surpresa: o Gabriel Silva, jovem da base que atuava há anos como centroavante, optara pela posição de ponta-direita.

Figura 7: Imagem ilustrativa do posicionamento inicial dos jogadores

Após esse primeiro posicionamento, o Abel queria agora saber com que jogador poderia contar caso precisássemos de um lateral-esquerdo. Apesar de os atletas não o saberem, esse foi o principal objetivo do exercício. Essa posição era indiscutivelmente do Matías Viña desde que tinha sido contratado, devido ao elevado nível de rendimento que vinha apresentando. Foi então que o Abel apontou para o Matías Viña e disse:

– Estão a ver aquele rapaz ali sozinho? Tem treze jogos consecutivos nas pernas a jogar noventa minutos, e vai para a seleção em breve. Eu vou precisar de um lateral-esquerdo para jogar lá... Quem está disposto a se sacrificar pela equipa?

Todos os atletas ficaram surpreendidos. Ninguém estava à espera daquela pergunta. Num primeiro momento, ficaram a olhar uns para os outros e a tentar perceber quem ia assumir aquele compromisso. Aquele que era antes um ambiente relaxado se tornou um ambiente mais tenso, até de algum desassossego.

Dois jogadores tomaram a decisão de se movimentar.

O primeiro e mais espontâneo foi um jovem da base, o Renan. Canhoto e zagueiro de origem, tinha feito alguns jogos na base naquela posição e sentiu-se preparado. Um pouco tímido, assumiu a posição de lateral e a reação dos colegas foi de alguma resenha para com ele.

– Oh, oh, olha o moleque! – alguém disse.

– E aí, o moleque quer voar, hein? – brincou um colega.

– O moleque é esperto! – falou outro.

Na verdade, o Renan só fez aquilo em que acreditava, pois, mais do que ninguém, tinha conhecimento de suas capacidades. Algo, aliás, que acabou por revelar mais tarde, quando foi chamado a atuar em jogos de nível de dificuldade elevados.

Após o Renan ter decidido ir para aquela posição, o Abel fez uma pausa. No fundo, esperava que outro jogador pudesse também assumir esse compromisso. O ambiente foi de silêncio total durante alguns segundos.

O segundo jogador a ir para a posição foi muito incentivado pelo grupo, rompendo o silêncio que se fazia sentir no relvado sintético que pisávamos.

– Scarpa, você tá esperando o quê? – disse um colega.

– Sai daí, Scarpa, precisamos de você de *laterinha*! – outro provocou.

O restante do elenco concordou e choveram manifestações de incentivo.

9 Luiz Adriano / Willian

11 Gabriel Veron / Wesley

7 Rony / Gabriel Silva

10 Raphael Veiga / Lucas Lima / Gustavo Scarpa

8 Ramires / Gabriel Menino / Zé Rafael

5 Felipe Melo / Danilo / Patrick de Paula

6 Matías Viña / Gustavo Scarpa / Renan

4 Gustavo Gomez / Renan

3 Luan Garcia / Emerson

2 Marcos Rocha / Mayke

1 Weverton / Jailson / Vinícius

Figura 8: Imagem ilustrativa com os resultados obtidos com a segunda pergunta

O exato momento em que o Renan está posicionado atrás do Matías Viña e o Gustavo Scarpa caminha para a posição de lateral-esquerdo

Apoiado pelos companheiros, mas também motivado intrinsecamente, o Gustavo Scarpa abandonou a posição de meia-atacante e foi para a lateral esquerda. Ele já tinha as bases da posição, além de um conhecimento de jogo e uma qualidade que o faz atuar em qualquer posição no campo. Tinha também a experiência competitiva que procurávamos para um jogador da linha defensiva. E, mais importante: ao ir para lá, ele assumiu um compromisso com os colegas. Estava disposto a servir a equipe e a sacrificar-se por ela.

Com um exercício simples e rápido, conseguimos ver respondidas algumas dúvidas, e da melhor forma possível: através dos próprios jogadores. Falar menos e ouvir mais os atletas – isto é, afirmar menos e perguntar mais – é um ponto que consideramos essencial na relação treinador-jogador e no trabalho em equipe, de modo a potenciar a evolução dos jogadores a todos os níveis (conhecimento do jogo, compromisso, responsabilização individual, entre outros).

Dois jogos, duas vitórias e duas lesões graves

VOLTA **11**

"Eu me senti muito à vontade com o Abel e como ele trabalha. Ele nos passa que, independente de jogar ou não, você é importante. Isso soma para o jogador."
Danilo Barbosa

Rio de Janeiro, 8 de novembro de 2020

Os primeiros jogos de um novo treinador a serviço de um clube são sempre envoltos por grande expectativa. Tanto do próprio treinador e dos jogadores quanto também dos torcedores e da direção, responsável pela escolha desse comandante técnico. No Palmeiras, não fugimos à regra; terminados os primeiros dias de trabalho, chegou a hora de sermos "julgados". Isto porque no nosso entender, em qualquer nível competitivo, os dias de jogos são os principais momentos de avaliação e julgamento do treinador e de sua equipa.

A primeira partida havia acontecido no Allianz Parque, dia 5 de novembro, a contar pela volta das oitavas de final da Copa do Brasil, contra o Red Bull Bragantino. Uma equipa organizada e competente, com um jogo posicional em 1:4:3:3 muito interessante, e uma configuração de clube-empresa que, certamente, lhes permitirá lutar por títulos a curto-médio prazo.

Com apenas três treinos antes da estreia, procuramos manter o que vinha sendo feito, introduzindo somente aspectos muito pontuais, em especial alguns posicionamentos com e sem bola nas diferentes fases. No entanto, na preparação para o jogo, nosso foco enquanto equipa técnica não estava nos princípios táticos que gostaríamos de ver no time, e sim nos princípios mentais e comportamentais que queríamos que a equipa apresentasse em campo. Com esse objetivo, o Abel encerrou a preleção com uma mensagem (Figura 9) direcionada a essa dimensão mental e comportamental.

– Galera, eu não sei qual vai ser o resultado final. Mas o que eu quero mesmo para hoje é ver aquilo que vocês nos mostraram no último jogo. A paixão com que viveram o jogo, a comunicação verbal e gestual que notamos, o talento nas ações técnicas, a humildade para saber defender quando for preciso, a amizade que transmitiram quando celebraram os golos, a disciplina em fazer o que foi pedido pelo treinador, o respeito e a confiança que eu vi para com todos. Vocês são bons e têm muita qualidade técnica. Estes são os valores que eu quero ver na nossa equipa!

Figura 9: Slide apresentado no final da primeira palestra do Abel à equipa

Apesar da vitória por 1 a 0, não fizemos uma boa partida, nem técnica nem taticamente. O jogo posicional do Red Bull Bragantino criou-nos algumas dificuldades, notadamente porque não fomos capazes de controlar a inferioridade numérica no meio-campo através dos nossos pontas do lado contrário à bola, que tinham como missão tática fechar a equipa como terceiros médios. Por outro lado, ficamos muito satisfeitos, principalmente, com as dimensões física e mental dos jogadores. Os valores e comportamentos pedidos no final da preleção foram mostrados em campo. Não há maior satisfação para nós do que ter o sentimento de que os atletas entregaram tudo o que tinham.

O segundo jogo, válido pela 20ª rodada do Campeonato Brasileiro, contra o Vasco da Gama, em São Januário, teve tanto de invulgar como de especial. Isto porque foi o primeiro jogo da história do Brasileirão entre duas equipas orientadas por técnicos portugueses. E o treinador do Vasco da Gama era ninguém mais, ninguém menos do que Ricardo Sá Pinto, amigo, ex-colega de profissão e o treinador com quem o Abel havia iniciado o percurso pós-carreira de jogador. Quis o destino que a primeira partida em

O reencontro com o amigo e conterrâneo Ricardo Sá Pinto, treinador do Vasco da Gama

que se enfrentaram como treinadores adversários ocorresse no Brasil, como comandantes de equipas brasileiras.

O duelo em si foi extremamente difícil. Em nossa análise prévia, concluímos que o Ricardo Sá Pinto e sua equipa técnica haviam conseguido dar organização e competitividade ao Vasco, e esperávamos um contexto de jogo exatamente como aconteceu: um embate equilibrado de ataque-defesa, com posse de bola dividida e uma partida que seria decidida em detalhes. Isto porque os níveis de confiança de nossos jogadores ainda não eram altos; sabíamos que se tratava de um processo com relação direta e proporcional ao tempo. Ou seja, só iríamos recuperá-lo com os dias... E com as vitórias. No Rio de Janeiro, ela veio novamente. O detalhe que acabou por decidir o jogo aconteceu a nosso favor: um pênalti aos 73 minutos.

Essa partida permitiu-nos duas importantes reflexões. A primeira, que a "construção a 3 jogadores com o defesa direito a partir de trás" não tinha corrido como esperado, e que precisávamos repensar uma nova forma de saída de bola ou encontrar outro atleta para executá-la. A segunda, e mais importante, foi poder sentir pela primeira vez na pele a dificuldade que é um jogo fora de casa no Campeonato Brasileiro. No estudo que havíamos feito do campeonato, concluímos que, em média, o campeão perde aproximadamente 40-45% dos pontos fora de casa e os 2º e 3º classificados perdem em média 50-55%. Além disso, os jogos fora de casa implicam uma série de condicionantes que têm alto impacto no rendimento de uma equipa: temperaturas climáticas muito variáveis, gramados bastante diferentes de jogo para jogo e viagens de avião muito longas e desgastantes. Esses fatores se apresentam como grandes desafios; no entanto, como não podemos controlá-los, devemos aprender a lidar com eles, nos adaptar e seguir em frente.

Nossos dois primeiros jogos foram complicados ao extremo, mas trouxeram-nos duas importantes vitórias. Para nós, foi particularmente importante o fato de não termos sofrido golos. Isto porque, à data da nossa chegada, na 18ª rodada, o Palmeiras tinha 22 golos marcados e 20 sofridos em 17 jogos. Os números defensivos (6ª melhor defesa) eram os que mais nos preocupavam. Procurar cimentar nosso lugar como uma das melhores defesas foi um objetivo que colocamos aos jogadores e que foi prontamente aceito[1].

Como resultado dos dois primeiros jogos sob nosso comando, surgiram também duas lesões traumáticas graves, que nos retiraram dois jogadores importantíssimos durante praticamente três meses. A lesão do Wesley, contra o Red Bull Bragantino, aconteceu no menisco medial esquerdo; e a lesão do Felipe Melo, contra o Vasco da Gama, foi uma fratura de tornozelo esquerdo. A cada jogador que infelizmente se lesiona, no entanto, aparece a chance para outro se revelar. E foi essa filosofia que transmitimos aos atletas: que estivessem preparados para corresponder à oportunidade, porque ela iria surgir e era importante que eles mantivessem o nível dos colegas lesionados.

Por fim, desde o primeiro dia de trabalho, procuramos quebrar a barreira mental que existe entre os jogadores titulares e os reservas. Para combater isso, utilizamos algumas estratégias: (1) a filosofia de que todos somos um e que todos no grupo de trabalho são importantes; (2) a filosofia de que a estrela é a equipa, e os objetivos da equipa estão acima dos objetivos individuais; (3) não separar durante os treinos quem vai jogar de início de

---

1 Terminamos o Campeonato Brasileiro de 2020 como a 3ª melhor defesa do torneio.

quem começa no banco; (4) normalmente e salvo algumas exceções, a equipa inicial só é divulgada aos jogadores duas horas antes do jogo, ou seja, na preleção pré-jogo. Afinal, até no céu as estrelas estão juntas!

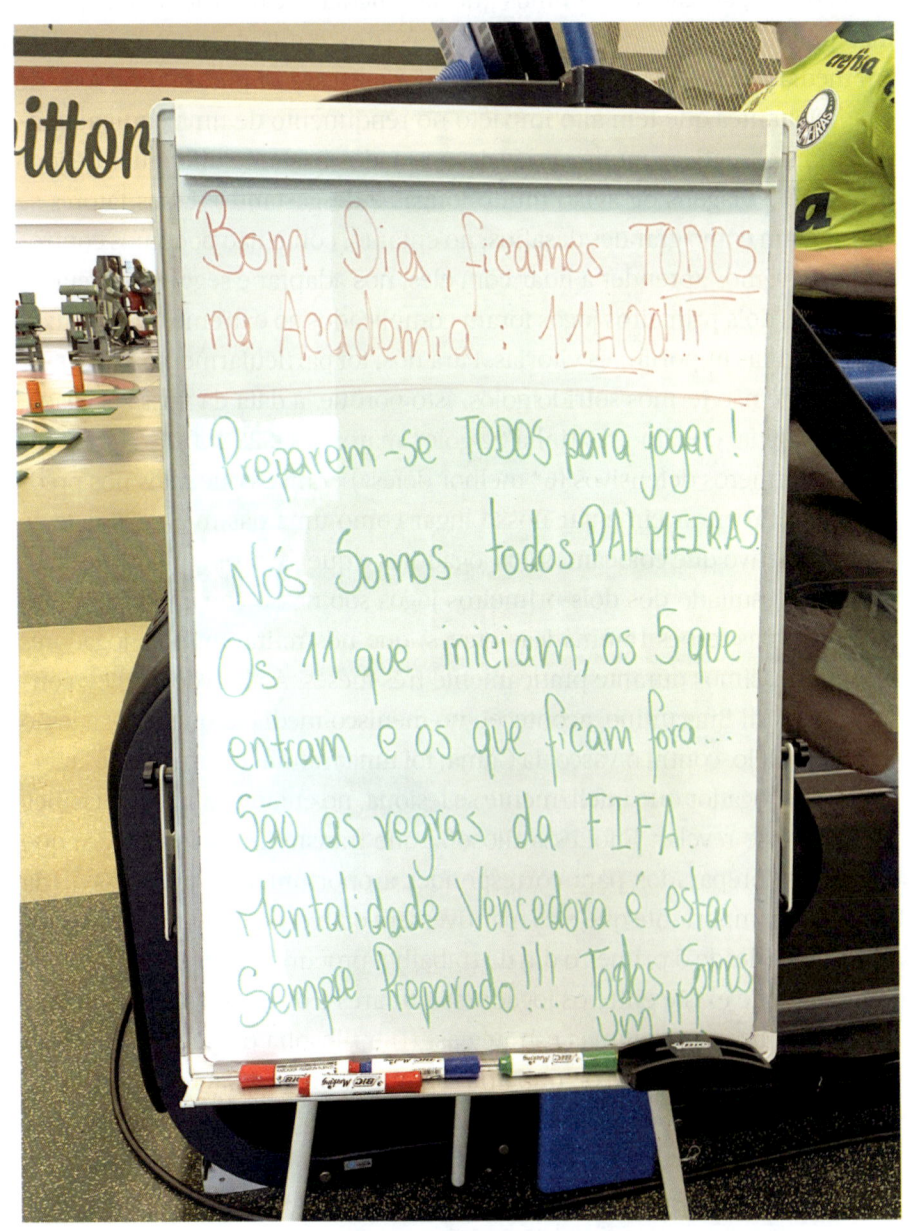

Mensagem para os atletas na Academia, antes do treino da manhã em um dia de jogo

Surto de Covid-19 no CT e jogadores nas seleções

VOLTA **12**

"Nos últimos tempos, o Palmeiras tem tido muitas dificuldades por causa das doenças, das lesões. Mas a mentalidade de querer ganhar, jogue quem jogue, isso ajuda muito."
Gustavo Gómez

São Paulo, 10 de novembro de 2020

Após duas vitórias em dois jogos, o ambiente estava muito bom, e os níveis de confiança dos atletas cada vez mais em alta. Sentimos isso em vários momentos, em particular nas ações técnicas nos treinos e nos jogos e nas atividades cotidianas em torno do grupo de trabalho. Notamos que os jogadores estavam felizes e a verdade é que nós também, pois eles estavam a comprar nossas ideias e a vendê-las em campo por um preço muito alto!

As duas baixas por lesão foram nosso primeiro grande obstáculo, afetando de certa forma a boa onda que adveio das vitórias. Não só pelas contusões em si, como também pelos jogadores que se lesionaram: um deles era um dos nossos capitães, e outro um jovem atleta que estava a despontar naquele período da temporada, com grandes exibições.

O segundo obstáculo, entretanto, chegaria durante a preparação para o nosso terceiro jogo, contra o Ceará. No momento em que a equipa começava a "carburar", um surto de Covid-19 abalou todo o Centro de Treinamento da Sociedade Esportiva Palmeiras. O contágio atingiu quase todos os que trabalham diariamente na Academia, desde os jogadores e comissão técnica até os funcionários. O episódio teve um impacto tremendo na nossa equipa, quer em termos do ambiente envolvente, quer em termos de performance dentro de campo. No meio de uma situação totalmente desagradável e desconfortável, houve pelo menos um fato positivo: nem todas as baixas aconteceram no mesmo momento. Elas foram sequenciais.

Eis as datas das confirmações dos testes positivos para Covid-19 dos atletas durante esse surto: Luan a 10/11, Danilo Oliveira a 11/11, Gabriel Menino a 12/11, Rony a 12/11, Kuscevic a 15/11, Gabriel Veron a 15/11, Vinícius a 15/11, Gustavo Scarpa a 15/11, Jailson a 15/11, Breno Lopes a 18/11, Raphael Veiga a 19/11, Willian Bigode a 19/11, Renan a 25/11 e Marcos Rocha a 27/11. Num momento em que necessitávamos de mais jovens da base para preparar os jogos e tentamos recorrer a mais alguns jogadores, alguns deles também foram infectados: Gabriel Silva a 12/11, Marino a 15/11, Pedro Acácio a 16/11, Pedro Bicalho a 16/11, Alan a 18/11, Ramon a 10/12 e Giovani a 15/12.

No mês de dezembro, não tivemos nenhum caso entre os profissionais. As baixas seguintes aconteceram já em 2021: Mayke a 2/1, Patrick de Paula a 23/2, Luiz Adriano a 1/4 (segunda vez), Gabriel Veron a 5/6 (segunda vez) e Lucas Esteves a 10/6 (segunda vez).

Além disto, este período de tempo assinalou o início de uma experiência inédita em nosso percurso como treinadores: competir oficialmente sem os jogadores internacionais. Até então, havíamos atuado sempre em países onde os torneios eram interrompidos por ocasião das datas FIFA. Pela primeira vez, portanto, iríamos vivenciar a situação desafiante de ter de disputar jogos nas diferentes competições (Libertadores, Copa do Brasil e Brasileirão) sem atletas que têm uma grande influência na dinâmica da equipa. Foi também neste momento que constatamos um outro fato importante: os nossos jogadores internacionais correspondem a 2 defesas, 1 defesa/médio e 1 goleiro, ou seja, uma grande parte da linha defensiva – Weverton, Gustavo Gómez, Gabriel Menino e Matías Viña. Esse desafio implicaria ajustes importantes nesta subestrutura da equipa.

Tal como no momento da lesão do Felipe Melo e do Wesley, também nesta situação de adversidade temos o pensamento de que o elenco dará respostas. Com as oportunidades aparecendo para todos, podemos ver e avaliar a resposta dos atletas que compõem o grupo não apenas em treino, como também em jogo. A infelicidade de uns é a felicidade de outros.

A regra das 24 horas

VOLTA **13**

"Nosso grande adversário está dentro de cada um de nós... Devemos procurar ser melhor hoje do que aquilo que fomos ontem."
Abel Ferreira

São Paulo, 25 de novembro de 2020

Ainda sob os efeitos do surto de Covid-19, os jogadores foram regressando aos treinos de forma gradual. Como é sabido, as consequências desta doença são sentidas até nas mais curtas atividades do dia a dia; para as profissões que exigem grande esforço físico, como é o caso dos atletas profissionais, esse impacto é muito maior.

"Escapamos" ao início da onda de contágio com resultados ótimos e performances consistentes. Ao final do sétimo jogo, obtivemos 5 vitórias, 1 empate e 1 derrota. Todas estas partidas nos marcaram por diferentes motivos.

Nosso terceiro jogo, contra o Ceará, vitória por 3x0 válida pela ida das quartas de final da Copa do Brasil, ficou lembrado no plano geral pelo melhor resultado e melhor performance até então; a nível particular, nos marcou pela expulsão do Abel, que recebeu o cartão vermelho logo na primeira vez em que se dirigiu ao árbitro. No final do jogo, o Abel tentou conversar com o mesmo e compreender os motivos da sua expulsão. Foi rejeitada qualquer tentativa de conversa. Foi neste momento que compreendemos as diferenças existentes entre as gírias portuguesas e as gírias brasileiras, podendo algumas palavras e expressões serem mal interpretadas conforme o país de origem.[1]

O quarto jogo, contra o Fluminense, vitória por 2x0, foi um duelo contra uma equipa sempre complicada e experiente – como aprendemos no Bra-

---

[1] Mais tarde, no julgamento da expulsão, em 18/1/2021, o Abel foi absolvido de culpa, pois se comprovou a inexistência de qualquer gesto ou uso das expressões relatadas pelo árbitro na súmula. Em momento algum, e muito menos somente após duas semanas no Brasil, o Abel iria se expressar com termos tipicamente brasileiros para ofender ou criticar uma decisão do árbitro, como este descreveu na súmula.

sil, "cascuda". Naquele momento do campeonato, nosso adversário estava à nossa frente na tabela; o resultado a nosso favor foi importantíssimo não só para ultrapassarmos o Fluminense, como também para colarmos nos primeiros classificados.

O quinto jogo, contra o Ceará, empate por 2x2 na volta das quartas da Copa do Brasil, marcou-nos por ter sido a nossa primeira vez a jogar na Arena Castelão. Quando saímos do avião, já sentimos a diferença do clima através da transpiração e respiração. Parecia que, após 3h30 de voo, tínhamos aterrissado em outro país! No estado do Ceará, as temperaturas médias beiram os 30°C, com a umidade relativa do ar superando 70%. Aos cinco ou dez minutos de jogo, já podemos ver a transpiração nas camisas dos jogadores – o que demonstra a desidratação a que eles são sujeitos neste ambiente. Além disso, pelo fato de o uso do estádio ser partilhado entre dois clubes (Ceará e Fortaleza), o gramado do Castelão estava bastante agredido! Com tantas baixas, o clube teve de solicitar o jato da patrocinadora para podermos contar com mais dois atletas na partida (jogadores internacionais regressados dos compromissos com suas seleções). Que desafio!

E por falar em desafios, o sexto jogo, cheio de particularidades, foi o que mais nos colocou à prova. Para o duelo contra o último classificado do Brasileirão, o Goiás, tínhamos ao todo 21 desfalques! 17 por Covid-19, 1 por suspensão e 3 por lesão. Depois, uma expulsão de um atleta aos 39' – num lance que nem sempre é cartão vermelho – fez-nos jogar quase 60 minutos com um homem a menos. A partida estava empatada em 0x0 até os 47'21'' do segundo tempo, quando sofremos o golo da derrota em um remate indefensável a 25 metros da baliza. Apesar do resultado, que nos tirou a invencibilidade e nos deixou muito frustrados, ficamos satisfeitos com a resposta altamente positiva e com a demonstração de caráter dos jogadores perante tantas adversidades.

O sétimo e último jogo desta série representou um momento especial. Era nossa estreia na Copa Libertadores – e foi nela que compreendemos exatamente a frase dita várias vezes no pré-jogo pelos atletas: "Isto é jogo de Libertadores!". De fato, as partidas da Libertadores contra adversários não--brasileiros são muito diferentes comparativamente às partidas das competições nacionais: é uma disputa mais física, com mais duelos corpo a corpo, um jogo menos bem jogado e muito mais intenso. E para contribuir com

Celebração contra o Delfín. Esse jogo foi a estreia de nossa equipa técnica em Libertadores

essa aleatoriedade, os árbitros deixam a partida "correr" muito mais. Além disso, foi também nossa primeira experiência de voar 8 horas (de São Paulo para Manta, no Equador) para tomar parte em um jogo internacional. Vencemos o Delfín por 3 a 1.

A essa altura da temporada, choviam elogios aos jogadores e à nossa equipa. Foi neste momento que o Abel decidiu explicar aos jogadores a regra das 24 horas:

– Galera, vou partilhar uma regra que tenho na minha vida profissional, que é a regra das 24 horas. Ela é simples. Após um jogo em que ganhamos ou perdemos, temos 24 horas para celebrar ou para chorar. Porque depois já temos de pensar no próximo. Vocês sabem melhor do que eu: com a densidade competitiva que há por aqui, não dispomos de muito tempo para celebrar ou lamentar o último jogo. Em dois dias já temos outra partida e vai ser assim constantemente. Por isso, quando chegarmos ao treino de manhã, quero ver-vos focados em ganhar o próximo jogo.

O Abel sentiu a importância de alertar os atletas para viverem com equilíbrio os momentos bons e os menos bons porque nossa equipa técnica reconhece a importância de entender que nem sempre quando ganhamos está tudo bem, nem quando perdemos está tudo mal. O importante é o equilíbrio emocional e a forma inteligente de lidar com a vitória e com a derrota, sempre respeitando nossos valores: respeito, disciplina, trabalho e competitividade.

Gramado sintético: uma batalha ganha!

VOLTA **14**

"Sabemos que, para vencer, é preciso muito mais que jogar bem. É preciso união."
Abel Ferreira

São Paulo, 28 de novembro de 2020

Voltemos à primeira conversa do Abel com os capitães do Palmeiras, que aconteceu por videochamada ainda no final de outubro, antes de embarcarmos para o Brasil. Quando questionados sobre o porquê dos maus resultados em casa, as respostas dos atletas foram praticamente as mesmas: o gramado sintético prejudicava suas performances e isso tinha interferência direta nos resultados. A partir desse momento, uma das primeiras grandes missões do Abel foi tentar resolver esse assunto o mais rapidamente possível.

De fato, no primeiro jogo a que assistimos no Allianz Parque, a vitória por 3x0 frente ao Atlético Mineiro, notamos que a rega do intervalo não foi regular – nem em nível de tempo, nem igual em todas as zonas do campo. Isso nos deixou preocupados. Além disso, durante a partida também sentimos que a bola não rolava com a velocidade a que estávamos habituados a assistir.

A primeira conversa do Abel foi com o Cícero Souza, gerente de futebol do Palmeiras. Depois de questionar o que se podia fazer para melhorar esta situação, o Cícero decidiu marcar uma reunião com o responsável pelo relvado do Allianz Parque. A segunda conversa, então, aconteceu com esse profissional. Na sequência, após três semanas de várias experiências para tentar resolver o problema, a solução para melhorar a irrigação do gramado sintético foi aumentar a quantidade de aspersores a funcionar em simultâneo (de 4 para 15) e padronizar a duração da irrigação.

Por fim, 26 dias após nossa chegada, sentimos que o gramado já satisfazia os jogadores. Na vitória por 3x0 sobre o Club Athletico Paranaense, que marcou um novo reencontro do Abel com alguém que fez parte do seu percurso – o treinador Paulo Autuori, responsável por levar o então jogador

Abel da 2ª para a 1ª Liga Portuguesa –, fizemos nosso melhor jogo até a data. Os jogadores ficaram muito satisfeitos com a velocidade que a bola rolava.

Nosso sentimento, então, foi o de que tínhamos ganho duas vezes: o jogo em si, contra um adversário qualificado, e também a satisfação e a confiança dos atletas, por termos conseguido melhorar uma situação vista por eles como um entrave para um melhor desempenho.

Abel e Paulo Autuori à beira do campo na partida entre Palmeiras e Athletico Paranaense

A recuperação entre jogos e as "lesões"

VOLTA **15**

"A verdade é que transformamos as dificuldades em força e seguimos em frente."
Abel Ferreira

São Paulo, 2 de dezembro de 2020

"Esqueçam tudo o que aprenderam na faculdade. Aqui desafiamos os limites da Fisiologia e da Medicina Esportiva."

Esta foi uma das primeiras frases que ouvimos quando chegamos ao Brasil. Realmente, a densidade competitiva do futebol brasileiro desafia todas as leis da performance física, o que provoca um forte impacto em diversas variáveis. Uma delas é a recuperação dos jogadores e de suas lesões.

Jogar de 3 em 3 dias[1] pode dar uma ideia temporal muito longa, porque durante a semana são "somente" 3 partidas. À primeira vista, esse intervalo pode parecer grande. No entanto, caso o atleta sofra uma entorse, mialgia ou traumatismo, que necessite de uma reabilitação de 7 dias, ele já deixa de atuar em 2 ou 3 jogos. Mas isso não ocorre exatamente assim. Como o treinador necessita de todos os jogadores; como o atleta não quer ficar de fora de 2 ou 3 partidas por uma lesão micro; e como o departamento médico quer dar todas as condições à comissão técnica, a consequência é (quase sempre) levar os jogadores aos limites das suas capacidades para poderem estar aptos e ajudarem a equipa em cada jogo.

A fim de melhor conduzir este processo, por vezes heroico, adotamos uma estratégia: viver "dia a dia" e pensar no prazo imediato – ou seja, avaliar e trabalhar com o foco diário, no qual todos os colaboradores do Núcleo de Saúde e Performance dão o seu melhor como se "hoje" fosse o único dia que o atleta tem para tratar. Na manhã seguinte, fazemos novamente uma avaliação e definimos um novo caminho a ser seguido ao longo desse dia.

---

1 Ou de 2 em 2 dias... Ou de 1 em 1 dia... Como jogamos muitas vezes ao longo das temporadas 2020 e 2021.

Ainda sobre as lesões, sua importância é muito mais relativa no futebol brasileiro do que no futebol europeu, uma vez que vão muito de acordo com o *feedback* do jogador e de sua capacidade de tolerância a esse "problema". Tanto os atletas quanto o departamento médico habituaram-se a esta relativização das micro/pequenas lesões, porque o contexto assim o exige. E essa foi uma das adaptações mais rápidas que tivemos de fazer enquanto comissão técnica: relativizar as lesões. Caso contrário – e se déssemos importância a todas as "queixinhas" –, nunca teríamos jogadores disponíveis para o jogo seguinte.

Nossa experiência nos diz que a estratégia de trabalhar "dia a dia" só é possível com uma comunicação frequente e eficiente. Por esse motivo, realizamos todas as manhãs, antes de qualquer atividade, um briefing diário com o responsável de cada área de performance, no qual destacamos individualmente os jogadores e suas necessidades para esse dia. Por uma série de motivos, esse briefing diário tem uma importância extrema: falar a uma só voz para toda a instituição Palmeiras (comissão técnica, atletas, diretoria, departamento de comunicação, entre outras); definição de todo o tipo de estratégias em conjunto (logística, tratamentos de reabilitação e fisioterapia, prazos de retorno dos atletas, adaptações aos treinos, trabalhos específicos, nutrição, psicologia, Covid-19, etc.); e tratamento e filtragem de informação antes de chegar ao treinador (informação "sem gorduras"). Além disso, esta estratégia de trabalhar "dia a dia" também se torna possível pela rotina de controle diário dos atletas por parte do Núcleo de Saúde e Performance; além de fazer avaliações regulares, eles são os responsáveis por obter o feedback dos atletas. Com o lema "Prevenir para não ter de remediar", procuramos controlar todas as variáveis para acelerar os processos de recuperação e evitar lesões.

Tão importante quanto os métodos de recuperação praticados no clube são os métodos de recuperação praticados fora de suas instalações – e, por isso, fora do nosso controle. Se há aspectos que podemos manejar internamente (alimentação pré e pós-treino, suplementação, fisioterapia) para acelerar a recuperação dos jogadores, há outros que não podemos supervisionar e dependem da responsabilidade pessoal (e profissional!) de cada atleta. O descanso, o sono, a hidratação e a alimentação que eles praticam em casa e na vida fora do ambiente do CT são responsáveis por um grande

Abel e o elemento da equipa técnica responsável pela preparação física: João Martins

impacto em sua recuperação. Para nós, esse é o treino invisível que faz total diferença entre um bom profissional e um excelente profissional.

Para o gerenciamento deste processo de recuperação, temos estratégias, mas também obstáculos. Por exemplo: como podemos executar o processo de ensino-aprendizagem (explicar, corrigir, avaliar e se necessário praticar, com progressões pedagógicas) sem tempo para treinar ou em dias de recuperação? Como usar nosso método de treino para evoluir individualmente os jogadores e a equipa sem tempo para treinar ou em dias de recuperação? Como preparar um plano estratégico para o próximo jogo (no dia -1) quando os jogadores ainda estão em processo de recuperação?

Esses obstáculos fizeram-nos desenvolver nossas capacidades e nossa criatividade para o planejamento e operacionalização dos treinos. Por exemplo: utilizar a análise-vídeo como um tipo de treino complementar para executar o processo de ensino-aprendizagem e aumentar o conhecimento declarativo do jogo ("o que fazer?") por parte dos atletas. Executar exercícios analíticos, individuais ou coletivos, mais específicos e com menos repetições para potencializar o conhecimento processual do jogo ("como fazer?") por parte dos atletas. Planejar a parte estratégica da próxima partida dentro da carga física que os jogadores, que ainda estão em processo de recuperação, devem ter.

Enquanto comissão e líderes de todo processo, temos a responsabilidade de ser o barômetro na gestão desta recuperação. Imaginemos o seguinte: de um lado os departamentos dizem que o atleta X não deve jogar; de outro, o atleta X diz que pode jogar. Ou o inverso. Ou ainda o caso de ser um atleta cuja presença em determinada partida a comissão considere primordial. As definições são muitas vezes compartilhadas entre departamentos. No momento de dúvida sobre a utilização ou não de um determinado atleta, o Abel tem como princípio de que deve haver uma reunião entre as três partes (jogador, treinador e médico) para se chegar a uma conclusão. No entanto, caso os interesses dos intervenientes sejam divergentes e não se atinja um consenso, cabe ao Abel assumir a responsabilidade e tomar a decisão final.

É tarefa nossa e de todos os departamentos deixar o atleta nas melhores condições possíveis para o momento em que o árbitro apita para o início do jogo. Infelizmente, e fruto da densidade competitiva, sabemos que nem sempre conseguimos a recuperação completa dos jogadores de uma partida para outra. Talvez por essa razão o elevado número de lesões no futebol brasileiro...

Nesse contexto, realçamos (ainda mais!) o fato de que há treinos tão essenciais quanto os treinos com exercícios de futebol propriamente ditos. Descanso, sono, hidratação e alimentação: esse treino invisível, que depende da responsabilidade e profissionalismo do atleta, assume-se nos dias de hoje como fundamental. Em ambientes de alta densidade competitiva, caso os jogadores não adotem esse procedimento, não estarão devidamente aptos para executar as atividades efetivas com a equipa – o que diz tudo sobre a importância deste tipo de treino...

"Só troco o Palmeiras pela minha esposa"

VOLTA **16**

"O passado dá-nos responsabilidade. Trabalhamos no presente para que o futuro seja melhor e vitorioso."
Abel Ferreira

São Paulo, 3 de dezembro de 2020

Ao fim de nosso primeiro mês de trabalho, obtivemos 7 vitórias, 1 empate e 1 derrota em 9 jogos. Marcamos 20 golos e sofremos somente 4. O momento era bastante positivo: avançamos na Libertadores com dois triunfos convincentes nas oitavas e sentíamos um ambiente de grande confiança para o que vinha pela frente.

Foi neste dia que recebemos a notícia. Um clube do Catar, o Al Rayyan, estava interessado em contratar o Abel, e fez uma oferta formal tanto ao treinador quanto ao Palmeiras. Havíamos assinado contrato com o Palmeiras há apenas pouco mais de um mês! No PAOK, também passamos por uma situação semelhante. Um clube português havia feito uma abordagem séria para a contratação do Abel dois meses depois de nossa chegada à Grécia.

A proposta que chegou foi financeiramente muito boa: o clube interessado oferecia um salário três vezes maior ao Abel e a todos nós. A oferta revelou-se interessante. Não só porque era oriunda de um futebol que passa por uma fase de crescimento exponencial, com condições de trabalho muito boas devido ao fato de a Copa do Mundo de 2022 ser lá disputada, como também pelo fato de o Catar ser um dos melhores países do mundo para se viver, devido à grande qualidade de vida da cidade de Doha.

Independente das eventuais vantagens que essa proposta pudesse ter em relação ao projeto do Palmeiras, era muito mais o que nos levava a ficar no Brasil do que a sair. Aliás, nesse momento nunca consideramos sair. Isto porque, desde a nossa chegada ao clube, sentimos uma conexão muito grande com os jogadores, comissão, funcionários e diretoria. Essa conexão, aliada aos bons resultados e ao sentimento de que os jogadores estavam a comprar as nossas ideias "a um preço bem alto", foi determinante para que o Abel optasse por permanecer no Brasil, depois de ouvir a opinião de todos nós. A conclusão da equipa técnica foi consensual: "temos muito para ganhar aqui no Palmeiras".

Apesar da decisão já estar tomada pelo Abel, as notícias continuavam a bombar na internet. Percebemos então que elas já tinham alcançado os jogadores e o staff do clube; havia um "burburinho" sobre o aceite ou não da proposta. Nesse exato momento, e antes de começar a preleção de análise de equipa do último jogo, o Abel resolveu falar sobre o assunto.

– Galera, antes de começarmos a ver o que fizemos de bem e mal no último jogo, quero dizer-vos uma coisa sobre as notícias que estão a circular. Vou já matar esse assunto, aqui e agora. Eu não vou sair para lado nenhum. Estamos felizes aqui, sentimos que estamos num clube em que temos todas as condições para ganhar, e eu sinto que ainda temos muito a ganhar com vocês. OK? Neste momento, só troco o Palmeiras pela minha esposa. E se ela quiser *(risos)*! Por isso, não vos troco por nada. A não ser por ela! OK? Fui claro? Então, vamos lá ver o que temos de manter e o que podemos melhorar já no próximo jogo...

Não foram apenas os atletas que ouviram esse esclarecimento. Por causa das regras de distanciamento, todas as preleções estavam sendo feitas em uma área ampla e não restrita, em vez de em uma sala ou auditório; assim, naquele espaço, se faziam presentes jogadores, elementos da comissão técnica, do staff de apoio e até da diretoria – cerca de 60 pessoas, no total. O fato de que todos tenham ouvido as palavras do Abel foi extremamente positivo para terminar com o assunto que já gerava um rumor.

A decisão do Abel em ficar, baseada em sua convicção e também na nossa, reforçava uma ideia que era transversal a todos do grupo de trabalho. "Ainda não ganhamos nada. Mas estamos no bom caminho para ganhar."

Comandar "online"

VOLTA 17

"O Abel tem uma comissão que fala a mesma língua em questão de trabalho, tem entrosamento absurdo e de se admirar. Eles se completam."
Willian Bigode

São Paulo, 5 de dezembro de 2020

Nosso terceiro grande obstáculo acabou por ser também uma experiência nova enquanto equipa técnica. Com o surto de Covid-19 se alastrando pelos jogadores e profissionais restantes na Academia de Futebol, alguns de nós também fomos infectados com o vírus. Tanto o isolamento – com trabalho "online" – quanto a recuperação foram desafios superados com a ajuda do clube, que ofereceu totais condições para nos recuperarmos da doença da melhor forma possível.

No entanto, mais impactante do que a ausência de cada um de nós da comissão foi o fato de o Abel ter testado positivo para a Covid-19 e de ter ficado fisicamente ausente durante um período de tempo. Pela primeira vez, ele não estaria nem nos treinos nem nos jogos durante vários dias. Enquanto equipa técnica, já havíamos ficado à frente do time nos momentos em que o Abel não podia estar no banco de reservas; pela primeira vez, porém, teríamos de orientar os jogadores sem sua presença nos treinos.

Obviamente que as decisões tomadas são sempre em sintonia com o Abel. É nosso hábito, enquanto comissão técnica, realizar uma reunião na noite de véspera de cada jogo, a que chamamos de "Plano de Jogo". Nela, discutimos todas as nuances estratégicas – o que fazer em vantagem no marcador e o que fazer em desvantagem, por exemplo, ou mesmo as substituições em caso de o jogador X ou Y se lesionar ou não tiver o rendimento esperado. Durante o isolamento do Abel, mantivemos esse hábito. No entanto, não é a mesma coisa fazer as reuniões sem o técnico principal. Nem poderia ser: o técnico principal é uma figura extremamente importante, mesmo sem dizer nada e somente pela presença. Assim como o capitão de equipa normalmente é.

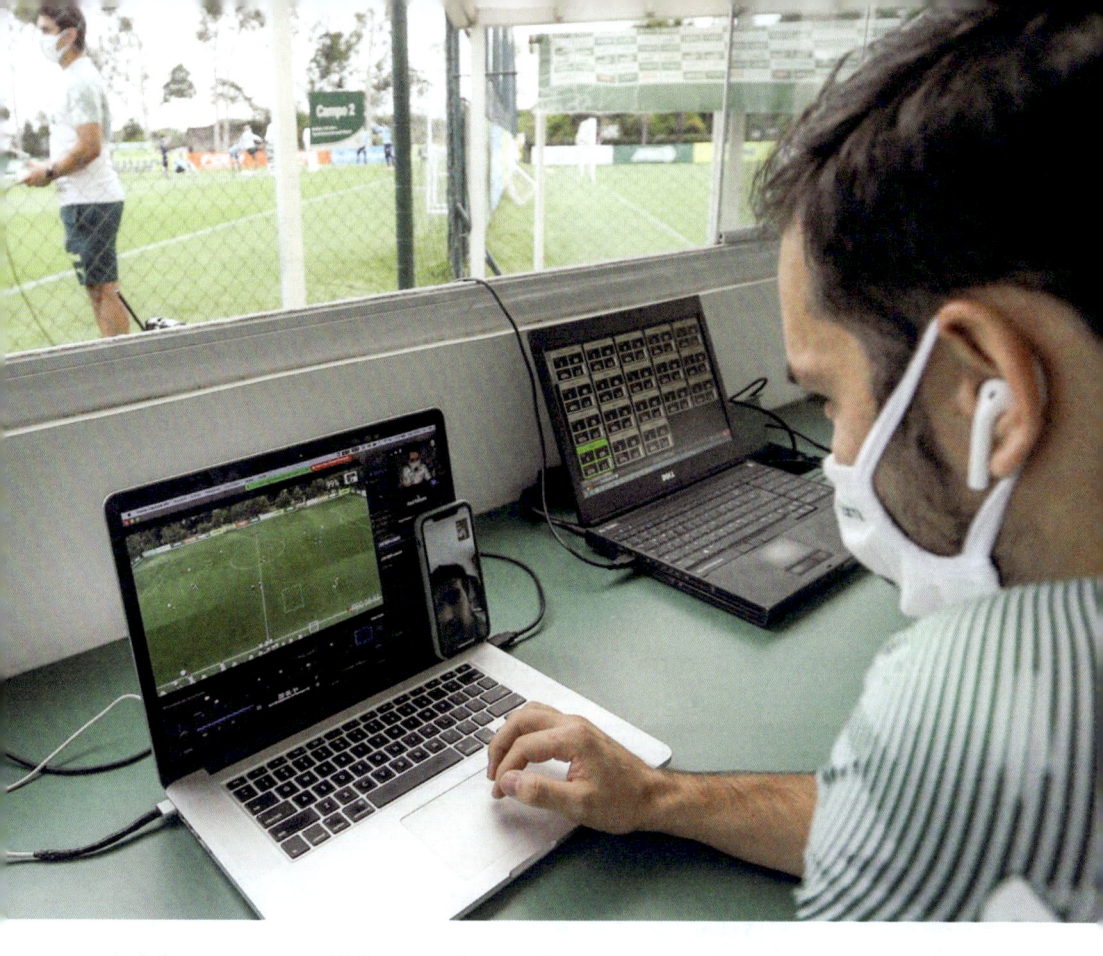

Isolado em seu quarto, Abel acompanha virtualmente o treino da equipa na Academia de Futebol (foto acima) e dá preleção antes do jogo contra o Libertad (abaixo)

COMANDAR "ONLINE" 93

No futebol, como na vida, o inesperado acontece; o segredo é nos adaptarmos rapidamente à nova realidade. Por esse motivo, tratamos, em conjunto com o clube, de proporcionar ao Abel as condições necessárias para que ele fizesse tudo a partir do quarto onde estava isolado: reunir-se com a comissão antes e depois dos treinos, assistir aos treinos, conversar com os jogadores no final do treino, fazer reuniões pré-jogo com a comissão, fazer as preleções pré-jogo com os jogadores, fazer a reza com o grupo antes dos jogos e, em casos de necessidade, falar com os jogadores ao intervalo. No fundo, comandar "online". Mesmo a distância, a ideia era manter o Abel e o grupo sempre próximos, não só para que os jogadores não sentissem tanto a ausência física do treinador, mas também para que o Abel não perdesse as rotinas de trabalho.

Foi uma experiência interessante para todos, mas preferimos não repeti-la! Preferimos o Abel, de carne e osso e com a sua energia, sempre conosco!

Palestra a distância: Abel fala com os jogadores antes de uma partida do Palmeiras

Adversários diferentes a cada dois dias

VOLTA **18**

"Ele é um estrategista de primeira. Cada jogo, a cada semana ele prepara o nosso time conforme a situação. É acreditar no processo, trabalhar muito e dar tempo para o trabalho ser mostrado."
Zé Rafael

São Paulo, 8 de dezembro de 2020

A análise dos adversários é um dos métodos fundamentais de nosso trabalho; por esse motivo, temos um elemento na equipa técnica exclusivamente com essa responsabilidade. Cabe a ele filtrar a informação oriunda do departamento de análise do próprio clube (Centro de Inteligência do Palmeiras); observar e analisar os adversários, de forma a detectar os pontos fortes que devemos neutralizar e os pontos fracos que devemos explorar; e finalmente, a partir dessa análise, propor um plano estratégico inicial para cada jogo.

A importância e o tempo que dedicamos à análise de adversário não são os mesmos que destinamos à análise de equipa (do jogo e do treino): focamos muito mais no estudo de nossos comportamentos do que nos comportamentos do adversário. Podemos dizer que atribuímos, em termos de tempo e de importância, 70% à análise da nossa equipa e 30% à análise do adversário. Apesar disso, tentamos controlar ao máximo essa percentagem de 30% – não só para evitar surpresas, como também para causá-las. Afinal, do outro lado, temos sempre um adversário cujas variáveis não controlamos (assim como não controlamos a arbitragem de um jogo ou o relvado de um campo adversário), mas é nossa responsabilidade tentar reduzir todas as imprevisibilidades que nos possam colocar.

Além disso, reconhecemos que essa percentagem de 70%-30% não é imutável. Como os nossos adversários não são sempre iguais, também essa proporção não pode ser sempre igual. Por isso, nos jogos em que enfrentamos adversários de nível semelhante ou superior ao nosso, procuramos dividir nosso tempo de outra forma: a percentagem passa a ser de 50%-50%.

Isso porque tais adversários podem nos colocar problemas que os outros não colocam, além de ter menos pontos fracos do que os outros. Assim, nossa atenção para estes não pode ser a mesma do que para os outros. Todavia, como estamos numa equipa da grandeza do Palmeiras, são poucas as vezes em que ocorre este tipo de situação. Em norma e na teoria, somos superiores à maioria de nossos adversários nos campeonatos nacionais e continentais.

Figura 10: Tempo e importância da análise dedicada a adversários de nível inferior ao nosso

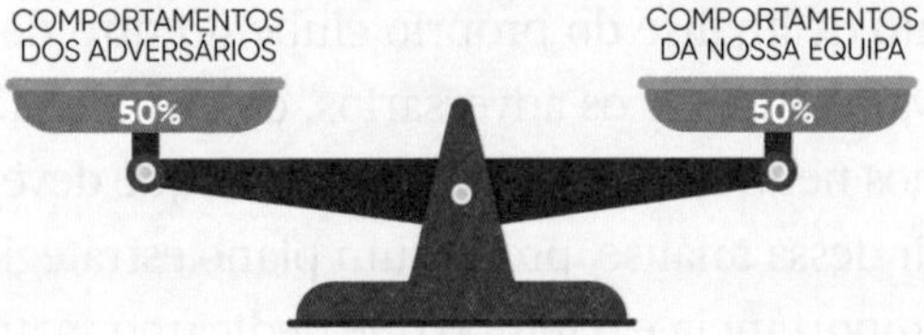

Figura 11: Tempo e importância da análise dedicada a adversários de nível igual ou superior ao nosso

Por fim, nesta gestão de percentagens (70%-30% ou 50%-50%) impera, como o Abel diz muitas vezes, a "humildade" dos campeões: o ato de reconhecer quando somos superiores ou inferiores aos nossos adversários, sem que para nós isso se trate de vergonha ou complexo, mas sim um ato de coragem, sabedoria e inteligência.

Por isso, e porque entendemos que não jogamos sozinhos, cada jogo tem sua história e seu plano estratégico, tornando-se irrepetível. É nossa responsabilidade ter capacidade e humildade de reconhecer quando somos melhores que os nossos adversários ou quando estes são do nosso nível ou melhores que nós. Para fazer esta avaliação, temos sempre de considerar as quatro dimensões de rendimento do futebol: tática, técnica, física e mental. Haverá casos em que somos melhores em todas as dimensões; outros casos em que somos inferiores em todas elas; e, o caso mais frequente, é sermos melhores em umas e inferiores em outras.

No futebol brasileiro, viveríamos uma situação inédita para nós: jogar toda a temporada de 1 em 1 dia, de 2 em 2 dias ou 3 em 3 dias. A densidade competitiva afeta muitas áreas e muitos intervenientes, e a análise do adversário é um dos departamentos mais impactados. Como pode um analista observar 100 adversários em um ano? Ou mesmo 10/12 adversários todos os meses? E a partir dessa análise, como pode uma equipa técnica ter tempo e capacidade mental para definir um plano estratégico para cada jogo se joga sempre de 2 em 2 dias ou 3 em 3 dias? E, ainda, passar esse plano estratégico aos jogadores sem tempo para treinar?

Para tantas perguntas, algumas respostas. Em primeiro lugar, com uma clara ideia de que os jogos não são todos iguais. Se somos melhores que 90% dos nossos adversários nos campeonatos nacionais, então em 90% das partidas existe uma menor necessidade de passar aos atletas informações sobre nossos adversários. Nesses jogos, o mais importante é alertar os jogadores para os riscos da displicência e focar nos comportamentos que queremos ver reproduzidos em campo e que são independentes dos adversários. Nos restantes 10%, a abordagem e a preparação são diferentes, tendo em conta que os adversários também nos colocam desafios e problemas diferentes.

Em segundo lugar, os microciclos de trabalho mais curtos exigiram de nós mais especificidade e assertividade, quer nos treinos estratégicos, quer na mensagem passada aos jogadores. E, mais importante, exigiu uma linha de pensamento coerente das nossas ideias, para que os atletas não ficassem confusos em relação ao que lhes era pedido. Eventuais nuances estratégicas poderiam até nem ser treinadas do ponto de vista coletivo (com todos os jogadores), devido à falta de tempo, mas o seriam do ponto de vista individual (apenas com um jogador: só o centroavante, só o 1º volante, etc.), grupal (por exemplo, somente com os laterais ou somente com os zagueiros), setorial (somente com a linha defensiva, com a linha média ou com a linha atacante) e intersetorial (linha média e linha atacante ou linha defensiva e linha média).

Em terceiro e último lugar, por meio do recurso à análise em vídeo, tanto nas preleções dos dias prévios ao jogo (dias -1 e -2) quanto na preleção da própria partida. Quando não tínhamos tempo para treinar em campo a estratégia para o jogo, muitas vezes a transmitimos aos atletas nas preleções pré-jogo. Também por esse motivo era necessário manter uma linha orientadora do que solicitávamos: se não havia tempo para treinar coisas diferentes,

Abel e o elemento da equipa técnica responsável pela análise de adversário: Tiago Costa

o essencial era repetir algo que já tivéssemos executado anteriormente contra outro adversário. Algumas vezes, foi preciso pedir comportamentos estratégicos que não havíamos treinado e que os jogadores nunca tinham feito – mas foram casos excepcionais, devido a um calendário excepcional que não nos permitiu sequer ir ao campo antes de determinada partida. Nos momentos em que isso aconteceu, exaltamos a capacidade e inteligência dos jogadores em compreender e executar o que lhes foi pedido sem termos treinado.

Existiu ainda um aspecto que nos surpreendeu no futebol brasileiro. Ao fim de vários jogos, denotamos que poucos treinadores/equipas mudavam seus sistemas e comportamentos nos jogos contra nós. Enquanto que em Portugal e na Grécia analisávamos muitas vezes um adversário e, contra nós, ele alterava comportamentos ou sistemas para nos surpreender, no Brasil foram raras vezes que fomos surpreendidos pelos nossos adversários.

Assim, é nossa tarefa e uma missão da análise do adversário antecipar todos os cenários que possam acontecer durante uma partida, tornando o jogo o menos imprevisível e aleatório possível. No entanto, sabemos que o jogo de futebol tem um componente de imprevisibilidade que não controlamos, como é comum em qualquer jogo. Mesmo assim, a experiência nos diz que, apesar de ser (por vezes) uma missão inglória, o trabalho de análise do adversário contribui para nos aproximar da vitória em cada jogo.

"Não nos falta nada!" e "o melhor de cada um"

VOLTA **19**

"A única coisa que exijo dos meus jogadores é que eles sejam a melhor versão de si mesmos em cada treino, em cada jogo."
Abel Ferreira

São Paulo, 15 de dezembro de 2020

Quartas de final da Libertadores. O adversário foi o aguerrido Libertad do Paraguai, com seus jogadores experientes e de qualidade. (Gustavo Gómez foi revelado por esse clube.) Havíamos empatado o jogo de ida com muito esforço, e mais uma vez denotamos o quão difícil é uma partida da Libertadores. Depois de superar uma equipa do Equador, enfrentávamos agora uma equipa do Paraguai e as características do encontro foram muito similares: jogo muito aleatório, muitos duelos físicos e pouca organização tática. Ou seja, o típico "jogo de Libertadores", como os jogadores partilharam conosco.

No jogo de volta, a parte tática da preleção terminou e o Abel iniciou a parte mental da preleção com um apelo:

– Estamos num clube onde não nos falta nada. Desde a cozinha e rouparia à diretoria, todos nos proporcionam as melhores condições para cada um de nós, na sua tarefa, desempenhar sua profissão. Então, a única exigência para o jogo de hoje é que deem o vosso melhor por eles. Eu só exijo o melhor de cada um de nós, por todos aqueles que nos proporcionam condições de trabalho para desempenharmos nossa profissão ao mais alto nível.

Este apelo à superação individual e coletiva surgiu por vários motivos.

Em primeiro lugar, o Abel pretendia que os jogadores valorizassem as condições que tinham a seu dispor para executar sua profissão. Por vezes podemos esquecer essa sorte e esse privilégio; quando somos gratos por aquilo que temos, vivemos muito melhor.

Em segundo lugar, estávamos nas quartas de final da Libertadores, a um passo da semifinal. Os jogadores mostraram-nos ter esta obsessão desde o início e era importante continuar a alimentá-la.

Em terceiro e último lugar, sentimos que os jogadores que regressavam após o isolamento por Covid-19 não apresentavam o rendimento de antes; a doença provocara neles um grande impacto físico e mental. Físico porque afetou a capacidade respiratória e a resistência cardiovascular. Mental porque os atletas voltavam e apresentavam sentimentos e sinais de frustração por não conseguirem ter a mesma performance devido às limitações físicas. "Não consigo correr sem abafar", "Não consigo ter o mesmo desempenho técnico porque estou muito cansado fisicamente" e "Depois de um sprint, preciso descansar por três minutos" foram algumas das expressões que ouvimos por parte dos atletas recuperados de Covid-19. A verdade é que os jogadores demoravam a apresentar o rendimento que tinham previamente à contaminação.

Assim, no jogo de volta contra o Libertad, os jogadores responderam de imediato ao apelo do Abel, dedicando-se a contento na partida contra os paraguaios. Vencemos por 3x0 e, dessa forma, apuramo-nos para a semi da Copa Libertadores. Lá, defrontaríamos o poderoso River Plate.

No geral, o confronto com essas adversidades foi uma prova de superação. Com os desfalques por Covid-19 e os jogadores demorando a voltar ao rendimento normal após o isolamento, esse período acabou por ser também uma oportunidade para os jogadores demonstrarem seu valor. Tivemos agradáveis surpresas com atletas que não tinham tantos minutos de utilização – e que deram excelentes respostas quando chamados a intervir.

A gestão de energia para jogar na máxima força

VOLTA **20**

"Acho legal a atenção que eles dão para aqueles que não vão começar o jogo. Estão sempre conversando, mostrando vídeos. O diferencial é que ele treina igual a equipe titular e a reserva. Ele não treina em campos separados, então todos sabemos o que temos que fazer dentro de campo."
Gustavo Scarpa

São Paulo, 18 de dezembro de 2020

Neste momento da temporada, vivenciamos um desafio diferente. Os jogadores que substituíram os colegas afastados por Covid-19 apresentaram um rendimento fantástico, agarrando a oportunidade. Assim, conforme os convalescentes foram retornando do isolamento, optamos por efetuar rotatividade de jogo para jogo, de modo a termos uma gestão de energia e encarar cada partida na máxima força. Isto porque estávamos a jogar de 2 em 2 dias ou 3 em 3 dias e sentíamos confiança em todo o plantel para fazer esse "rodízio", tendo assim os atletas mais frescos e motivados a cada jogo.

No entanto, sentimos alguma resistência ao processo – e isso levou o Abel a querer se reunir com os capitães para discutir o assunto. Nessa conversa, ele procurou ouvir os jogadores e entender os motivos da objeção. Então lhe explicaram que, no Brasil, os atletas se preparam para disputar 60/70 partidas por ano, e que por isso essa rotação não os deixava confortáveis – algo que compreendemos. A verdade é que aceitamos que éramos nós os únicos que efetivamente não estávamos habituados a esta densidade competitiva, pois os jogadores e comissões técnicas permanentes dos clubes brasileiros o estavam. Portanto, aceitamos também que deveríamos ser flexíveis e nos adaptar.

Todavia, e porque defendemos que os jogadores vinham dando respostas positivas, o Abel explicou aos capitães que essa gestão nos permitiria ter melhores resultados, pois aquela temporada se desenrolava em um contexto excepcional – que exigia também uma gestão excepcional. Pela primeira vez, passávamos por uma situação pandêmica a nível mundial, impactando a densidade competitiva e a frequência dos jogos do calendário.

Além disso, e mais importante: o impacto da doença nas capacidades físicas dos atletas vinha sendo brutal, e eles ainda não estavam preparados para poder jogar em suas plenas capacidades. O Abel ainda acrescentou que o déficit de rendimento também os afetava mentalmente. Posto isto, decidimos manter a rotatividade com base no lema "gestão de energia para jogar na máxima força".

É importante que os jogadores, em especial os líderes do vestiário, saibam o motivo de nossas decisões, mesmo que não concordem com elas. Explicar-lhes o porquê das decisões é um passo importante para os convencer e tê-los do nosso lado. Além disso e por vezes, devemos fazer aquilo que é preciso ser feito, e não aquilo que queremos fazer.

"A 'construção a 3 jogadores' é como fazer amor"

VOLTA **21**

"O Abel trabalha com vários esquemas e formações. Nós temos a oportunidade de trabalhar de formas diferentes, no dia a dia e de acordo com cada adversário. Até por isso, a gente se acostuma com mais de uma função e maneira de jogar."
Renan

São Paulo, 21 de dezembro de 2020

Um dos aspectos que mais nos impressionou no futebol brasileiro, e em particular no Palmeiras, foi a mente aberta com que os atletas nos receberam. Quando chegamos, percebemos que eles estavam sedentos – de informação, de novas ideias e de conhecimento. Isso foi determinante para que o elenco "comprasse" nossas ideias. Acreditamos que, para um jogador, é mais rápido assimilar e executar uma ideia defensiva do que uma ofensiva. Ofensivamente, o processo de ensino-aprendizagem requer mais tempo de treino e pode ser mais demorado.

Uma ideia ofensiva que gostamos de implementar em nossas equipas é um ataque posicional a partir de trás, com uma construção sólida, eficaz e fluida. E, para termos isso em nossa organização ofensiva, entendemos que uma boa forma de conseguirmos é através da saída de bola com 3 jogadores na primeira fase de construção. Não só porque garantimos uma melhor ocupação do espaço e dos três corredores, como também colocamos mais um jogador na frente. Além disso, a construção a 3 é uma excelente forma de atacar defendendo – com mais segurança para o momento de perda da bola e de recomposição defensiva. No entanto, somos flexíveis e entendemos que essa construção pode não ser a mais vantajosa para enfrentar determinados adversários, como por exemplo quem nos pressione 3x3 na primeira fase de construção. Por esse motivo, devemos sempre colocar o adversário na equação no momento de definir qual a melhor construção para cada jogo.

Nas temporadas anteriores e em outros clubes, sentimos que a construção a 4 jogadores pode ser mais facilmente pressionada pelos adversários – e que, acima de tudo, ficamos mais expostos no momento da perda da bola caso os laterais se envolvam simultaneamente no ataque. Mas como 3 jogadores podem estar melhor preparados do que 4 jogadores para a perda da bola? Devido à ocupação dos espaços e ao preenchimento dos corredores. Além disso, é mais fácil defender uma situação de transição defensiva correndo para a frente do que para trás. No entanto, acreditamos que a construção a 4 também pode ter vantagens contra determinados tipo de marcação ou encaixe do adversário, por isso a nossa flexibilidade na escolha do melhor tipo de construção para cada jogo.

Refletimos sobre tudo o que fazemos. Neste caso, entendemos que, como em quase tudo na vida, existe uma reação causa-efeito entre os momentos do jogo de futebol. Acreditamos que os diferentes momentos de uma partida estão articulados entre si: quando estamos com a bola em nossa posse, não estamos só a atacar. E quando estamos a defender, não estamos só a defender. Nossa forma de atacar influencia nossa forma de defender, e nossa forma de defender influencia a nossa forma de atacar – interferindo em como transitamos defensivamente e como transitamos ofensivamente. No futebol moderno, conseguir vantagens nesses momentos do jogo são chaves para se chegar à vitória: por isso, a importância de atacar defendendo e defender atacando.

Um dos princípios do Abel como treinador é ter uma equipa sólida nos diferentes momentos – isto é, boa a atacar, boa a defender, boa a transitar e boa nas bolas paradas. Não queremos ser um conjunto bom em determinado momento e ruim em outro. Assim, a palavra que define nossas equipas é o "equilíbrio". A construção a 3 jogadores é uma ideia de jogo que retrata, em campo, exatamente esse princípio. Ela pode ser feita de várias formas:

"A construção a 3 (jogadores) é como fazer amor. Às vezes é na cozinha, outras na sala, outras no quarto, outras no banho. Mas é sempre com o mesmo objetivo. Na construção a 3 da nossa equipa, também é assim: às vezes com o lateral baixo, às vezes com o médio a entrar no meio ou no lado dos centrais, outras vezes com três zagueiros... Só mudam os jogadores. Porque a ideia é a mesma: construir a 3 e garantir mais fluidez na construção e segurança no momento de perda da bola."

Como vemos na tabela 4, apesar de termos um padrão na construção a 3 jogadores, também temos o objetivo de ter variabilidade em como a executamos. Isso pode surgir em função: (1) dos jogadores que vamos usar em determinado jogo (cada atleta tem características próprias; temos de enquadrá-lo taticamente com dinâmicas que potencializem seu melhor) e (2) da forma de construção que acreditamos ter mais vantagens em relação ao adversário.

Variabilidade na Construção

	1º Jogo	2º Jogo	3º Jogo	4º Jogo	5º Jogo	6º Jogo	7º Jogo	8º Jogo	9º Jogo	10º Jogo	11º Jogo	12º Jogo	13º Jogo	14º Jogo
Competição	Copa do Brasil	Brasileirão	Copa do Brasil	Brasileirão	Copa do Brasil	Brasileirão	Libertadores	Brasileirão	Libertadores	Brasileirão	Libertadores	Brasileirão	Libertadores	Brasileirão
Adversário														
Resultado	(C) 1-0	(F) 0-1	(C) 3-0	(C) 2-0	(F) 2-2	(F) 1-0	(F) 1-3	(C) 3-0	(C) 5-0	(F) 2-2	(F) 1-1	(C) 3-0	(C) 3-0	(F) 2-0
Formas de Construção	2:2 -> 3:1 Volante no Corredor Lateral Esquerdo	3:1 Lateral Direito Baixo	Volante no Corredor Lateral Esquerdo	2:2 -> 3:1 Volante no Corredor Lateral Esquerdo		3:1 3 Zagueiros	3:1 Lateral Direito Baixo	Lateral Esquerdo Baixo		3:1 Lateral Direito Baixo ("+ aberto")	3:1 LE Baixo		2:2 -> 3:1 Volante no Corredor Lateral Direito	
Conseguimos cumprir o plano?	SIM	NÃO	SIM	SIM	SIM	SIM	SIM	SIM	SIM	NÃO	NÃO	SIM	SIM	SIM

Tabela 4: Exemplo da variabilidade na construção a 3 jogadores adotada em nossos primeiros 14 jogos com o Palmeiras

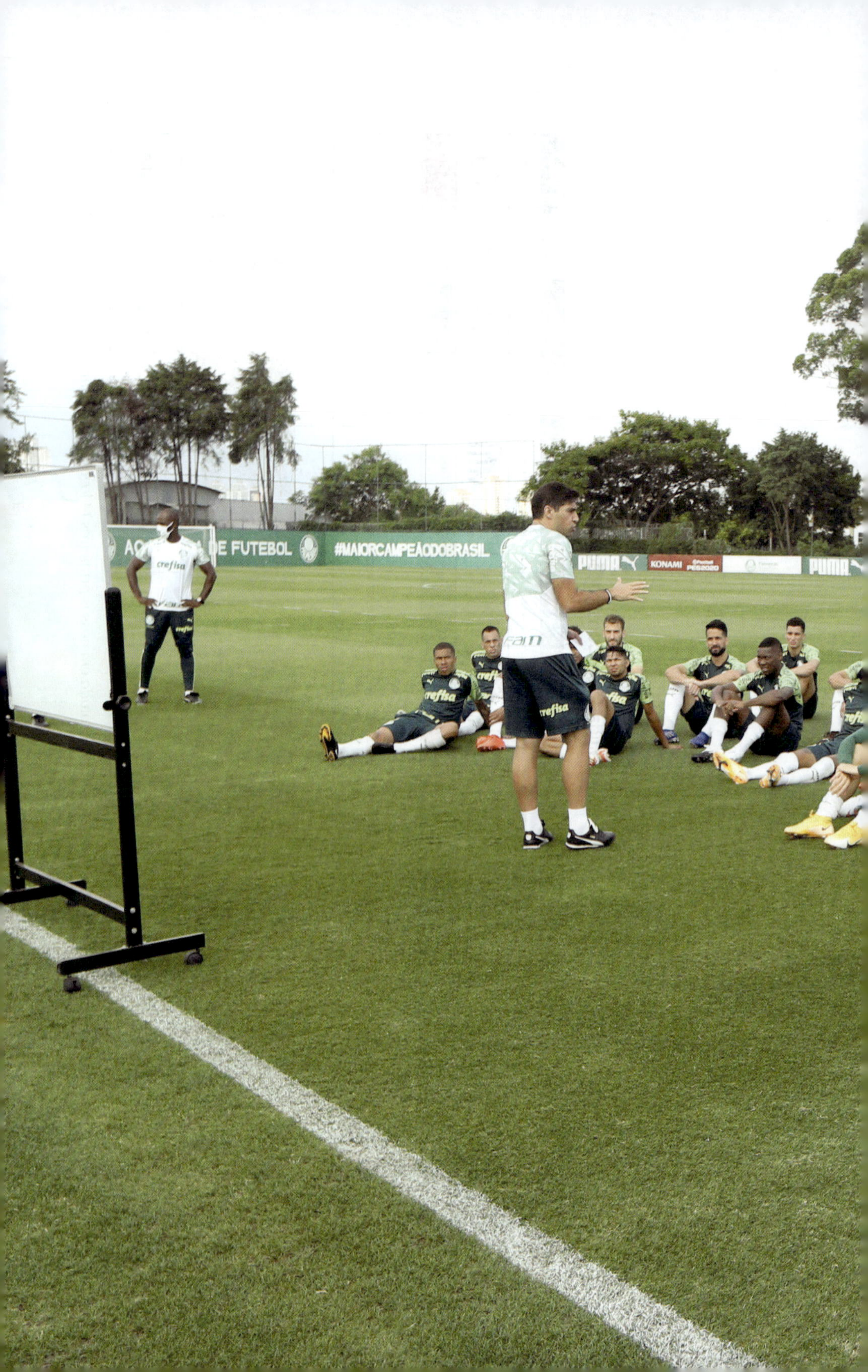
DE FUTEBOL
#MAIORCAMPEÃODOBRASIL
PUMA
KONAMI
crefisa

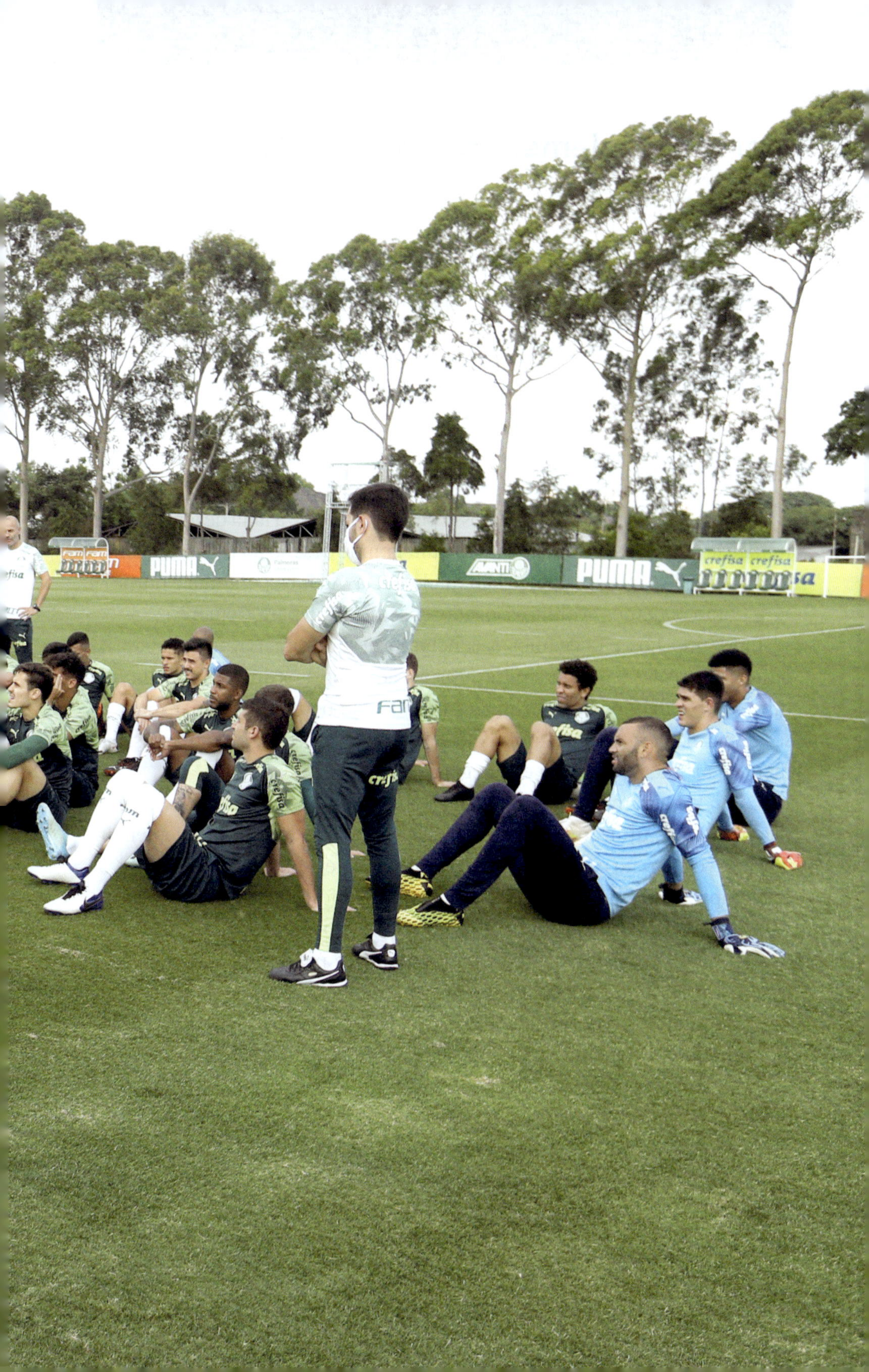
PUMA
AVANTI
PUMA
crefisa crefisa

Treino complementar: análise-vídeo

VOLTA 22

"Apesar de estar afastado do elenco, eu estou por dentro de tudo. Ele fez um grupo de WhatsApp para nos mostrar algumas jogadas de treinamento."
Felipe Melo

São Paulo, 24 de dezembro de 2020

– Não temos tempo para treinar. O que vamos fazer?

Passados quase dois meses da nossa pergunta inicial, a falta de tempo para treinar se mantém – e ainda consiste num grande desafio ao nosso trabalho. Mas a verdade é que já estamos habituados a ela. Agora a pergunta é outra:

– Como podemos evoluir os jogadores sem tempo para treinar?

Indagamo-nos e chegamos à conclusão de que precisávamos arranjar outras estratégias para transmitir informação. Sentimos que, para melhorar processos, tínhamos de fazer mais – porque não podíamos treinar mais. E se treinar não era solução, pois colocaríamos em risco os jogadores fisicamente, partimos para outra estratégia.

Como valorizamos muito a análise com vídeo ("as imagens e os vídeos não mentem"), utilizamos essa ferramenta como um treino complementar ao treino efetivo no campo – do mesmo modo que a prevenção de lesões, a crioterapia, a massagem, a preparação física, o reforço muscular e o acompanhamento psicológico também são treinos complementares. E do mesmo modo que este trabalho complementar é diário e frequente, também o vídeo se tornou uma ferramenta diária e frequente de treino complementar nesta fase inicial do nosso trabalho. Essa análise de vídeo poderia ser feita de forma coletiva, intersetorial, setorial, grupal ou individual.

À medida que a temporada foi avançando, diminuímos o tempo que dedicávamos à análise-vídeo. Inicialmente, utilizamos bastante essa ferramenta para transmitir nossas ideias; contudo, a partir de certo momento, sentimos que os jogadores já estavam saturados. "Vídeo, outra vez?" ou "mas já fizemos vídeo esta semana!" foram expressões que ouvimos por

Abel e o elemento da equipa técnica responsável pela análise de equipa: Carlos Martinho

parte de alguns jogadores. Isso nos fez refletir. De fato, compreendemos perfeitamente que, com a densidade competitiva existente no Brasil, não podíamos fazer a análise-vídeo com tanta frequência como nos clubes anteriores – sob risco de levarmos os jogadores a uma saturação muito grande e de eles irem para o auditório e não absorverem absolutamente nada. No fundo, não queríamos provocar fadiga mental nos jogadores.

Além disso, e à semelhança do que fizemos em outros clubes, o Abel solicitou que criássemos um grupo de WhatsApp onde a equipa técnica pudesse partilhar conteúdos com os jogadores. Esse grupo tinha como objetivo ser outra via de treino – um treino-complementar para quando os atletas estivessem em casa. Foram criados três grupos: um grupo geral com todos, um grupo só da defesa (com o nome "Defesa que ninguém passa") e um grupo só do ataque (com o nome "Linha atacante de raça").

Nesses grupos de WhatsApp, fomos colocando um pouco de tudo: análises-vídeo de treinos, análises-vídeos de jogos, análises de outras equipas referência, análises de adversário e eventuais mensagens que o Abel quisesse passar. Mais tarde, enviamos também por esses grupos dois vídeos motivacionais. Essa foi uma das formas que encontramos para combater a falta de tempo para treinar e a necessidade de continuar a evoluir a equipa coletivamente e individualmente. E, no final das contas, conseguimos estabelecer mais uma via de comunicação com os jogadores, buscando contribuir, a cada mensagem, com o aumento de seu conhecimento declarativo do jogo – estejam eles em casa, no CT ou num restaurante.

Acreditamos que jogadores mais conhecedores do jogo resolvem os problemas de forma mais fácil e rápida, sem que o treinador tenha de intervir tanto. Quanto mais evoluídos tecnicamente e taticamente forem, mais capacidade têm de responder aos diferentes problemas do jogo.

Os "moleques" da base e os "mais velhos"

VOLTA 23

"Pude contribuir da melhor forma possível, incentivando os companheiros, dando alguma palavra. Isso faz parte de chegar ao título. Não só jogar. Pude ajudar da melhor forma possível, passar concentração pra eles. Sou um dos mais velhos, dou um conselho, uma ajuda no dia a dia."
Luiz Adriano

São Paulo, 28 de dezembro de 2020

Um dos vários motivos que nos levou a ser escolhidos para treinar a Sociedade Esportiva Palmeiras foi, simultaneamente, um dos motivos que nos levou a aceitar o convite: potencializar o desenvolvimento dos jogadores da base (enquanto atletas e enquanto homens) e harmonizar os jogadores mais experientes.

O percurso de treinador do Abel é marcado pelo trabalho com jovens e pela aposta nos mesmos, quando estes se mostravam em posição de estrear na equipa principal. O Abel desenvolveu mais jogadores do que estreou – algo que está relacionado com o momento em que começou a treiná-los. Foram muitos os atletas orientados por ele, que buscou contribuir para o progresso das suas carreiras por meio de ações como: recrutamento em divisões inferiores e/ou em clubes de patamar inferior, aposta em jogadores tidos como dispensáveis e, por último, o aperfeiçoamento das capacidades dos futebolistas. Enumerar alguns em detrimento de outros seria desconsideração da nossa parte, pois todos os que treinamos contribuíram também para o nosso crescimento.

Enquanto equipa técnica, nossa carreira é marcada por duas etapas:

• Primeira: formamos a ganhar. Quando éramos treinadores de formação (sub-19 do Sporting, Sporting B e SC Braga B), o foco do nosso trabalho foi principalmente desenvolver e potenciar os jogadores para a equipa principal. As vitórias foram a consequência de um processo (naturalmente) bem feito.

• Segunda: ganhamos a formar. Já como treinadores de uma equipa principal (SC Braga, PAOK e Palmeiras), o foco e a prioridade foram sempre em ganhar jogos, sendo o desenvolvimento dos jovens jogadores e a aposta neles uma consequência do mérito dos próprios atletas e/ou da necessidade do momento.

Quer na primeira etapa, quer na segunda, temos duas variáveis coexistentes: formar jogadores e ganhar jogos. A diferença entre uma e outra consiste, essencialmente, na prioridade a que damos a cada uma delas em função do estágio de preparação dos atletas. Em nosso entendimento, as prioridades não podem ser as mesmas quando distinguimos o futebol de formação e o futebol profissional; a confusão sobre estas prioridades pode ter implicações gravíssimas no desenvolvimento dos jovens jogadores. Além dos prejuízos a nível futebolístico, essa desordem também tem um impacto contraproducente na formação humana dos jovens jogadores.

É importante ressalvar a importância de termos sido treinadores de uma equipa B antes de sermos treinadores de uma equipa A para o melhor entendimento de como deve ser a ligação entre ambos. Passar por essa primeira etapa permitiu-nos a compreensão: de como pensam os treinadores de equipas B, da importância do trabalho em cooperação com os responsáveis de equipas A, da sensibilidade de ser/fazer com eles o que gostamos que sejam/façam conosco, de como deve ser estruturada a ligação entre ambas as equipas e, principalmente, qual a missão e as tarefas de cada uma das equipas.

Por considerarmos que esta ligação tem uma preponderância fundamental no bom exercício do trabalho, temos na equipa técnica uma pessoa responsável por estabelecer essa via de comunicação diária. Sua tarefa específica consiste em: identificação dos jogadores com mais potencial, diálogo frequente e direto com o coordenador da base para acompanhamento dos jogadores em destaque nas equipas da formação, visualização dos jogos por vídeo e *in loco* (quando possível) e solicitação dos jogadores para o treino (quando necessário).

No momento de chegada a um novo clube, procuramos a imediata identificação daquilo a que chamamos jogadores-bolsa. Estes atletas integram a bolsa de valores do próprio clube, isto é, um mercado organizado cujo objetivo é o desenvolvimento e a valorização dos melhores ativos da formação do clube. Esta bolsa é, por isso, um grupo reduzido de jogadores que o clube e a equipa técnica acreditam ter potencial para render na equipa principal (a curto-médio prazo) e ser potencialmente mais-valias financeiras para o clube (a longo prazo).

Pela importância que acreditamos ter estes atletas – desportivamente para a equipa e financeiramente para o clube –, a composição do nosso plantel concebe normalmente três vagas para eles. Assim, quer no SC Braga, quer no PAOK, preconizávamos um plantel com 28 atletas: 22 jogadores de campo + 3 guarda-redes + 3 jogadores-bolsa (Figura 12). Estes últimos treinam diariamente com a equipa principal e estão em condições de ser convocados; entretanto, caso os jogadores-bolsa não sejam aproveitados na equipa principal, têm sempre garantido seu espaço de utilização na equipa de formação. Essa é, no nosso entendimento, a condição *sine qua non* para garantir um bom funcionamento de todo o processo: assegurar que o crescimento dos jogadores não seja travado pela falta de tempo de jogo – algo que muitas vezes acontece quando os jogadores não são utilizados nas equipas principais e também não têm espaço para jogar nas equipas de formação.

TOTAL: 28 JOGADORES
- 22 JOGADORES DE CAMPO
- 3 GUARDA-REDES
- 3 JOGADORES-BOLSA

Figura 12: Ilustração da composição ideal do plantel no SC Braga e PAOK

Aplicamos aos jogadores-bolsa os princípios que Luís Campos – diretor de futebol português com passagens pelo Real Madrid, Mônaco e Lille – preconiza para a contratação de novos atletas. São as "três velocidades":

Abel e o elemento da equipa técnica responsável pela ligação à base: Vitor Castanheira

velocidade de adaptação (ter a capacidade de se adaptar a novas exigências), velocidade de maturação (há jogadores que amadurecem mais rapidamente e outros que demoram mais) e a velocidade da oportunidade (em função da posição, a oportunidade pode chegar mais rápido, mais devagar ou mesmo nem chegar). As velocidades enumeradas dependem de dois fatores: do próprio jogador e do contexto onde está inserido. Nenhuma é controlada pelo treinador. Foi através deste método de trabalho e do respeito pelas três velocidades que, ao longo dos anos, alguns jovens atletas apareceram em nossas equipas, de forma natural.

Abordando a chegada ao Palmeiras, encontramos também um clube com a mesma filosofia e método de trabalho da nossa equipa técnica. Nos doze meses anteriores à nossa chegada, foram lançados à equipa profissional oito jogadores da base, quer por meritocracia, quer pela necessidade. Foram eles: Lucas Esteves, Renan, Danilo, Patrick de Paula, Gabriel Menino, Gabriel Veron, Wesley e Gabriel Silva.[1]

Apesar do valor que atribuímos ao trabalho com os jovens e seu desenvolvimento em contexto qualificado, aos jogadores mais experientes reservamos a mesma dedicação e a mesma importância – tenham eles 25, 30 ou 39 anos.

Está muito em voga a aposta em jovens atletas, algo que se evidenciou ainda mais desde que os clubes começaram a perceber as mais-valias financeiras que podiam retirar dessa ação. Isso é algo que entendemos ser correto, pois permite a sustentabilidade dos clubes. Entretanto, ao mesmo tempo, tendo em conta o objetivo de conquista de títulos que os grandes clubes têm, também consideramos que, isoladamente, ela seja insuficiente.

Por esse motivo, valorizamos imenso um equilíbrio harmonioso entre atletas jovens e experientes na composição do plantel. Acreditamos que, para os mais novos manifestarem todas as suas qualidades, precisam estar ao lado de jogadores rodados, que suportem sua irreverência e seus erros, naturais da inexperiência. Entendemos que os jovens jogadores possuem energia e ousadia de sobra, enquanto os jogadores mais velhos têm a sabedoria e o conhecimento que muitos jovens jogadores ainda não têm – salvo as exceções que o futebol vai mostrando que existem.

Misturar os "moleques" e os mais velhos, para nós, resulta na fórmula ideal!

---

[1] Até o final da temporada 2021, 14 jogadores da base tiveram oportunidade de estrear sob o comando do Abel Ferreira (nos 13 primeiros meses de trabalho como técnico do Palmeiras), num total de 25 atletas que foram relacionados para os jogos da equipa profissional.

Parabéns, professor: jogadores cumprimentam o Abel por seu aniversário, em 22 de dezembro

Jogo: América Mineiro 0x2 Palmeiras (Copa do Brasil - semi - volta)

VOLTA 24

"Como dizia o saudoso Vitor Oliveira, hoje foi preciso usar o perfume do suor. Às vezes temos de usar o perfume que cheira bem. Hoje não deu para nota artística, mas usamos o suor e continuamos na luta."
Abel Ferreira

Belo Horizonte, 30 de dezembro de 2020

O momento que atravessávamos era positivo, embora a derrota contra o Internacional, no dia 19 de dezembro pelo Campeonato Nacional, e o empate contra o América Mineiro, no dia 23, a contar pela ida das semifinais da Copa do Brasil, tivessem abalado um pouco os níveis de confiança. A primeira porque foi um duelo contra um adversário direto no Brasileirão, e porque não tínhamos estado ao nosso melhor nível depois de garantirmos a classificação para as semifinais da Libertadores, no jogo imediatamente anterior; além disso, sentimos que fomos "engolidos" fisicamente por uma equipa agressiva e forte nos duelos, como foi o Internacional. Já o segundo porque dominamos o jogo todo, mas somente conseguimos chegar ao empate, após sofrermos um golo devido a um erro no início. Não conseguimos materializar o volume ofensivo que tivemos em oportunidades de golo.

Depois da derrota contra o Internacional, no momento da reza pós-jogo, o Abel avisou os jogadores:

– Posso já dizer-vos que a resposta à derrota neste jogo precisa ser dada no próximo jogo! Não há volta a dar... E ainda sobre o próximo jogo, tenho ouvido coisas de menosprezo sobre o adversário ser da Série B. Pela análise do adversário que recebi, digo-vos já isto: é uma equipa de Série B com organização, princípios de jogo e competitividade de Série A. É uma equipa que, se estivesse na Série A, estaria no meio da tabela. E se isto não chegar para vos deixar em alerta, digo-vos mais: para chegar à semifinal da Copa do Brasil, esta equipa eliminou o Corinthians e o Internacional, de quem perdemos hoje. Por isso, aviso-vos já que vamos ter de ser muito competentes para ganhar o próximo jogo – disse o Abel, que ainda reforçou essa ideia durante a coletiva de imprensa pós-jogo em Porto Alegre.

Pela análise feita ao América Mineiro, sabíamos que seria uma eliminatória de alto grau de dificuldade. Quando observamos um adversário, o fato de a equipa ser da Série A, Série B ou Série C é o aspecto menos relevante; o que importa é o que esse adversário faz ou não faz em campo, independentemente do contexto que disputa. E depois de nossa análise, tínhamos uma certeza: o América apresentava organização, competitividade e princípios de jogo muito bem definidos e trabalhados. Denotamos ainda outra coisa: este adversário iria nos criar dificuldades que nenhum adversário da Série A nos criara até então (como veremos a seguir nas imagens de análise). Por isso, teríamos de ser uma equipa muito competitiva e evitar qualquer tipo de relaxamento ou soberba de quem quer que fosse.

Além disso, 4 dos 7 jogos analisados do adversário foram as partidas das eliminatórias da Copa do Brasil em que o América Mineiro "da Série B" eliminou o Corinthians e o Internacional "da Série A". E nesses duelos percebemos uma coisa: o América Mineiro fazia bons resultados no primeiro jogo fora de casa, e depois fechava a eliminatória em sua casa. O sentimento de alerta aumentou!

Por esse motivo, depois do empate em 1x1 no Allianz Parque, em que confirmamos a qualidade e competitividade do adversário, sabíamos que precisávamos ser equilibrados e não correr riscos. Precisávamos ser uma equipa sólida defensivamente e que soubesse "matar o jogo" nas poucas oportunidades que iríamos ter – e previamos que não seriam muitas, tendo em conta que foram poucas as equipas que conseguiram criar boas oportunidades de golo contra o América Mineiro. Além disso, qualquer erro e golo sofrido nos colocaria em maus lençóis na eliminatória.

Desse modo, entramos nesta partida com a equipa que achávamos que naquele momento nos dava mais garantias de conseguir a classificação – por sinal, era a mesma que vinha a atuar de uma forma mais regular. Até porque este duelo tinha outra peculiaridade: nosso adversário jogava sem a pressão e sem a responsabilidade do resultado, mas com a ambição clara de fazer história. Nós, ao contrário, entrávamos em campo com tudo a perder: o ganhar era a nossa obrigação. Mesmo sabendo que isso é normal quando se trata de um clube que luta por títulos como a Sociedade Esportiva Palmeiras, é quando essas grandes equipas "relaxam" que as surpresas podem acontecer. Foi isso que o Abel tentou evitar com uma mensagem de que todos deveriam estar em alerta máximo!

Figura 13: Organização Ofensiva #1 – Problema: Pressão de fora para dentro dos atacantes com corredor central muito bem protegido (médios e atacantes) | **Solução: Passe zagueiro-volante-lateral ou zagueiro-lateral com lateral bem baixo para criar desconforto ao lateral adversário e com volante a aproximar para fazer ligação indireta + Forçar mais jogo exterior**

Figura 14: Organização Defensiva #1 – Problema: em zonas baixas-médias, médios adversários abriam nos corredores laterais com pontas a atacar profundidade | **Solução: Manter pressão coletiva no passe zagueiro-lateral; médio do lado da bola tinha de marcar médio adversário que abria no corredor (para o lateral não desposicionar); ponta do lado contrário tinha de fechar por dentro para tentar defender a inferioridade numérica do meio-campo**

Figura 15: Transição Ofensiva #1 – **Lance do 1º golo** *– Problema: "Jogo partido" de transições, típico do futebol brasileiro a meio da 2ª parte |* **Solução: Não "cair"** *nesse jogo de transições, através da compactação das linhas a todo o momento +* **"Viajamos juntos"** *quando defendemos, atacamos ou transitamos*

Tal como esperado, foi um jogo muito equilibrado e disputado. Apesar do comprometimento e da atitude dos jogadores, que entregaram tudo de si, não foi uma atuação bem conseguida técnica e taticamente da nossa parte.

Numa dinâmica de partida muito comum no futebol brasileiro – quando o jogo, nos momentos finais, começa "a partir" e se torna um jogo de transições –, fomos eficazes e conseguimos fazer o lance do 1º golo justamente em uma transição. Após obtermos a vantagem, sabíamos que o adversário tentaria atacar ainda mais, partindo para o tudo ou nada; nesse momento, procuramos reforçar a equipa com jogadores que estavam no banco e que nos podiam ajudar a controlar melhor o jogo. E foi muito devido a esses atletas que chegamos ao segundo golo. Tal como sempre defendemos: para nós não há titulares e reservas, há jogadores que começam de início e jogadores que começam no banco. Todos eles contribuíram, e muito, para garantirmos a classificação para a decisão da Copa do Brasil, que o Palmeiras não alcançava desde 2015.

Portanto, no penúltimo dia do ano, pudemos comemorar a chegada à nossa primeira final da temporada – fruto do trabalho dos jogadores e de todos os que diariamente trabalham para que nada lhes falte.

"Ainda não ganhamos nada" e "os sacrifícios de hoje vão valer a pena no futuro"

1º
PIT STOP

"O Abel pede para a gente dar o máximo todos os dias no treinamento, matar um leão por dia. Ele diz que lá na frente seremos recompensados."
Danilo Oliveira

São Paulo, 1º de janeiro de 2021

Terminados os dois primeiros meses a serviço do Palmeiras, obtivemos 11 vitórias, 4 empates e 2 derrotas em 17 jogos. Um aproveitamento de 73%, com um total de 33 golos marcados e 10 sofridos. Além dos resultados propriamente ditos, havíamos alcançado os objetivos desejados: classificação para a final da Copa do Brasil (passando duas eliminatórias) e classificação para as semifinais da Copa Libertadores (também passando duas eliminatórias). No Brasileirão, subimos somente 2 posições na tabela. Os resultados foram acompanhando também um processo muito satisfatório. A equipa estava a jogar bem e como pretendíamos. Nossas ideias foram assimiladas e aplicadas dentro de campo pelos atletas, os verdadeiros protagonistas.

Após o último jogo do ano, a vitória contra o América Mineiro que nos garantiu a presença na decisão da Copa do Brasil, o clima era de êxtase. Tanto que os atletas até pediram dois dias de folga antes do jogo contra o River Plate. Mas, após pensar no assunto, o Abel rejeitou.

– Galera, não posso dar-vos dois dias de folga. Temos de treinar amanhã, fazer um treino de recuperação para os que jogaram e um treino duro para os que não jogaram e dou-vos folga no dia a seguir, no dia 1º (de janeiro). Desculpem, não posso dar-vos os dois dias. Pensem que estamos a fazer sacrifícios e renúncias que vão valer a pena no futuro, vamos ser recompensados lá na frente, ok? Façam um teste: fechem os olhos e imaginem-se a levantar troféus (Libertadores, Copa do Brasil ou Brasileirão) no final da temporada. Já imaginaram? Acreditem! É por isso que fazemos sacrifícios e que trabalhamos duro, para podermos ser recompensados lá na frente.

Parabéns, estamos na final da Copa do Brasil, vamos ter muito tempo para pensar nela e agora vamos pensar no River Plate, que é outra competição que nós temos objetivos, certo?

Já anteriormente, no final do mês de novembro e após o jogo contra o Club Athletico Paranaense, o Abel tinha avisado para a necessidade de evitar qualquer tipo de relaxamento:

– Ouçam o que eu vou vos dizer... Vão começar a falar bem da nossa equipa, mas ainda não ganhamos um caral**! Eu só vim para cá porque alguma coisa correu mal antes, senão eu não estava aqui. Lembrem-se sempre de três palavras mágicas: disciplina, trabalho duro e o vosso talento. Volto a repetir: disciplina, trabalho duro e o vosso talento! E depois é dar consistência a isto, que é o mais difícil. Parabéns pelo jogo e obrigado!

Como ficou patente nessas palavras do Abel, ainda não tínhamos vencido nada. Mesmo com as coisas funcionando bem, era fundamental continuar a fazer os sacrifícios que haviam nos trazido até aqui, mantendo a exigência em níveis elevados e evitando qualquer tipo de relaxamento individual ou coletivo. Estávamos contentes, mas ainda não satisfeitos.

Jogo: River Plate 0x3 Palmeiras
(Libertadores – semi – ida)

VOLTA **25**

"Todos entram em campo sabendo o que precisam fazer. O Abel pega um dia antes, ou mesmo no dia do jogo, e conversa com cada um, explica o que tem de fazer. Então entramos em campo e fazemos o que ele pede."
Gabriel Menino

Buenos Aires, 5 de janeiro de 2021

Se perguntarem a qualquer profissional de futebol quais são as três melhores equipas do futebol sul-americano, acreditamos que a grande maioria dirá que o River Plate está entre elas – se não disserem que é a melhor.

Isto acontece porque, além de possuir jogadores de qualidade individual muito grande, o River Plate é também muito bem orientado pelo Marcelo Gallardo, um técnico ainda jovem, mas que certamente já está na lista dos melhores treinadores da história do futebol sul-americano. Foi com ele que o River Plate celebrou, em sete anos, a conquista de duas Libertadores, entre outros títulos. Além disso e igualmente importante, nosso adversário é uma equipa com atletas que trabalham juntos há muito tempo, algo que faz diferença em uma eliminatória como esta.

Por esse motivo, sabíamos que o resultado do primeiro jogo, fora de casa, seria determinante para a classificação. Uma vitória ou até um empate com golos nos daria grande vantagem para fecharmos a eliminatória em nossa casa e marcar presença na tão desejada final da Copa Libertadores.

Este jogo marcou um acontecimento inédito: depois de 2 meses no futebol brasileiro, foi a primeira vez que tivemos 5 dias de intervalo entre partidas – e consequentemente 4 dias de treino para preparar uma estratégia! Esse tempo disponível nos permitiu trabalhá-la muito bem.

Para este duelo, efetuamos uma alteração em nosso plano de jogo. A partir da análise do adversário, percebemos que, se jogássemos com o nosso plano A defensivo, seria muito difícil conseguirmos ter sucesso contra o River Plate, pois estaríamos muito expostos. Isto porque a equipa do Gallardo ameaçava a linha defensiva de 4 jogadores de seus adversários com 5 jogadores (ou 4+2 jogadores, sendo estes 2 jogadores os médios que faziam movimentos facão de 2ª linha e que muitas vezes criavam desequilíbrios, pois os médios adversários não acompanham – visto que os médios do River jogavam nas costas desses médios adversários).

Nossa grande questão era se iríamos optar por jogar com linha de 5 com 5 defesas (3 zagueiros ou 2 laterais) ou linha de 4+1 com 4 defesas e 1 ala/ponta. Assim, optamos por jogar em 1:5:4:1 com linha defensiva de 4+1 para não mexermos muito na dinâmica da equipa; à nossa forma de defender habitual, somente definimos que um ponta defendia junto da linha defensiva e o outro ponta junto da linha média. Foi também a primeira vez que usamos este sistema no início do jogo com os atletas todos disponíveis – anteriormente, este sistema fora utilizado somente num jogo contra o Goiás, em que tivemos muitas baixas por lesão e Covid-19.

Ao longo da semana, preparamos os jogadores para essa alteração estratégica. Como? Mostrando vídeos do River Plate que nos comprovavam a necessidade de ter mais um homem a ajudar a defender a última linha defensiva.

A forma como iríamos defender e atacar em termos de sistemas e comportamentos já estava clara para a equipa técnica, mas os jogadores que entrariam de início ainda não haviam sido escolhidos.

A primeira grande dúvida era quem faria a posição de ala/ponta. Optamos pelo Gabriel Menino, que vinha desempenhando essa posição conosco (principalmente em organização ofensiva) com o Marcos Rocha como lateral/zagueiro.

Nossa segunda dúvida estava relacionada à condição física do Luan Garcia, que vinha referenciando dores fortes na lombar. Gerimos o atleta durante a semana, e o Luan apresentou sinais de melhora. Mesmo assim, optamos por fazer o aquecimento pré-jogo com 12 jogadores, ou seja, os 11 que iriam iniciar a partida e mais o Alan Empereur, outro zagueiro. Durante o aquecimento, o Luan voltou a sentir a dor, com grande incômodo; alertados pelo próprio atleta, comunicamos rapidamente ao Abel o que estava a acontecer no aquecimento – e o Alan Empereur começou o jogo como titular.

Não entramos bem nesta partida. Nos primeiros 10-15 minutos, não cumprimos exatamente o que tínhamos planejado, e isso nos criava bastante dificuldade. Quando começamos a defender de acordo com nossa es-

A força do conhecimento: Abel e o Palmeiras conseguem vitória histórica na Argentina

tratégia (linha defensiva de 4+1), passamos a proteger melhor a largura do campo e a controlar melhor os espaços onde queríamos que o adversário nos atacasse. Também foi a partir daí que passamos a ter mais momentos de organização ofensiva e de transição ofensiva, conseguindo assim explorar o ponto fraco do River Plate: as transições defensivas, uma consequência de se exporem bastante em organização ofensiva.

O 0x1 a nosso favor nos deu alguma tranquilidade, sendo um jogo equilibrado até o intervalo. Ainda antes do meio-tempo, tivemos um golo bem anulado (por ligeiro fora de jogo) que retratava exatamente o que nós havíamos trabalhado: equipa junta e compacta, pressão no corredor lateral com o Rony a ganhar bola no duelo defensivo e termos depois a vantagem posicional para fazer uma situação de 2x1 no corredor central e finalizar uma fantástica transição.

Após o intervalo, e com o nosso golo no início da segunda parte, conseguimos explorar os momentos de transição defensiva do adversário que tanto queríamos. Nesse momento, passamos a ter total controlo do jogo, quer do ponto de vista tático, quer do ponto de vista emocional. Percebemos que o adversário se descontrolou emocionalmente; continuou pressionante e com elevado volume ofensivo, mas com menos critério e mais desorganização. Conseguimos chegar ao terceiro golo e poderíamos ter ampliado ainda mais o placar, em duas claras oportunidades que não concretizamos (do Veiga e do Willian).

Tendo em conta a análise do adversário e os comportamentos inerentes à nossa ideia de jogo, definimos as seguintes ideias-chave no plano de jogo:

Ideias-chave: River Plate x SE Palmeiras

Momento do Jogo	Problema (Adversário)	Solução (Equipa)	Estratégia
Organização Ofensiva #1	Equipa que defendia em bloco médio-alto com forte pressão na nossa primeira fase de construção (fazendo situações de 3x3)	**Manter a base/Identidade** Bom posicionamento dos defesas e médios em 3:2 + Solução ofensiva como antipressing: passe cego no espaço ou em jogador já no meio campo ofensivo + Encontrar as situações de igualdade numérica que teríamos na frente de ataque	
Organização Ofensiva #2	Defesa (majoritariamente) zonal Boas basculações e pressão forte no corredor da bola, libertando lado contrário	**Manter a base/Identidade** Fazer saída 3+2 e encontrar os médios bem posicionados, para posteriormente receber orientado e forçar viradas para lado contrário Atrair adversário a um corredor e sair pelo outro, através de viradas para o lado contrário dos zagueiros e/ou médios	
Organização Defensiva #1	Alternância entre construção 2:1 ou 3:1 com o volante entre zagueiros + Mobilidade dos 3 médios em "diagonal" para baixar para ligar ou para abrir nos corredores + Laterais em largura/profundidade máxima com pontas em zonas interiores, forçando a nossa última linha com 5 homens (ou 4+2 homens)	Nuance estratégica dentro da nossa ideia	Recorrer ao nosso plano B. Defender com linha de 4+1 (4 defesas + 1 ala); esse ala seria o Gabriel Menino, para garantir controlo da largura e capacidade de pressão entrelinhas. Defender por zona independente da mobilidade do jogador adversário.
Organização Defensiva #2	Pontas e atacantes com bastante mobilidade e muito agressivos nos movimentos facão	Nuance estratégica dentro da nossa ideia	Bloco de pressão médio-baixo. Controlo a profundidade (ponto forte do adversário) e deixá-los ganhar o espaço entrelinhas para depois "amassarmos"
Transição Ofensiva #1	Adversário que envolve muitos jogadores no ataque e em largura/profundidade máxima -> Expostos no momento da perda e com prevenção 3:1 (com volante) ou 2:2	**Manter a base/Identidade** Forte pressão em zonas intermédias e no corredor central para depois aproveitarmos o espaço nas costas + Importância dos contramovimentos para gerar vantagem posicional no corredor central + Importância de com um primeiro passe frontal eliminar 6/7 jogadores adversários + Importância do ponta do lado contrário (Rony ou Scarpa) estar por dentro para ser porta de saída na transição	
Esquemas Táticos Ofensivos #1	Adversário com bons timings de tirar e com jogadores fortes no jogo aéreo	Nuance estratégica dentro da nossa ideia	"Livre mentiroso" -> Livre em zona lateral com movimento de distração para movimentar a linha defensiva do adversário 3/4 metros e ganhar superioridade posicional e superioridade cinética em relação ao adversário

Tabela 5: *Ideias-chave: River Plate x SE Palmeiras*

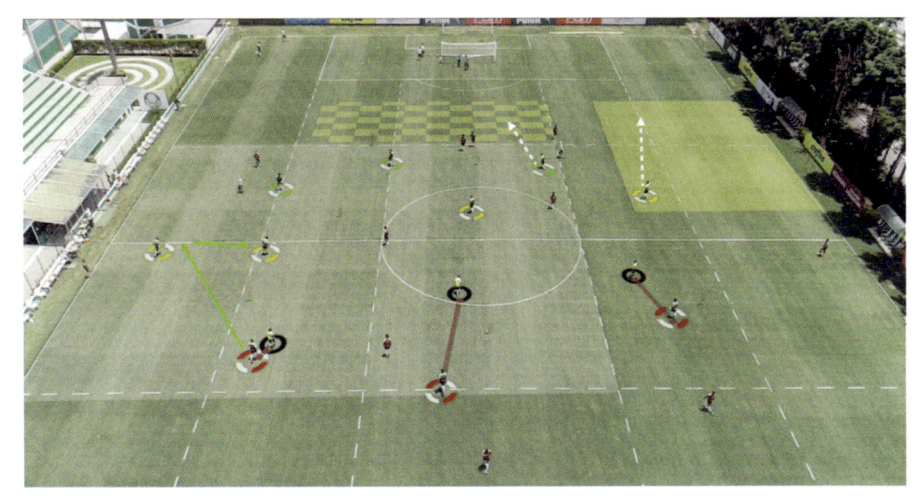

Figura 16: Organização Ofensiva #1 **Treino** *– Problema: adversário altamente pressionante com pressão de igualdade numérica de 3x3 na nossa primeira fase de construção + equipa com boas basculações ao corredor da bola |* **Solução: Linhas de passe próximas para ligar jogo com segurança, evitar receber de costas para evitar pressão + Atrair o adversário a um corredor e atacar pelo outro através de viradas dos zagueiros e principalmente dos médios que tinham de procurar receber orientado para potenciar viradas para o corredor contrário + a importância do Luiz Adriano e do Rony fazerem movimentos complementares (Luiz Adriano cujo ponto forte são os movimentos de apoio frontal e o Rony cujo ponto forte é o movimento facão)**

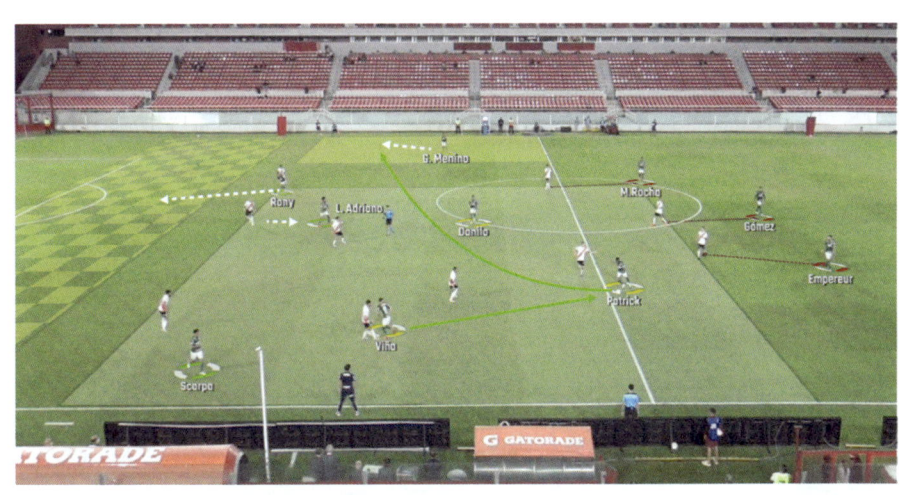

Figura 17: Organização Ofensiva #1 **Jogo** *– Problema: adversário altamente pressionante com pressão de igualdade numérica de 3x3 na nossa primeira fase de construção + equipa com boas basculações ao corredor da bola |* **Solução: Linhas de passe próximas para ligar jogo com segurança, evitar receber de costas para evitar pressão + Atrair o adversário a um corredor e atacar pelo outro através de viradas dos zagueiros e principalmente dos médios que tinham de procurar receber orientado para potenciar viradas para o corredor contrário + a importância do Luiz Adriano e do Rony fazerem movimentos complementares (Luiz Adriano cujo ponto forte são os movimentos de apoio frontal e o Rony cujo ponto forte é o movimento facão)**

Figura 18: Organização Defensiva #1 – Problema: Mobilidade dos 3 médios em "diagonal" para baixar para ligar ou para abrir nos corredores + Laterais em largura/profundidade máxima com pontas em zonas interiores, forçando a nossa última linha com 5 homens (ou 4+2 homens) | **Solução: Utilizar o nosso plano B (linha de 4+1), para garantir controlo da largura do campo e ter capacidade de pressão entrelinhas + defender a mobilidade do adversário com comportamentos zonais e sem referências + "defender para atacar", isto é, do mesmo modo que atacamos defendendo, também defendemos atacando (através do posicionamento do Rony e Scarpa que, como pontas do lado contrário, deviam estar por dentro para ser porta de saída nas transições)**

Figura 19: Organização Defensiva #2 – Problema: pontas e atacantes com bastante mobilidade e agressivos no ataque à profundidade com movimentos facão | **Solução: Retirar espaço na profundidade com bloco médio-baixo + Controlar sempre a profundidade e deixar que o adversário conquistasse entrelinhas (e não as costas) para depois "amassar"**

Figura 20: Esquemas Táticos Ofensivos #1 **Treino – Lance do 3º golo** – Problema: Adversário com bons timings de tirar e com jogadores fortes no jogo aéreo | Solução: **"Livre mentiroso"+ Livre em zona lateral com movimento de distração para movimentar a linha defensiva do adversário 3/4 metros e ganhar superioridade posicional e superioridade cinética ao adversário**

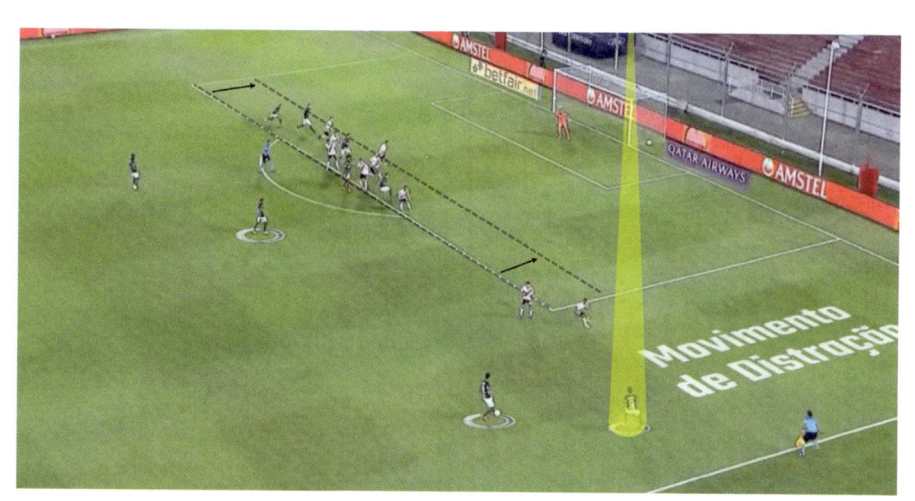

Figura 21: Esquemas Táticos Ofensivos #1 **Jogo – Lance do 3º golo** – Problema: Adversário com bons timings de tirar e com jogadores fortes no jogo aéreo | Solução: **"Livre mentiroso"+ Livre em zona lateral com movimento de distração para movimentar a linha defensiva do adversário 3/4 metros e ganhar superioridade posicional e superioridade cinética ao adversário**

Figura 22: Transição Ofensiva #1 – **Lance do 2º golo** – *Problema: adversário muito exposto defensivamente no momento da perda* | **Solução:** *Forte pressão em zonas intermédias e no corredor central para depois aproveitarmos o espaço nas costas + Importância dos contramovimentos para gerar vantagem posicional no corredor central + importância de com um primeiro passe frontal eliminar 6/7 jogadores adversários + Importância do ponta do lado contrário (Rony ou Scarpa) estar por dentro para ser porta de saída na transição*

Quadro com as escalações de Palmeiras e River Plate em nosso vestiário no estádio Libertadores de América, na Argentina

Jogo: Palmeiras 0x2 River Plate
(Libertadores – semi – volta)

VOLTA
26

"A verdade é que esta foi, seguramente, uma das melhores derrotas que eu e o Palmeiras tivemos na história."
Abel Ferreira

São Paulo, 12 de janeiro de 2021

Depois da vitória por 3x0 na primeira partida, o ambiente e as expectativas criadas externamente eram de que o Palmeiras já estava na final da Libertadores. No entanto, nós da equipa técnica acreditávamos que, se havia algum time na América do Sul que podia reverter uma eliminatória partindo de 0x3, esse time era o River Plate. Não só pela personalidade dos argentinos, como também pela qualidade dos atletas. O Abel alertou os jogadores para o risco de pensar que a vaga na final já estava ganha. Avisamos que este seria um novo jogo, totalmente diferente do anterior. No entanto, sentíamos que a vitória por 3x0 estava bem presente no subconsciente dos jogadores.

Além disso, existiu um momento antes do jogo que foi simultaneamente positivo e negativo – e que, acreditamos, teve impacto na forma como entramos na partida. Os torcedores do Palmeiras decidiram fazer-nos um corredor alviverde de apoio desde o Centro de Treinamento até o Allianz Parque: um percurso de 1,7 quilômetro no qual eles, com fumaça, fogos de artifício e sinalizadores, escoltaram o ônibus até a porta do estádio. Esse corredor ficará para sempre marcado em nossa memória porque foi a primeira vez que sentimos a força da torcida palmeirense. E foi um momento arrepiante. Emocionante. Lindo. Sensacional. Impactante. Incrível. E mágico. E por ter sido tudo isso, e ter mexido tanto com as emoções de todas as pessoas que estavam no ônibus – jogadores, comissão e diretoria –, acabou por ter um dano colateral: um sentimento de pressão excessiva de "não podemos perder". Esse dano colateral, por sua vez, acarretou outro: entramos no jogo altamente inibidos pelo medo de perder. No vestiário, antes do jogo, sentimos um ambiente de tensão e apreensão. Deixamos de querer ganhar e só pensávamos que não podíamos perder – um bloqueio mental que não nos permitiu estar "fluidos" em campo.

Os torcedores fizeram algo que marcará para sempre as nossas vidas, de tão belo e emocionante que foi – mas que teve, inesperadamente, um efeito incontrolável. Verdade seja dita: na mesma situação desportiva, se pudéssemos escolher voltar a viver este momento ou optar por não vivê-lo, escolheríamos vivê-lo. Sem dúvida.

Curiosidade: na preleção, antes de sairmos da Academia, o Abel ainda avisou os jogadores para a existência do corredor alviverde que presenciaríamos a caminho do Allianz Parque. A verdade é que não imaginávamos que fossem tantas e tantas pessoas nem imaginávamos o impacto que aquele momento teria na parte mental dos jogadores. Isso nos leva a outra reflexão: por mais que o treinador queira manter o controle de tudo, há variáveis que são incontroláveis.

O duelo de volta da eliminatória poderia ter terminado logo aos 9'25'' de jogo. Numa situação clara de abertura do placar, com o Rony isolado em frente ao goleiro, não conseguimos fazer o golo. Essa foi a nossa primeira oportunidade na partida – e acabou sendo também praticamente a última. O lance perdido se tornou um balão de oxigênio para o nosso adversário, que acreditou (ainda mais) que era possível virar a eliminatória.

Figura 23: Primeira grande oportunidade de golo aos 9'25'', que não aproveitamos e que podia ter acabado com a eliminatória

Para o 2º jogo, sabíamos que o adversário não teria o mesmo sistema tático da primeira partida. Isto porque, no livro que compramos para melhor conhecer o Marcelo Gallardo, tínhamos visto que em situações de desvantagem na eliminatória o treinador alterava o sistema para o 1:3:5:2 no 2º jogo. Entendemos que essa era a forma como ele arriscava nos jogos que tinha de ir atrás do resultado, e assim preparamo-nos toda a semana para defrontar esse sistema.

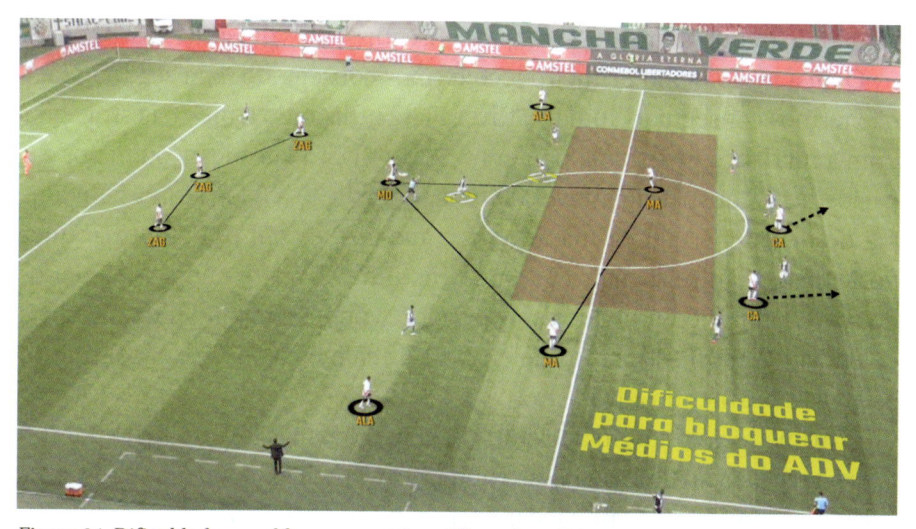

Figura 24: Dificuldade para bloquear os três médios adversários

Apesar de sabermos que esse sistema adversário nos criaria mais dificuldades do que o anterior, optamos por repetir o sistema tático do primeiro jogo, o 1:5:4:1. Acreditávamos que seríamos capazes de bloquear os 3 médios do adversário. A estratégia era (coletivamente) defender em função da bola, com os médios tendo as seguintes missões específicas: o médio do lado da bola deveria defender o meia-atacante do lado da bola e o 2º médio deveria fazer uma diagonal alta para marcar o volante. Embora o River tenha jogado igualmente com três médios no primeiro jogo (com sistemas diferentes: do 1:4:3:3 no 1º jogo para o 1:3:5:2 no 2º jogo), nossa estratégia não funcionou. Não conseguimos anular a dinâmica dos três médios: não fomos capazes de controlar a mobilidade e a preponderância do volante nem a mobilidade e as flutuações dos dois meia-atacantes – aspecto esse que só melhoramos quando alteramos o sistema, igualando para o 1:3:5:2, com 3 médios.

Além de não termos conseguido anular a dinâmica dos médios na 2ª fase de construção, também não fomos capazes de anular a 1º fase de construção do River – especialmente o volante que, quando recebia a bola, conseguia encontrar os meia-atacantes entrelinhas nas costas dos nossos médios. Como fruto dessa nossa incapacidade, eles acabaram por nos empurrar cada vez mais para perto da nossa baliza. Como num combate de boxe em que um lutador atinge socos frequentes no adversário e acaba por derrotá-lo pelo desgaste físico e emocional, aconteceu o mesmo conosco: o River foi-nos agredindo frequentemente, sem que conseguíssemos defender esses golpes.

Qual a razão de no primeiro jogo termos conseguido e no segundo jogo não termos conseguido anular o River Plate utilizando a mesma estratégia? Com a mudança de sistema para o 1:3:5:2, o River Plate alcançou maior capacidade de construção através de uma construção a 3 jogadores bem ampla desde trás. A equipa manteve os 3 médios, e com os 2 centroavantes posicionados entre zagueiro-lateral, conseguiu "fixar" os nossos zagueiros do corredor, impedindo que esses jogadores pudessem ajudar os médios a defender o espaço entre linha defensiva e linha média onde se encontravam os meia-atacantes do adversário.

O primeiro golo surgiu após uma bola parada, mas foi originado por um lance de má construção de nossa equipa: em vez de explorarmos os espaços existentes, preferimos sair a jogar curto sob forte pressão.

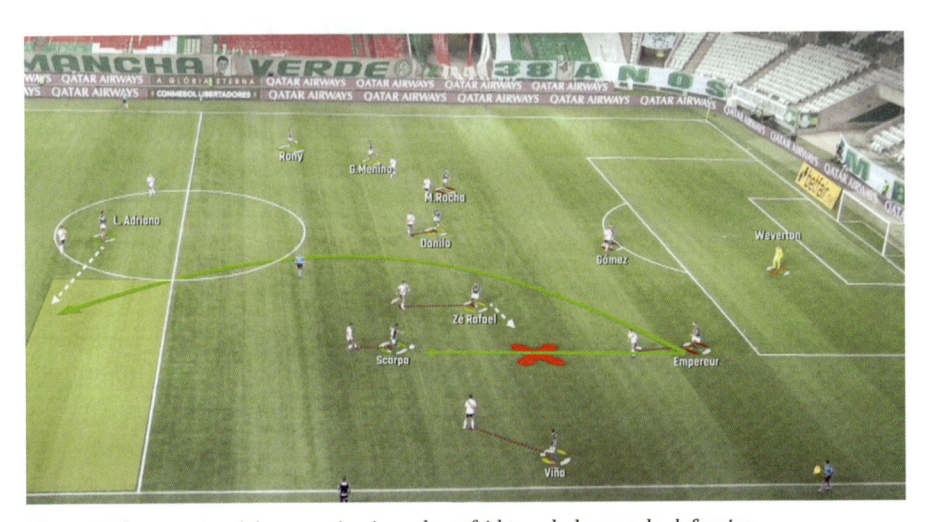

Figura 25: Lance que originou o primeiro golo, sofrido em bola parada defensiva

O segundo golo surgiu num lançamento de linha lateral defensivo, no final do primeiro tempo. De todo os golpes que o River Plate nos desferiu, este foi o mais duro. Por esse motivo, o intervalo foi um momento difícil para todos, pois os jogadores estavam inquietos e descrentes.

A etapa final foi muito sofrida, pois continuávamos a não conseguir controlar os ataques do adversário. No segundo tempo, alteramos o nosso sistema tático e passamos a jogar em 1:5:3:2 para tentar estancar o jogo interior do adversário e a dinâmica dos médios. Por vezes conseguimos defender com os nossos comportamentos. Quando isso não acontece, nosso princípio é defender com o sistema tático. Para além disso, refrescamos a equipa com jogadores fortes no jogo aéreo, pois o River Plate estava a apostar bastante nos cruzamentos para a área e nas bolas paradas ofensivas.

Quando o árbitro apitou o encerramento da partida, o sentimento foi de puro alívio e de extrema felicidade. Alcançávamos a segunda final da temporada sob a liderança do Abel – e que final! Simplesmente a decisão da Copa Libertadores, competição mais importante do continente, 21 anos depois da última participação do Palmeiras em uma final do torneio. E, para o conseguir, tivemos de eliminar uma das equipas mais poderosas da América do Sul, tida como maior favorita para vencer a competição.

O final do jogo ficou ainda marcado pela troca de palavras entre os treinadores:

– Parabéns e agora ganhem a final – disse o Gallardo.

– Parabéns pelo excelente jogo que fizeram hoje. Vamos ganhar e vou dedicar-te a vitória! – respondeu o Abel.

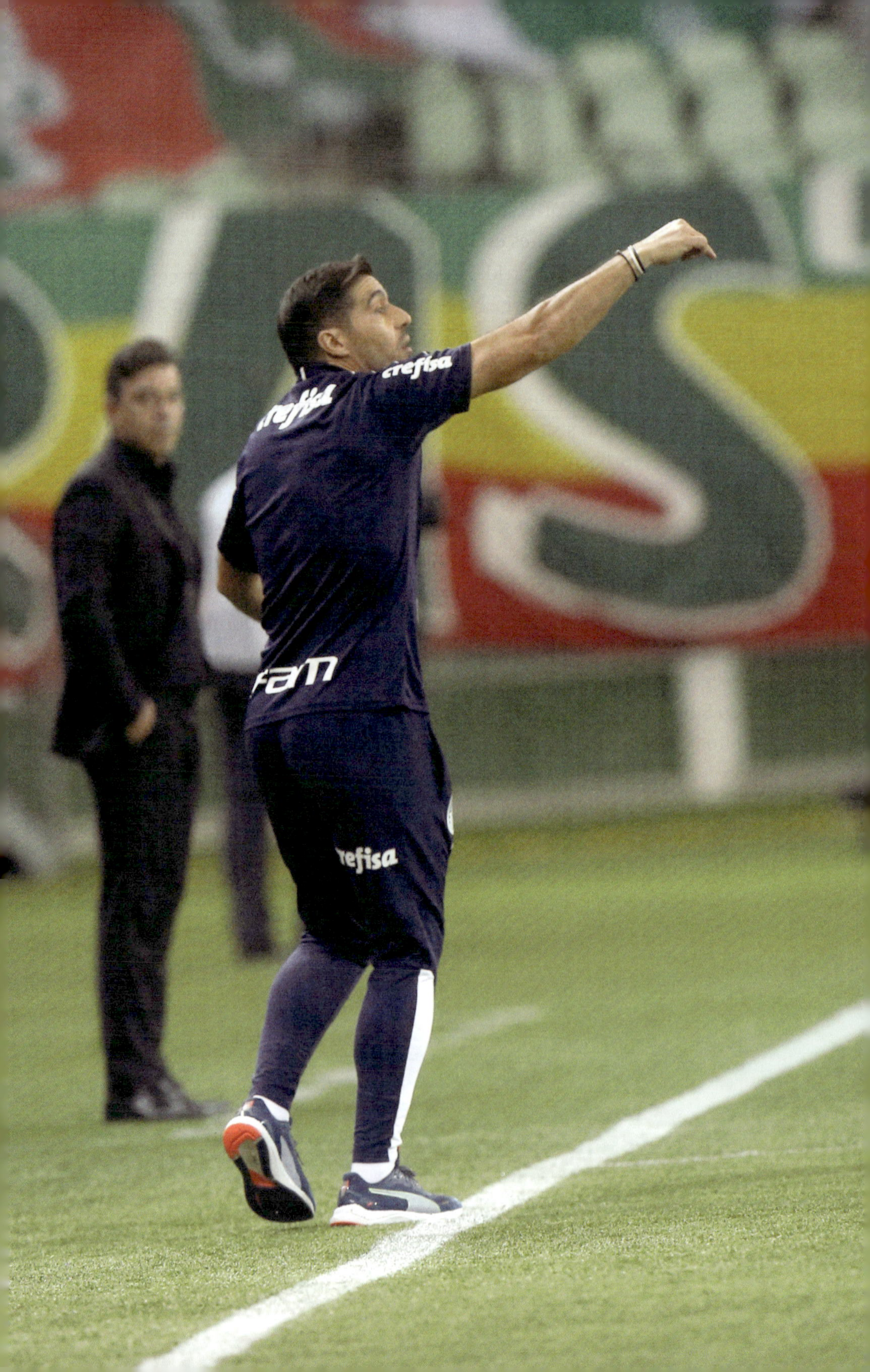
crefisa
crefisa

O marcador somático "COMPETIR" e a folga pedida

VOLTA 27

"Meu orgulho é ver que os jogadores estão comprometidos. Estão dando o melhor a cada jogo. A grande diferença é a mentalidade e a cultura de vitórias. Eles se desafiam diariamente e isso se reflete no treino e em jogo."
Abel Ferreira

São Paulo, 13 de janeiro de 2021

Apesar do desempenho do segundo jogo e o consequente mau resultado, acreditamos que fomos a melhor equipa da eliminatória.

Após termos vencido o River Plate por 3x0 no primeiro jogo, em momento algum pensamos que a eliminatória estaria finalizada. Até porque temos muitos exemplos de equipas que conseguiram reverter resultados de uma forma impensável.

Na história recente, temos a épica partida da Liga dos Campeões de 2019 em que o Liverpool reverteu a derrota por 0x3 contra o Barcelona no primeiro jogo com uma vitória por 4x0 na volta. E o histórico duelo da Liga dos Campeões de 2017 entre o Barcelona e o Paris SG, em que o Barcelona reverteu uma desvantagem de 0x4 com uma vitória por 6x1. Há ainda o exemplo da Roma de 2018, também na Liga dos Campeões, que reverteu a derrota por 1x4 contra o Barcelona no primeiro jogo com uma vitória por 3x0 no segundo jogo.

Acreditamos que entre duas grandes equipas todos os resultados são possíveis de reverter. Tudo é possível quando a fé é muita – e o nosso adversário, River Plate, tinha tanta fé que trouxe para o Allianz Parque garrafas de champagne para festejar a passagem à final.

No intervalo do jogo, perdíamos por 2x0. A verdade é que temíamos o pior, mas tentamos fazer os jogadores acreditarem no melhor. Sentimos alguma desconfiança em todas as pessoas que estavam no vestiário, nós incluídos. Mas foi nesse preciso momento do intervalo que aprendemos um outro significado do termo "COMPETIR".

Quando estávamos na nossa sala a discutir o que iríamos fazer para a etapa final e o que Abel poderia dizer aos jogadores, ouvíamos os capitães falando: "temos de competir", "não estamos competindo" e "se competirmos no segundo tempo, vamos estar na final". O "COMPETIR", "COMPETIR", "COMPETIR" foi o termo que mais ouvimos no vestiário durante o intervalo. De fato, foi um marcador somático que os capitães colocaram nos colegas e que os fez perceber que para jogar contra equipas argentinas – ainda mais contra o River Plate – precisamos de um extra: competir tanto quanto eles. Essa ajuda que os capitães deram serviu de âncora no discurso do Abel ao intervalo. Todo o discurso do Abel foi em cima desse marcador somático: "temos de competir!".

Quando o jogo terminou, e alcançada a histórica classificação para a final da Libertadores, alguns dos capitães e jogadores mais experientes vieram pedir ao Abel folga no dia seguinte. Dar folga não estava no nosso planejamento; isto porque, 72 horas após a partida contra o River Plate, tínhamos um duelo pelo Campeonato Brasileiro contra o Grêmio, adversário direto na tabela.

O nosso receio era que a passagem para a final levasse os jogadores a cometer loucuras nas celebrações e festejos. Quando o Abel lhes transmitiu essa preocupação, ouviu a seguinte resposta:

– Professor, não temos forças nem para festejar. Só queremos descansar!

O argumento deles convenceu o Abel. O jogo havia sido altamente disputado; durante seus 90 minutos, vivemos uma montanha-russa de emoções. O desgaste após o apito final, mais do que físico, era mental. Compreendendo isso, o Abel deu a folga pedida (e merecida). É preciso cuidar do bem mental dos jogadores e de todos nós.

Quando refletimos *a posteriori* sobre o que se passou na partida e o porquê da derrota e da má performance, concluímos que o medo de perder o jogo foi superior à vontade de ganhar – e que isso se tornou um bloqueio mental que não nos permitiu estar "fluidos" em campo. Apesar de não termos feito um bom jogo, os atletas demonstraram atitude e caráter incríveis. É preciso uma força muito grande para suportar o gasto de energia físico e emocional dentro de campo, ainda mais quando se joga "somente" a classificação para uma final como a da Libertadores (prova mais importante do continente).

Desgaste físico e mental do jogo contra o River Plate fez o Abel dar um dia de folga aos atletas

 A verdade é que este foi o jogo das nossas carreiras em que todos nós da equipa técnica mais impotentes nos sentimos, a partir do banco de reservas ou do nosso posto na bancada. Mas acreditamos que "a bola não entra por acaso". Felizmente, nesse jogo a última bola deles não entrou – e, quando entrou, foi corretamente invalidada pela arbitragem e pelo VAR, que, neste jogo, acertaram em todas as suas decisões.

A história do livro sobre o Marcelo Gallardo

VOLTA **28**

"Aprender... é coisa que eu faço todos os dias. É querer ser o melhor, querer aprender e evoluir com as minhas experiências."
Abel Ferreira

São Paulo, 14 de janeiro de 2021

Ultrapassada a semifinal contra o River Plate, ficamos com o sentimento de que cada um dos dois jogos desse duelo entrou, por motivos diferentes, para a história do futebol sul-americano. Acreditamos que a primeira partida será lembrada pela forma como conseguimos neutralizar o River Plate em seus domínios – e o segundo jogo será recordado pela maneira como os deuses do futebol nos ajudaram!

O River Plate do Marcelo Gallardo está claramente no top 3 dos adversários mais difíceis que enfrentamos em nossa passagem pelo Brasil. Por esse motivo, foi também um adversário que nos deu muito trabalho de analisar. À primeira vista, pode parecer um estilo de jogo com bastante mobilidade/aleatoriedade; mas, quando analisamos a fundo, percebemos a quantidade e qualidade de padrões táticos e dinâmicas. Não é à toa que, nos sete primeiros anos da era Gallardo, a equipa conquistou duas Copas Libertadores, com a presença em três finais e em cinco semifinais.

Para conhecer melhor o River Plate, analisamos 11 jogos da equipa: 5 de competições nacionais argentinas – campeonato e copa – e 6 da Libertadores. Sentimos que com essa análise já tínhamos uma boa ideia sobre o time e sobre aquilo que eles iriam fazer contra nós. No entanto, queríamos conhecer mais: queríamos saber como pensava o seu treinador. Isto porque a equipa do River é uma equipa de autor, que espelha exatamente as ideias de seu comandante.

Para melhor conhecer o técnico Marcelo Gallardo, compramos um livro sobre ele: "El Pizarrón de Gallardo: Así armó um River ganhador" ("A Lousa de Gallardo: Assim montou um River vencedor"). Esse livro, escrito pelo jornalista argentino Christian Leblebidjian, detalha, de forma longitudinal, as táticas utilizadas por Gallardo ao longo de vários anos ao comando do River Plate. Entretanto, mais do que esquemas – que podem mudar com o passar do tempo –, são explicadas as ideias de como ele pensa o futebol em geral: o jogo, as diferentes estruturas táticas, as substituições... Mesmo sabendo que essas ideias também podem mudar, a obra nos permitiu conhecer o padrão de nuances estratégicas do treinador e antecipar alguns comportamentos do que o Gallardo iria fazer em caso de vantagem ou desvantagem no marcador. E, mais ainda, o que ele já tinha feito anteriormente para reverter resultados negativos de eliminatórias, numa amostra de quase seis anos.

Não compramos o livro para conhecer o River Plate; já os tínhamos analisado através dos jogos recentes, chegando a uma ideia clara de como eles iriam jogar. Compramos o livro para conhecer melhor o seu treinador e como ele pensa o jogo e suas nuances estratégicas, algo que nem sempre é possível analisar numa determinada amostra de jogos (na qual, por exemplo, eles só estiveram em situações de vantagem no marcador, ou na qual os adversários não tinham o mesmo nível do Palmeiras, ou ainda que apresentavam comportamentos divergentes dos do Palmeiras).

Além disso, a leitura do livro nos permitiu conhecer algumas ideias de Gallardo com as quais nos identificamos; uma delas, em particular (a dinâmica dos 3 médios), "roubamos". Nós, como treinadores de futebol, somos criadores e ladrões de ideias. Seja de exercícios, dinâmicas de jogo, situações de bola parada, etc. Acreditamos que a melhor forma de continuadamente evoluir é "criar" o nosso próprio conhecimento e, sempre que possível, "roubar" ideias de outros treinadores que, em nosso entendimento, beneficiem nossas equipas. Nunca nos esquecendo de um aspecto fundamental: devemos sempre ajustar essas ideias ao nosso contexto e à nossa realidade.

Jogo: Palmeiras 4x0 Corinthians
(Brasileirão – 28ª rodada)

VOLTA 29

"Clássicos contra o Corinthians são campeonatos à parte."
Mayke

São Paulo, 18 de janeiro de 2021

Primeiro Derby de nossa equipa técnica. Um dos maiores clássicos do Brasil e do mundo, em função de uma das maiores rivalidades futebolísticas em níveis nacional e mundial. Por esse motivo, foi um jogo de grande importância, quer para todos os que trabalham no clube, quer para os torcedores. "É um campeonato à parte" – foi o que percebemos no estudo que fizemos da história da Sociedade Esportiva Palmeiras e como sentimos nos dias anteriores a esta partida.

Nosso rival, o Corinthians, chegava ao Derby vindo de uma série muito positiva de resultados (7 jogos sem perder) e de uma vitória por 5x0 frente ao Fluminense. Além disso, sofrera somente 1 gol nessas 7 partidas. Por curiosidade: no espaço temporal que o Corinthians disputou esses 7 jogos, o elenco do Palmeiras disputou um total de 15 partidas.

Do lado do Palmeiras, chegávamos ao Derby com um misto de sentimentos de felicidade e frustração. Felicidade porque apenas seis dias antes tínhamos conquistado a histórica classificação para a final da Copa Libertadores da América. Frustração porque os dois últimos jogos não haviam corrido como o esperado. O duelo contra o River Plate, pelos motivos já abordados, e por não termos jogado como queríamos. Já o jogo contra o Grêmio, disputado após a semifinal da Libertadores e antes do Derby, teve outros componentes.

Empatamos em 1x1, mas se tratou de uma partida em que fomos muito superiores ao nosso adversário, principalmente no primeiro tempo. Foram 45' em que dominamos por completo o Grêmio, com uma grande dinâmica coletiva de jogo. Impusemos o nosso jogo e deveríamos ter aumentado a vantagem ainda na 1ª parte – na qual sentimos que retiramos dos ombros o peso que os jogadores sentiram após a classificação para a decisão da Libertadores.[1]

Nos dias anteriores ao Derby, o Abel "somente" pediu aos jogadores:

– Galera, quero apenas que vocês joguem esses 90 minutos como jogamos os 45 minutos iniciais contra o Grêmio. A única exigência para o jogo contra o Corinthians é que vocês tenham essa consistência na vossa performance, que faltou no último jogo. E tenho a certeza que, se o fizerem, vamos ser felizes no final! Acreditem!

Passamos pouca estratégia aos atletas para este clássico contra o rival: apenas duas nuances. Não tivemos muito tempo para treinar e as nuances estratégicas foram transmitidas somente no treino da manhã do dia de jogo, através de um exercício que chamamos "filme do jogo". Nesse exercício, procuramos, de forma explicativa e com pouco/nenhum impacto físico, que os jogadores se movimentem em campo e repliquem aquilo que acreditamos que irá acontecer na partida. É um exercício em que abordamos diferentes problemas que o adversário pode colocar, bem como suas soluções; às vezes, nem falamos do adversário, e sim somente dos nossos comportamentos, como o relembrar dos nossos comportamentos pré-jogo. Normalmente, este exercício tem a duração de 10/20 minutos, consoante se o Abel fala mais ou menos do adversário, consoante se os jogadores repetem mais ou menos vezes determinado comportamento, consoante o clima e a distância temporal para o jogo. Este exercício tem uma sequência: os momentos do jogo por setores do campo (que nós dividimos em três zonas).

O jogo correu-nos bastante bem e vencemos por 4x0. Fomos muito superiores ao nosso adversário e dominamos a partida por completo. Qualquer altura é boa para marcar golos, porém conseguimos marcar 2 dos 4 golos naquilo que nós chamamos de "momentos críticos do jogo" – isto é, início ou final da cada parte, ou após sofrer ou após marcar um golo. Além disso, 3 dos 4 golos acabaram por surgir com movimentos facão, uma das nuances estratégicas que mais insistimos no treino do "filme do jogo" na manhã do dia da partida.

---

[1] Foi neste jogo contra o Grêmio que experimentamos uma nova dinâmica ofensiva. Na partida contra o River Plate, tínhamos sentido muitas dificuldades em combater a dinâmica e a mobilidade dos 3 médios. Gostamos dessa nova dinâmica e acreditamos que a mesma iria potenciar as características dos nossos jogadores (além de nos trazer vantagens contra equipas que fazem marcações individuais, algo muito comum no futebol brasileiro).

Depois de marcarmos o quarto gol no Derby, refrescamos a equipa. A Glória Eterna nos esperava

No entanto, o que nos deixou mais felizes foi o fato de os jogadores terem cumprido com o desafio que o Abel tinha feito antes do jogo: ser consistente durante os 90 minutos. Acreditamos que um dos segredos para boas performances em ambientes de altos níveis de estresse e pressão é o foco no processo e nas tarefas individuais e coletivas.

No final do jogo, num momento que ainda podíamos ir à procura de um resultado mais dilatado, optamos por refrescar a equipa. Não só pela questão de gestão de grupo, como também para que todos chegassem motivados às decisões que enfrentaríamos. Com 4x0, esta vitória já não escapava.

Nossa estreia no Derby não poderia ter sido melhor: com ótima performance (impondo a nova dinâmica dos 3 médios) e ótimo resultado. A confiança estava em alta para encarar a final da Libertadores!

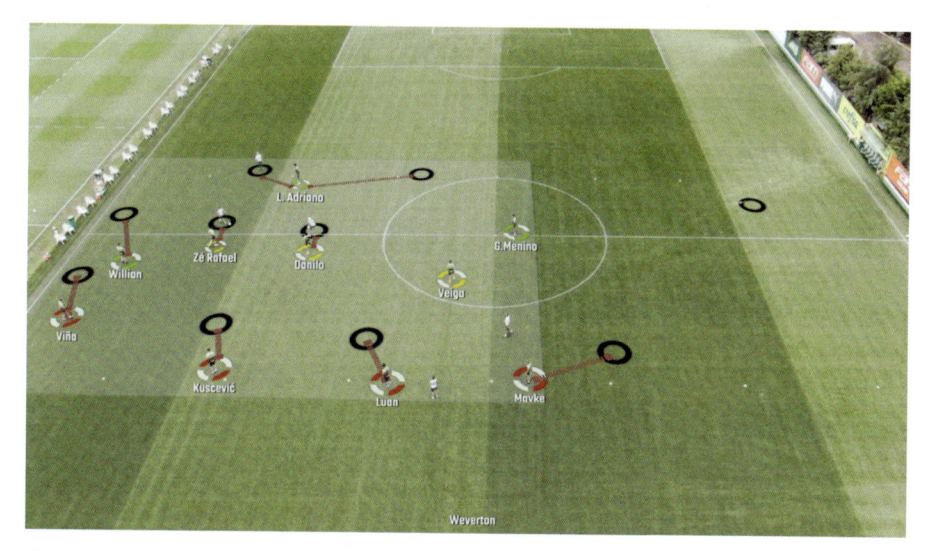

*Figura 26: Organização Defensiva #1 **Treino** – Problema: Adversário em 1:4:3:3 (sub-estrutura intermédia: 2:1 ou 1:2, consoante mobilidade) |* **Solução: Basculação ao corredor da bola + médios sempre marcados, liberdade para pressionar 1:2 ou 2:1 mas sempre com o ponta do lado contrário a fechar a equipa por dentro (e para depois ser porta de saída)**

*Figura 27: Organização Defensiva #1 **Jogo** – Problema: Adversário em 1:4:3:3 (sub-estrutura intermédia: 2:1 ou 1:2, consoante mobilidade) |* **Solução: Basculação ao corredor da bola + médios sempre marcados, liberdade para pressionar 1:2 ou 2:1 mas sempre com o ponta do lado contrário a fechar a equipa por dentro (e para depois ser porta de saída)**

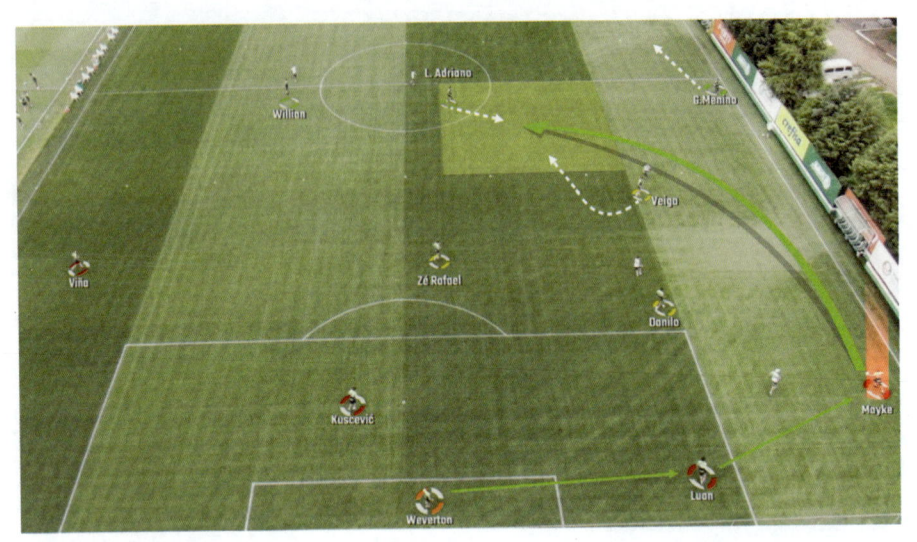

Figura 28: Organização Ofensiva #1 Treino – Problema: Adversário pressionava tiro de meta com referências individuais, isto é, encaixe mano a mano (MxM) | Solução: Sair curto pelos laterais baixos para atrair pressão do adversário e depois explorar o apoio frontal do centroavante e jogar de 3º homem (no meia-atacante ou ponta do lado da bola) + Criar superioridade numérica de 4x3 além da superioridade cinética e superioridade posicional

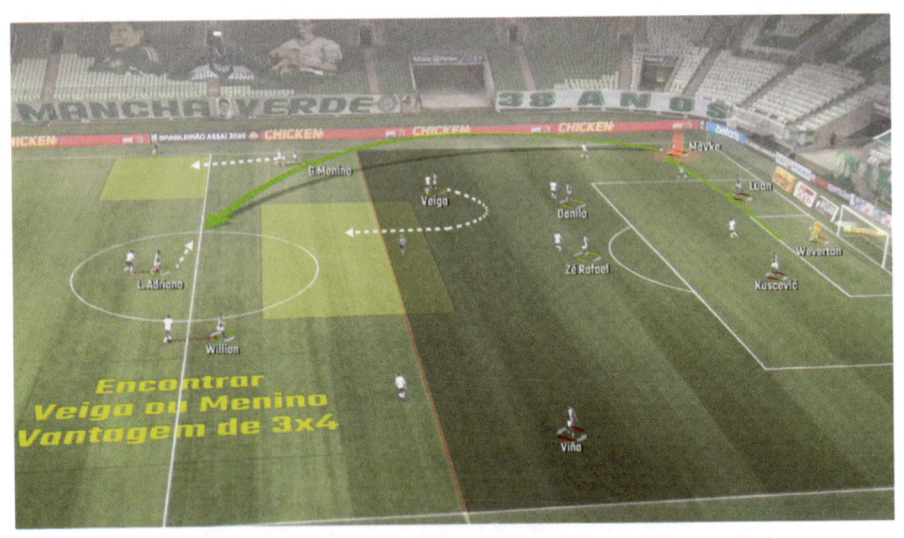

Figura 29: Organização Ofensiva #1 Jogo – Problema: Adversário pressionava tiro de meta com referências individuais, isto é, encaixe mano a mano (MxM) | Solução: Sair curto pelos laterais baixos para atrair pressão do adversário e depois explorar o apoio frontal do centroavante e jogar de 3º homem (no meia-atacante ou ponta do lado da bola) + Criar superioridade numérica de 4x3 além da superioridade cinética e superioridade posicional

*Figura 30 – Organização Ofensiva #2 – **Lance do 1º golo** – Problema: Adversário com problemas defensivos na linha defensiva, em particular de alinhamentos e de controle de movimentos facão | **Solução: Projetar os laterais em largura e profundidade máxima e ameaçar última linha do adversário com 5 jogadores (criando situações de superioridade numérica de 5x4, além da superioridade cinética e superioridade posicional)***

Elenco do Palmeiras comemora a vitória por 4x0 sobre o Corinthians no vestiário do Allianz Parque

Brasileirão: interruptor oficialmente desligado

VOLTA **30**

"Não ganharemos sempre, mas lutaremos sempre para ganhar, seja onde for e contra quem for."
Abel Ferreira

São Paulo, 26 de janeiro de 2021

Asseguramos a presença na final da Copa Libertadores de 2020 em 12 de janeiro, quando ainda faltavam 18 dias para a grande decisão, a ser disputada em 30 de janeiro de 2021 no mítico estádio do Maracanã. Esse feito histórico foi um momento de extrema felicidade, e que levou todos nós a ansiar e desejar que a finalíssima chegasse o mais rápido possível.

No entanto, nesses 18 dias restantes, tínhamos ainda 5 partidas a contar pelo Brasileirão. Mais do que somente usar os jogos para preparar a decisão da Libertadores, nossa equipa técnica ainda acreditava que era possível chegar ao topo da tabela do campeonato. A distância pontual do 1º ao 6º classificado era relativamente curta, e acreditávamos que em 11 jogos podíamos tirar essa diferença, contando com as partidas em atraso.

No entanto, essa crença durou somente 3 jogos. Após o empate em casa com o Grêmio por 1x1 (difícil de digerir pelo golo sofrido no final), e a vitória épica por 4x0 contra o nosso rival Corinthians, fomos jogar contra o Flamengo, em Brasília, em partida válida pela 31ª rodada do Brasileirão. Perdemos com justiça por 2x0 – e então sentimos que a chance de vencer esse torneio se esfumou. A partir desse momento, o foco do grupo de trabalho passou a estar totalmente nas finais das copas que tínhamos para disputar. Isto porque se tornara remota a possibilidade de conquistar o título do Brasileirão, após termos feito 4 dos 9 pontos possíveis nessa primeira série.

Nos dois jogos seguintes (Ceará-fora e Vasco-casa), obtivemos 1 derrota e 1 empate. Neles, sentimos claramente que o foco da equipa não estava lá.

Tentamos combater esse pensamento, mas ele foi mais forte do que tudo e todos. Então decidimos desligar oficialmente o interruptor do Brasileirão e canalizar as energias para as finais da Libertadores e da Copa do Brasil.

padrão   Sabe sempre levar de vencida

A semana de treinos e a base a serviço do profissional

VOLTA **31**

"Todos somos um e a nossa força está no jogo coletivo. O titular aqui é a ideia de jogo, o clube. E ninguém está acima do clube."
Abel Ferreira

São Paulo, 26 de janeiro de 2021

Havíamos traçado um plano de gestão de cargas físicas e de preparação para a grande decisão da Copa Libertadores. A equipa que jogaria a final contra o Santos disputaria sua última partida contra o Flamengo; esse era o duelo com dificuldade mais aproximada à da decisão. Os compromissos seguintes não reuniam as condições para serem jogos referências, fosse pelo adversário em si, fosse pela distância temporal até o jogo. Portanto, a equipa que entraria em campo na final atuou no dia 21, e depois só atuaria novamente dia 30, o que nos deixaria com um intervalo de 8 dias para preparar a finalíssima com os jogadores que iriam iniciá-la. Nesses 8 dias, tínhamos também 2 compromissos a contar para o Brasileirão e disputamo-los com os restantes atletas do elenco.

Com os jogadores que prevíamos que iniciassem a final, tentamos criar condições para que eles pudessem (em primeiro lugar) treinar e (em segundo lugar) treinar com qualidade e especificidade. E a forma que encontramos para fazê-lo foi por meio do recurso aos jogadores da base escolhidos por nós, tendo em consideração as características dos jogadores do Santos: nessa semana de treinos, os atletas de nossa base reproduziriam tudo o que o adversário pudesse fazer contra nós. Isto porque acreditamos que a melhor forma de nos preparar para a competição é simular no treino o que vamos enfrentar no jogo.

A partir da análise de adversário que fizemos do Santos, traçamos algumas ideias fundamentais, com e sem bola, e as passamos aos jogadores dos sub-20. Pedimos a eles que as reproduzissem em campo, de modo a colocar essa oposição à equipa que iria disputar a final. Essas ideias não eram somente coletivas, como também eram individuais. Para simular as ações do Marinho, por exemplo, escolhemos o Robinho, um ponta canhoto, forte no 1x1 e rápido; colocamo-lo a jogar como ponta-direita, a fim de que o Viña já fosse se preparando para os desafios que iria enfrentar no jogo.

Quando fizemos o planejamento do microciclo/semana de trabalho da final da Libertadores, decidimos "criar" uma semana "limpa", de forma a termos 5 treinos na preparação do jogo. No dia 24 de janeiro, à exceção do Gómez, todos os jogadores que começariam a decisão tiveram folga para iniciar os treinos no dia seguinte.

Como tal e como em todas as semanas completas que temos, elaboramos um planejamento estruturado de cada dia de trabalho, com base em conteúdo tático, cargas físicas e tipos de exercícios.

Em 25 de janeiro, o dia -5 (a 5 dias da competição), fizemos um treino que tinha como objetivo ser um treino adaptativo após uma folga. Os exercícios são feitos em estruturas macro e com maior componente de resistência aeróbia. Normalmente, neste dia fazemos algo relacionado ao nosso modelo de jogo, sem qualquer informação do adversário. No entanto, como a próxima partida era uma final que requeria algumas nuances estratégicas, começamos a trabalhar nossa estratégia defensiva nesse dia.

O exercício fundamental foi um (Goleiro+10) x (11+Goleiro) em 3/4 de campo. Tínhamos de iniciar o jogo com nossa equipa a defender em bloco médio. A prioridade era defender o adversário com a estratégia que definimos e que mostramos aos jogadores em vídeo antes do treino. Além disso, sempre que ganhássemos a bola, devíamos sair em transição para ganhar o espaço nas costas da linha defensiva – fosse através de transição direta ou indireta. Neste dia, trabalhamos nossa organização defensiva em zona 1 e 2.[1] A bola saía mais vezes da equipa adversária, composta por jogadores da base, que reproduzia o que o Santos ia fazer. Além disso, fizemos o exercício em inferioridade numérica (11x12) para colocar mais dificuldades defensivas à nossa equipa.

Em 26 de janeiro, dia -4, normalmente fazemos um treino para potenciar ações de força e trabalhar estruturas mais reduzidas. No entanto, os nossos

---

[1] Nós dividimos o campo em 3 zonas de igual proporção. Quer defensivamente, quer ofensivamente, a zona 1 é onde está localizada nossa baliza, a zona 2 é a zona intermediária e a zona 3 é onde está a baliza adversária.

jogadores não estavam habituados a estas cargas – somente na semana do River Plate é que tivemos tanto tempo para preparar um jogo. Assim, optamos por fazer um trabalho aproximado do que fizemos no dia anterior, isto é, um treino de estratégia. Porém, ao invés de trabalhar a parte defensiva (com transição ofensiva), trabalhamos a parte ofensiva (com transição defensiva).

Fizemos um exercício muito parecido, igualmente em 3/4 de campo e em simulação de jogo (Goleiro+10) x (10+Goleiro). A equipa adversária replicou como o Santos defenderia, e nossa equipa praticou a estratégia ofensiva, igualmente mostrada e transmitida aos jogadores por vídeo antes do treino. Foi um jogo muito parecido com um jogo normal, mas, desta vez, a bola se iniciava quase sempre com nossa equipa – para que praticássemos nossa organização ofensiva em zonas 2 e 3.

Em 27 de janeiro, dia -3, e após uma reflexão sobre o exercício anterior, sentimos que ainda não havíamos trabalhado a nossa zona 1 em organização ofensiva. Era muito importante treinar essa situação, pois o adversário podia fazer igualdade numérica 3x3 na nossa primeira fase de construção; assim, tínhamos de simular esse aspecto em contexto de dificuldade máxima. Era preciso trabalhar a capacidade dos jogadores de saírem a jogar sob pressão e também a solução do antipressing quando eles achassem que era a melhor opção.

Neste dia, podíamos atingir valores de intensidade altos, uma vez que seria o último treino aquisitivo da semana. Desta forma, decidimos fazer um jogo setorial a 3/4 de campo. No meio campo defensivo, teríamos uma situação de 9x6 e, após conquistarmos a linha do meio-campo, uma situação de 6x4. O exercício começava com um passe do treinador para um dos zagueiros que estava a meio do meio-campo defensivo, e que, no momento da recepção de bola, seria pressionado pelo avançado da equipa adversária – para que ele tivesse de recuar para o goleiro e depois conseguir encontrar a melhor forma de sair da pressão e cruzar a linha do meio-campo com a bola controlada. Todos os jogadores, à exceção do centroavante, deveriam recuar no campo e ser opção de passe para termos linhas de passe próximas em zona 1. Após passar o meio-campo, 6 jogadores deviam atacar uma linha de 4 defensores do adversário e fazer o gol.

Após cerca de 15 minutos, trocamos as equipas de lado e fizemos uma progressão no treino. Agora, o exercício seria um jogo (Goleiro+10) x (10+Golei-

Atletas da base simulam a pressão do Santos para treinar nossa primeira fase de construção

ro), que se tornaria um 7x7 após a nossa equipa passar o meio campo ofensivo. Trabalharíamos, portanto, a organização ofensiva na zona 2 e 3. Neste exercício, uma das orientações que passamos aos jogadores da base foi a de que os 3 atacantes "do Santos" não poderiam baixar para o seu meio-campo defensivo. Este era um comportamento "exagerado", mas que simulava o que poderia acontecer no jogo: os pontas e centroavante do Santos defenderiam menos e funcionariam como portas de saída na transição ofensiva. Por isso, teríamos de garantir uma boa prevenção à perda dos nossos laterais e zagueiros (através de uma estrutura fixa 3+1). Este exercício durou 15 minutos.

No final do treino, fizemos um trabalho individual específico com os jogadores. Esta preparação é algo comum na nossa metodologia de treino – e nesta semana serviu para ajustar uma nuance estratégica muito importante para o jogo, como veremos na volta 34.

Em 28 de janeiro, dia -2, o treino foi realizado no Rio de Janeiro, já sem os jogadores da base. Tínhamos os atletas da equipa profissional disponíveis e era importante fazer uma revisão da estratégia para o jogo da final – isto porque os jogadores que atuaram contra o Vasco da Gama ainda não haviam praticado a estratégia ofensiva e defensiva. Para nós, era muito importante que eles também o fizessem; acreditamos que todos os jogadores devem estar preparados para o jogo, pois nunca sabemos o que pode acontecer. Sem que todos treinem a estratégia, corremos o risco de, por motivo de lesão ou outro imprevisto durante o jogo, termos de colocar em campo alguém que não tenha praticado o que seria o nosso plano.

Por esse motivo, fizemos um jogo (Goleiro+10) x (10+Goleiro) de forma condicionada, controlado pelo Abel, com dimensão de área a área. Nesse jogo, começamos por rever o nosso plano defensivo durante 25 minutos. Cada ação começava como uma "fotografia" do que queríamos que acontecesse em determinada situação específica, e depois deixávamos seguir o jogo e "a bola rolar", sendo que replicamos isso nas diferentes zonas do campo. Queríamos que este exercício simulasse a intensidade de jogo; por isso, tivemos de fazer várias pausas para os jogadores recuperarem, visto que estávamos a 2 dias do jogo.

Após estes 25 minutos, fizemos exatamente o mesmo, mas para rever o plano ofensivo. Foram novamente 25 minutos de exercício – que representam, em tempo efetivo (sem explicação do Abel ou pausas), 10-12 minutos.

No final do treino, o grupo dividiu-se nas duas metades de campo.

De um lado, fizemos um exercício intersetorial "fechado", de defesa da área com os nossos 4 defesas e 2 volantes. Ou seja, simulamos que, após a bola chegar ao ponta adversário, teríamos de ter o lateral e o volante a fazer o 2x1 defensivo. No entanto, isso aconteceria com pressão passiva (pois apenas queríamos trabalhar o encurtamento) e para que, após um drible, o ponta cruzasse para a nossa área. Lá, teríamos obrigatoriamente de ter: dois zagueiros, um lateral e um volante a defender 3 adversários. Queríamos trabalhar e afinar nossa defesa da baliza, da nossa estrutura de 4 defesas mais 2 volantes.

Do outro lado, os nossos batedores de bola parada estavam a cobrar escanteios e faltas. Para além disso, estavam a praticar os lances que tínhamos trabalhado especificamente para este jogo. Por que fizemos apenas com estes jogadores? Em primeiro lugar porque qualquer combinação ou jogada estudada requer tempo para aperfeiçoar os timings e as execuções. Em segundo lugar, porque desse modo eles assimilariam as ideias e, no dia seguinte, teríamos mais tempo para treinar com todos, sem necessidade de perder tempo a explicar a estes batedores.

Em 29 de janeiro, dia -1, fizemos um treino com carga física muito reduzida. Além disso, nesta véspera de jogo gostamos que a atividade tenha algum componente lúdico para tirar a ansiedade e a pressão. Começamos o treino com um exercício que chamamos de "filme de jogo", no qual repetimos as 3 grandes ideias ofensivas e defensivas que queríamos replicar na final. Este exercício explicativo teve duração de 8 minutos. Depois disso, fizemos um jogo competitivo lúdico – o famoso "rachão". E, no final, os jogadores que iriam entrar de início ficaram 25 minutos a praticar bolas paradas defensivas e ofensivas, de forma específica. Antes de saírem do gramado, todos os atletas bateram um pênalti.

É importante ressaltar a decisão do Abel de não fazermos o treino de adaptação no Maracanã – a fim de termos mais um dia de treino específico e de preparação para a final.

Assim, a semana de treinos da final da Libertadores ficou marcada pelo recurso aos jogadores da base do clube, que nos ajudaram nos três primeiros treinos da semana e que replicaram o que o Santos ia fazer. Acreditamos que a base de um clube deve estar sempre o serviço da equipa profissional – seja quando esta necessita de jogadores para repor ausências em treinos ou em jogos, seja neste tipo de situação de preparação de partidas decisivas ou ainda na realização de jogos no dia +1 (após o dia de jogo) para dar carga física e conteúdos táticos aos atletas que não atuaram no dia anterior.

Além disso, outro ponto positivo é o fato de estes momentos de treino nos permitirem conhecer melhor e avaliar os jovens jogadores da base. E porque já estivemos como treinadores em ambos os lados, entendemos que a relação harmoniosa entre a equipa profissional e a equipa da base imediatamente inferior é fundamental para o bom decorrer das temporadas do clube.

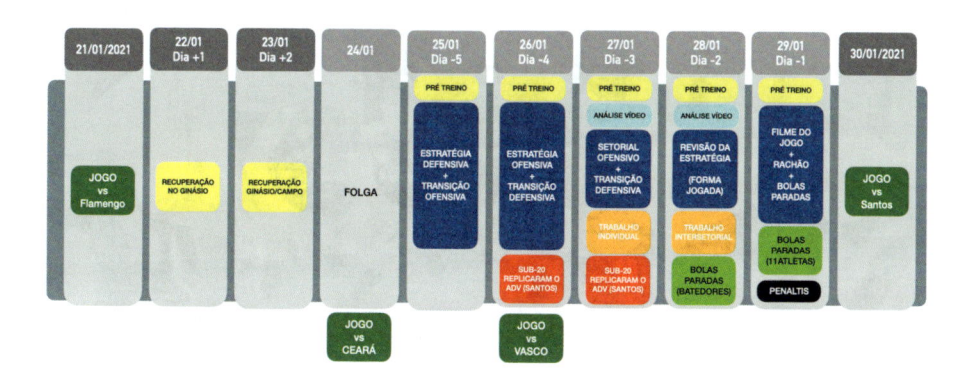

Figura 31: Programação de treinos e jogos pré-final da Libertadores de 2020

O primeiro passo para a vitória na Libertadores

VOLTA **32**

"Acho que quem vive o Palmeiras sabe o que é esse termo de família que usamos, porque tanto os jogadores quanto os funcionários são todos muito unidos."
Dudu

São Paulo, 27 de janeiro de 2021

Eram 9h30 da manhã quando bateram à porta do gabinete.
– Professor, gostaríamos de falar com você, com sua comissão e com os jogadores – disseram-nos.
Era o responsável pelas instalações do Centro de Treinos do Palmeiras. Ele estava acompanhado de um representante de cada departamento que diariamente trabalha no CT: um funcionário dos Transportes, um da Sede-Segurança, um do Operacional, um do Restaurante, um da Manutenção dos campos, um da Manutenção e Obras e um do Marketing.

Os representantes de todos os departamentos que trabalham diariamente na Academia de Futebol com representantes de jogadores e da comissão técnica

Depois de os representantes dos jogadores chegarem, continuou:

– Professor Abel, quando você chegou, você reuniu todo mundo no gramado e nos disse que "todos somos um". Então, neste momento importante, queremos entregar a vocês uma lembrança para levarem na viagem. Saiba que todos os funcionários da Academia de Futebol assinaram esta camisa com muita felicidade, por acreditarem que fazem realmente parte do trabalho. Esse foi nosso jeito de nos sentirmos presentes, de alguma forma, e estarmos juntos com vocês nessa viagem para a final da Libertadores.

O discurso terminou com a entrega da camisa assinada, em meio a abraços e uma forte salva de palmas.

Além desse gesto marcante, outra atitude também teve um forte impacto em nós. Na partida da equipa para o Rio de Janeiro, todos os funcionários estavam à saída do CT para nos aplaudir. Dentro do ônibus, jogadores e comissão técnica retribuíram os aplausos para aqueles que, todos os dias, proporcionam as condições para desempenharmos nossas atividades da melhor forma possível.

Quando nos relembramos desses momentos, que nos arrepiaram e emocionaram de uma forma especial, sentimos que eles foram o primeiro passo para a vitória na Libertadores.

Funcionários aplaudem a saída do ônibus do elenco para o aeroporto, antes da viagem ao Rio de Janeiro

Preparação mental para a final da Libertadores de 2020

VOLTA **33**

"Aconteça o que acontecer, ou ficamos na história ou seremos eternos. Mas temos de viver isso com intensidade, com alegria e com prazer."
Abel Ferreira

Rio de Janeiro, 28 de janeiro de 2021

A preparação mental para a Copa Libertadores começou bem antes da data da final propriamente dita. Para ser mais exato, às vésperas das quartas de final, com a produção, por parte do Felipe Melo com a colaboração de outros capitães, de um quebra-cabeça com várias peças que seria completado à medida que avançássemos nas eliminatórias da competição. Esse *puzzle* simbolizava o caminho para a conquista da Libertadores: cada peça era um jogo que faltava para o título.

Depois, continuou com a criação, por parte do Abel, do lema para esta final: "Vamos proteger o nosso sonho", acompanhado de uma pergunta: "Vocês sabem o que nos trouxe até aqui?". A ideia era invocar a força que reunimos, ou devemos reunir, quando temos a necessidade urgente de proteger algo – neste caso, o nosso sonho. E a pergunta surgiu, na verdade, para relembrar aos jogadores aquilo que nos fez chegar à final da Copa Libertadores. O Abel lhes pediu que não fizessem nada de diferente do que normalmente fazem, porque o que nos trouxe até aqui seria o que nos levaria à conquista do título.

Na preparação mental para a final também foi importante acalmar alguma ansiedade dos jogadores antes daquela que seria a primeira grande decisão da carreira de quase todos eles e para nós também. Apesar de já terem disputado – e vencido – uma disputa de título (o Campeonato Paulista, sob a orientação do professor Vanderlei Luxemburgo), a final da Libertadores tinha uma projeção bastante maior. Ora, com o aproximar da decisão, o Abel começou a falar sobre "as borboletas" que sentiríamos à medida que a hora do jogo fosse chegando. A mensagem era a de que as "borboletas", eufemismo para ansiedade, eram absolutamente normais, e que os melhores jogadores e treinadores do mundo também as sentem. A única coisa que podíamos fazer, porque elas não desapareceriam, era aceitá-las e aprender a lidar com elas, pois no momento em que o árbitro apitasse o início do jogo, elas iriam embora.

Finalmente, a preparação mental atingiu o seu clímax três dias antes do jogo. Na sala de preleção do Estádio Olímpico Nilton Santos, e antes de iniciar a análise de adversário, o Abel decidiu pedir a voz aos jogadores mais titulados.

– Galera, eu quero que os jogadores que já ganharam muitos títulos digam a mim, que não tenho nenhum título, e aos jovens jogadores que estão aqui como é disputar finais de competições com esta grandeza.

Dois jogadores pronunciaram-se. O primeiro, Felipe Melo, falou da quantidade de títulos e da vontade de ganhar novamente. Disse que todos devíamos acreditar e sonhar, ressaltando a importância de deixar tudo dentro de campo neste tipo de jogo. O segundo, Weverton, lançou um desafio aos colegas. Propôs que, quando sentissem fraqueza ou estivessem passando por um momento difícil na partida, olhassem para a bancada, vissem suas famílias e se lembrassem de que tudo o que fazem é por elas. Essa conversa, relativamente rápida, foi muitíssimo importante. Percebemos que, para os jovens jogadores, ouvir o Felipe dizer que também ele sente nervosismo e ansiedade foi uma forma de lidarem melhor com esse momento pré-jogo. E a mensagem que o Weverton passou para os colegas foi fundamental para criar um "marcador somático", para que, nos momentos adversos dentro do próprio jogo, eles pudessem ter algo onde se agarrar e buscar aquela energia extra.

Nossa história motivacional para a final da Copa Libertadores teve três passos, cada um com o objetivo de contribuir para essa preparação mental.

O primeiro passo aconteceu na chegada aos quartos do hotel: cada jogador e elemento da delegação tinha uma moldura com uma fotografia à sua espera. No caso dos jogadores, a foto era da sua família. Na moldura estava ainda a pergunta "Sabe o que nos trouxe até aqui?" com a resposta "É o que nos fará levantar a taça", e, num texto maior, a mensagem "O sonho é agora", uma alusão à mensagem do "Vamos proteger o nosso sonho". Isto serviu-lhes para lembrar de que o sonho que teríamos de proteger era agora, naquele preciso momento.

O segundo passo da história motivacional foi uma carta que o Abel decidiu escrever aos jogadores. Esta carta continha as mensagens principais: "Vamos proteger o nosso sonho!" e "O sonho é agora!", além de palavras remetendo à forma como poderíamos protegê-lo. Por último, contina também uma mensagem que serviria para potenciar a visualização mental dos atletas.

30 de Janeiro de 2021, Rio de Janeiro

Weverton,

O Sonho é Agora!

Hoje é o dia em que Vivemos e Protegemos o Nosso Sonho.

Com Confiança e Tranquilidade...
Com Determinação e Foco...
Com Fé e Alegria..

Por instantes:

1) Fecha os teus olhos e imagina-te agora a levantar a TAÇA DA COPA LIBERTADORES...

2) Abre os olhos e prepara-te, pois.... **VAI ACONTECER!**

O SONHO É AGORA!

O Treinador,

O terceiro e último passo consistiu em um vídeo motivacional que mostramos aos jogadores antes da saída para o aquecimento. Este vídeo continha três mensagens das famílias dos 30 atletas. Essas mensagens foram totalmente controladas por nós, de modo a não permitir que se desse algum extravasamento de emoções por parte dos atletas.

Depois, compilamos um vídeo com o seguinte roteiro:

Voz de fundo: "E aí? Você sabe o que nos trouxe até aqui? Já pensaram? Alguns torcedores têm a resposta para você...".

1ª Mensagem: Palavras e expressões escolhidas por nós

Voz de fundo: "E tudo por um motivo... Porque todos somos um!".

2ª Mensagem: "Todos somos um"

3ª Mensagem: "O nosso sonho é agora!"

Contagem regressiva para a grande final: acima, conversa com o elenco no Estádio Nilton Santos; abaixo, momento de introspecção do Abel durante o reconhecimento do gramado do Maracanã

Acima, elenco e comissão assistem ao vídeo motivacional, antes do jogo; abaixo, detalhe do vestiário, com o quebra-cabeça feito pelos jogadores e a camisa autografada pelos funcionários

PREPARAÇÃO MENTAL PARA A FINAL DA LIBERTADORES DE 2020

Jogo: Palmeiras 1x0 Santos
(Libertadores - final)

VOLTA 34

*"O futebol é um jogo coletivo, não individual.
Dentro deste coletivo é que o individual emerge."*

Abel Ferreira

Rio de Janeiro, 30 de janeiro de 2021

O dia da grande final chegou. O dia do jogo de nossas vidas (até a data).

Para este duelo contra o Santos, analisamos 10 partidas do adversário – sendo o jogo-referência, e no qual baseamos maior parte da análise, a partida que tínhamos feito contra eles em 5 de dezembro de 2020, na Vila Belmiro, pelo Brasileirão. Nesse jogo – e ainda sem saber que voltaríamos a enfrentá-los na decisão da Copa Libertadores –, ficaram evidentes as nuances estratégicas que precisaríamos fazer defensivamente para anular os pontos fortes do Santos, bem como o que precisaríamos fazer ofensivamente para explorar seus pontos débeis.

Duas semanas antes da finalíssima, já havíamos idealizado quais seriam os jogadores a iniciar a partida; desta forma, projetamos os jogos que disputaríamos até então, quer para preparar a equipa inicial para a decisão, quer para fazermos a gestão de cargas físicas dos atletas para a final. Dessa forma, os jogadores que entrariam de início no Maracanã jogaram 9 dias antes contra o Flamengo – à exceção do Gómez e do Rony, por problemas físicos. Depois da partida, o Abel deu folga aos jogadores que começaram o jogo – e que, após o retorno dessa folga, iniciariam a preparação para a final com uma semana de treino "limpa" ou "completa". Essa semana "limpa" era inexistente no calendário, pois desde o jogo do Flamengo até a final da Libertadores ainda teríamos 2 jogos; ela foi "criada" por nós através da gestão das cargas.

Nessa semana, abordamos todos os conteúdos ofensivos, defensivos e de bolas paradas de forma estratégica nos treinos, como normalmente fazemos nos diferentes microciclos. Esta semana de treinos pré-final ficou muito marcada pelo treino individual específico que fizemos com os laterais (direito e esquerdo), algo que viria a dar muitos frutos na final do Maracanã.

Para a decisão, consideramos que a melhor forma de treinar uma determinada questão estratégica e específica seria através de treino individual analítico. Neste caso particular, pretendíamos treinar a defesa dos dois pontas do Santos, fortíssimos nas ações de 1x1 ofensivo, principal ponto forte do adversário. Desse modo, trabalhamos especificamente os apoios dos pés dos laterais e os timings de encurtamento e contenção destes jogadores. Como progressão deste exercício, incluímos mais um jogador (o volante que joga no mesmo lado do lateral) para replicar a importância da cobertura interior dos volantes e a criação de uma situação de superioridade numérica de 2x1 defensivo. De um exercício individual com 1 jogador, progredimos para um exercício grupal com 2 jogadores.

Ao longo da temporada, também fazemos este trabalho individualizado, mas com outro objetivo. Nesse caso, o treino individual específico (normalmente no final do treino) serve para os jogadores melhorarem cada vez mais determinados gestos técnicos e/ou comportamentos fundamentais do nosso modelo de jogo. Gestos técnicos como o remate e o cruzamento são muitas vezes praticados, mas também o passe longo à profundidade e à largura, os movimentos facão, e até colocação dos apoios defensivos. Para nós, esses exercícios de final de treino servem de aperfeiçoamento técnico, mas estão relacionados às questões táticas que pretendemos no nosso jogo.

Acreditamos bastante que, apesar de o futebol ser um jogo coletivo, quanto melhores formos individualmente, mais fortes seremos coletivamente.

Apesar do foco nas questões táticas durante a semana de treinos, aprendemos que este tipo de jogo decisivo vai bem além delas: defendemos que é 30% tático e 70% mental. Sendo que, no nosso entender, o competir ou ser competitivo é resultado de uma atitude mental. Por atitude mental entende-se: o foco, a concentração, a confiança, o espírito de equipa, entre outras. Por isso, simultaneamente aos treinos, o Abel trabalhou a dimensão mental de abordagem à final. Desse modo, cada dia de treino da semana se iniciou por uma conversa do Abel com os jogadores.

No Maracanã, Palmeiras e Santos fizeram uma partida muito equilibrada. Foi um jogo típico de final, em que as duas equipas arriscaram pouco e se expuseram pouco. Ofensivamente, em algumas ações, fomos demasiado objetivos e não conseguimos agredir o adversário, tendo sempre pouca eficácia. Defensivamente, nossa estratégia de bloquear os pontos fortes do adversário teve êxito completo, visto que os jogadores mais fortes do Santos raramente tiveram espaço para aparecer e criar desequilíbrios.

No intervalo da partida, tentamos corrigir a estratégia ofensiva que não estava a correr como pretendíamos. Os médios estavam muito escondidos do jogo e procuramos que recuassem mais no terreno para participar do jogo e ter mais tempo/espaço para decidir com bola no pé. O fato de termos menos jogadores a participar no ataque era um fator que contribuía para sermos menos eficazes neste momento de jogo. Apesar de com bola não estarmos a conseguir impor-nos, defensivamente estivemos sempre muito seguros, pelo que o adversário pouco perigo criou.

As substituições, nossas e do adversário, ocorreram tarde no jogo e sempre sem alterar a dinâmica das equipas.

O nosso golo aconteceu aos 98'28'', e foi mérito dos jogadores que tiveram intervenção nele – Gómez, Danilo, Rony e Breno Lopes. No entanto, essa foi uma jogada que fizemos muitas vezes ao longo da temporada no exercício das circulações táticas ofensivas. "Ganhar rebote ou 2ª bola, procurar virada, movimento 2x1 contra o lateral adversário e cruzamento" resume toda a jogada do golo da vitória.

Em desvantagem e com pouco tempo restante no cronômetro, o Santos arriscou: fez uma substituição para ficar ainda mais ofensivo e nós fizemos duas substituições para segurar o resultado. Sabíamos que o adversário iria buscar os cruzamentos para área, então fizemos entrar em campo um zagueiro e um volante forte no jogo aéreo, terminando a partida num sistema diferente daquele que iniciamos (1:5:4:1).

Aos 104'04'' de jogo, quando o árbitro apitou o final, o sentimento foi de êxtase e euforia máxima. Esta conquista significou nosso primeiro título no futebol profissional. Um primeiro título, conquistado no mítico estádio do Maracanã e de dimensão continental como é a Copa Libertadores... É poético. Mas nós sabemos tudo aquilo que está por trás dessa poesia. Sabemos o trabalho, os sacrifícios e as renúncias que fizemos ao longo das nossas vidas e que nos trouxeram até este momento. E também sabemos que a conquista é resultado e mérito dos jogadores, que compram as nossas ideias. E compram-nas todos os dias, em todos os treinos e todos os jogos.

Tendo em conta a análise do adversário e os comportamentos inerentes à nossa ideia de jogo, definimos as seguintes ideias-chave no plano de jogo:

Ideias-chave: SE Palmeiras x Santos

Momento do Jogo	Problema (Adversário)	Solução (Equipa)	Estratégia
Organização Ofensiva #1	Encaixe mano a mano com "sobra" Marcação mais forte nos médios para não deixar jogar	**Manter a base/identidade** Os nossos médios (principalmente o volante do lado esquerdo) teriam de sair da zona central para "pegar no jogo", através de uma troca posicional no corredor com o lateral (como consequência, também íamos abrir o espaço entrelinhas para o centroavante ou meia-atacante aproveitar)	
Organização Ofensiva #2	Perseguições aos atacantes por parte da linha defensiva	**Manter a base/identidade** Forçar contramovimentos na frente de ataque + Centroavante mais em apoio frontal para aproveitar o espaço interior aberto pelo volante + meia e pontas a atacar o espaço aberto pelo centroavante através de movimentos facão	
Transição Defensiva #1	Muito fortes nas transições ofensivas, principalmente porque (em vários momentos) os 3 atacantes não defendiam no seu meio campo defensivo e ficavam à espera de uma recuperação de bola para transitar	**Manter a base/identidade** Atacar defendendo + Prevenção à perda da bola com linha defensiva e um volante + Laterais apenas atacavam nas variações de vindos de trás, pois num primeiro momento deviam ser laterais de equilíbrio defensivo	
Organização Defensiva #1	Construção a 4 com 2 médios muito móveis e dinâmicos pela frente, sendo que o 1º volante entrava entre zagueiros (passando de 4:1/4:2 para 3:1) Muitas vezes colocavam 3/4 jogadores a ameaçar a linha defensiva adversária	**Nuance estratégica dentro da nossa ideia**	Alteramos de 1:4:5:1 (com os 3 médios em linha) para 1:4:2:3:1 (com subestrutura intermédia 2:1), de modo a controlar melhor a mobilidade do 1º volante + 2 volantes mais posicionais para fazer coberturas laterais + 4 defesas (que fruto do posicionamento dos volantes) não precisavam sair na pressão frontal
Organização Defensiva #2	Laterais com envolvimentos interiores com Pontas abertos Pontas bem abertos à largura (Soteldo e Marinho) e fortíssimos no 1x1 ofensivo, procurando mais vezes zonas interiores para posterior remate ou cruzamento	**Nuance estratégica dentro da nossa ideia**	Laterais tinham a missão de estar sempre a 2 metros dos pontas adversários Volantes tinham a missão de, sempre que os pontas recebiam a bola, fazer cobertura interior ao lateral e assim fazer situações de superioridade numérica defensiva de 2x1

Tabela 6: Ideias-chave: SE Palmeiras x Santos

Figura 31: Situação do jogo de 5 de dezembro de 2020 que deveríamos evitar na final da Copa Libertadores: desposicionar os volantes, algo que nos colocaria em igualdade ou inferioridade numérica na linha defensiva. **Como resolver? Volantes somente deveriam fazer coberturas laterais e não coberturas frontais, sendo que o meia-atacante seria responsável por controlar o 1º volante adversário**

Figura 32: Organização Ofensiva #1 - Problema: Adv. com encaixe com referências individuais e sobra na linha defensiva, isto é, mano a mano com "sobra" + Marcação forte nos médios | **Solução: médios (principalmente o volante do lado esquerdo) teriam de sair da zona central para "pegar no jogo" através de troca posicional no corredor com o lateral (como consequência também íamos abrir o espaço entrelinhas para o centroavante ou meia-atacante aproveitar) + Forçar contramovimentos na frente de ataque + centroavante mais em apoio frontal para aproveitar o espaço interior aberto pelo volante + meia e pontas a atacar o espaço com movimentos facão**

Figura 33: Organização Defensiva #2 **Treino** *– Problema: Pontas bem abertos à largura (Soteldo e Marinho) e fortíssimos no 1x1 ofensivo, procurando mais vezes zonas interiores para posterior remate ou cruzamento |* **Solução: Laterais tinham a missão de estar sempre a 2 metros dos pontas adversários + volantes tinham a missão de, sempre que os pontas recebiam a bola, fazer cobertura interior ao lateral e assim criar situações de superioridade numérica defensiva de 2x1**

Figura 34: Organização Defensiva #2 **Jogo** *– Problema: pontas bem abertos à largura (Soteldo e Marinho) e fortíssimos no 1x1 ofensivo, procurando mais vezes zonas interiores para posterior remate ou cruzamento |* **Solução: Laterais tinham a missão de estar sempre a 2 metros dos pontas adversários + volantes tinham a missão de, sempre que os pontas recebiam a bola, fazer cobertura interior ao lateral e assim criar situações de superioridade numérica defensiva de 2x1**

*Figura 35: Organização Defensiva #1 – Problema: Construção a 4 com 2 médios muito móveis e dinâmicos pela frente, sendo que o 1º volante entrava entre zagueiros (passando de 4:1/4:2 para 3:1). Muitas vezes colocavam 3/4 jogadores a ameaçar a linha defensiva adversária | **Solução:** Alteramos de 4:5:1 (com os 3 médios em linha) para 1:4:2:3:1 (com subestrutura intermédia 2:1), de modo a controlar melhor a mobilidade do 1º volante + 2 volantes mais posicionais para fazer coberturas laterais + 4 defesas (que fruto do posicionamento dos volantes) não precisavam sair na pressão frontal*

Separadas por temas, estas foram as principais ideias apresentadas pelo Abel na coletiva:

Sentimento pós-título

Sinceramente, a palavra que mais me passa pela cabeça é "obrigado". Em primeiro lugar, quero agradecer a todos os jogadores que treinei, e de forma muito especial e carinhosa aos jogadores do Palmeiras. Porque não há bons treinadores sem bons jogadores, sem bons homens. Quero dizer também que essa caminhada começou com o mister Vanderlei Luxemburgo e ele também tem um trabalho feito nessa competição. Quando eu comecei, o Palmeiras estava em todas as competições. Há um trabalho feito por ele, não é só meu. De forma muito sentida, agradeço à estrutura do Palmeiras que me contratou, é verdade que não tinha títulos no profissional. Mas há coisas que valem mais do que títulos. A minha maior alegria não foi levantar a taça, foi ver os meus jogadores felizes, toda a gente que trabalha na Academia feliz, saber que todos vão receber um salário extra. Perceber que todos eles nos apoiaram quando saíram no CT e já tinham feito uma pequena homenagem à equipa técnica antes de sairmos. Não poderia deixar de falar do Santos, foi um grande time, com um grande treinador, os jogadores deles também mereciam. Foram espetaculares na Libertadores, mas a vitória foi fruto da equipa que acreditou mais e foi mais organizada neste jogo duro, difícil e muito emocional. Graças à competência do Breno (ganhamos). Eu gosto muito de apostar em jogadores que vêm de baixo porque sei que eles vão dar a vida, sei que vão querer absorver tudo que o treinador disse. A palavra na minha cabeça é obrigado.

Jogo psicológico

No futebol ninguém ganha sozinho. Os jogadores falam comigo, com os psicólogos, com os fisioterapeutas, com o pessoal da cozinha. Quando cheguei, fiquei a viver na Academia, era minha família. Hoje sou muito melhor treinador e valorizado, mas sou pior pai, pior filho, pior tio, pior irmão, porque deixei minha família lá. Eu conquistei muito aqui, mas vocês não sabem a quantidade de vezes que me deitei no travesseiro e chorei sozinho de saudade. Aquilo que vocês viram no final, saí do campo para ninguém ver o quanto estava a chorar. Porque é muito difícil, sou uma pessoa de família, adoro as minhas filhas e a minha esposa. E atravessei o Atlântico por acreditar numa coisa antes dela acontecer. Contra todas as previsões, vou descobrir, desafiar-me, vou pra um clube que tenho a certeza de que pode me proporcionar títulos. Sou muito melhor treinador do que era há três meses, mas, como disse, sou pior filho, pior pai, pior marido, pior irmão, pior tio. Mas infelizmente há sempre algo que temos de sacrificar em prol da nossa profissão.

Coração e razão na final

Quando falamos em coração, estamos a falar em afeto, em amor. E eles sabem que minha família aqui são eles. Cheguei ao Brasil sem conhecer ninguém aqui. Tive de perceber muito bem como funcionava o clube, como funcionava a cultura do país e, sobretudo, como funcionava o futebol. Percebi que é um campeonato extremamente difícil. Percebi que se o treinador aqui não ganha dois ou três jogos, já começam a cornetar e a querer mandá-lo embora, não querem saber se é ou não competente. É o único campeonato que tem seis ou sete claros candidatos ao título. Em Portugal há poucos, na Alemanha há poucos. Na França é quase sempre o mesmo. Inglaterra tem um ou dois, vamos à Espanha são sempre os mesmos... Só um pode ser campeão. É isso que as pessoas devem por na cabeça... Se cada equipa tivesse um Klopp como treinador, quatro iam descer e só uma seria campeã. Aqui despedem muitos treinadores, é muito difícil para se trabalhar.

Mas, como disse, tive a sorte de encontrar um grupo de homens. E isso foi o que mais me surpreendeu. Valorizo primeiro o homem e depois o jogador. Encontrei aqui um grupo com muita qualidade, com muito caráter. Fomos buscar esse menino (Breno) e, como vos disse, o destino às vezes é incrível. Falaram muito sobre orçamento, isso não é comigo, é com a direção. Não podemos gastar mais, então vamos procurar alguém que nos possa ajudar. Saímos com essa boa peça, que foi abençoado hoje, entrou com confiança, posso dizer-lhes o que lhe disse, e fez aquilo que lhe cabia. Na hora certa, momento certo, fazer o golo e dar-nos essa grande vitória.

Trabalho coletivo

Não posso acabar a conferência de imprensa sem dizer que sou bom treinador porque tenho uma equipa técnica fantástica. João Martins, Carlos Martinho, Tiago Costa, o Vitor Castanheira. Mais dois treinadores brasileiros, Andrey e Rogério. Sou bom treinador, mas todos eles são tão bons como eu. Eu sou só o líder.

JOGO: PALMEIRAS 1X0 SANTOS (LIBERTADORES – FINAL)

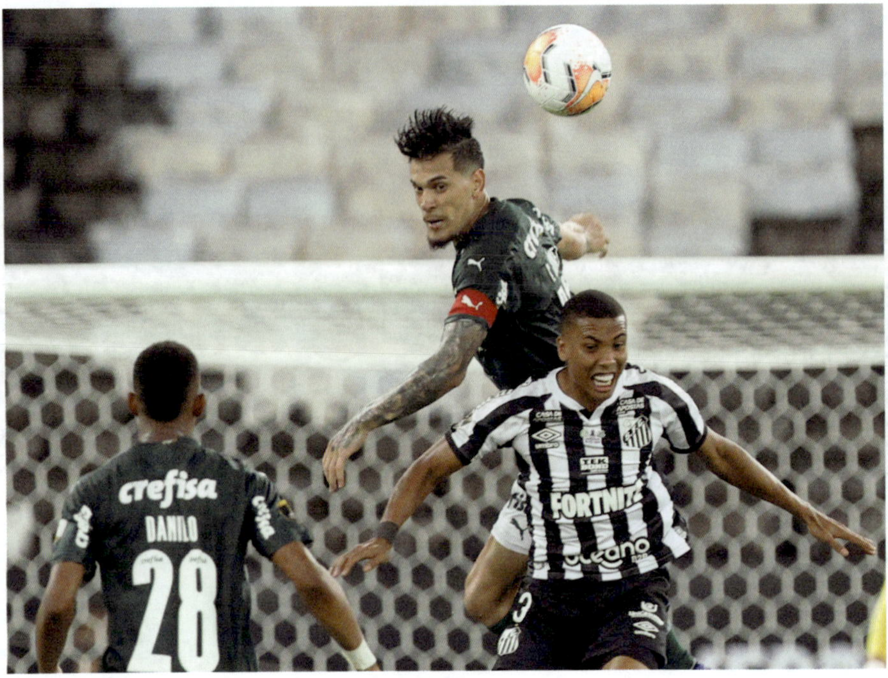
crefisa
DANILO
28

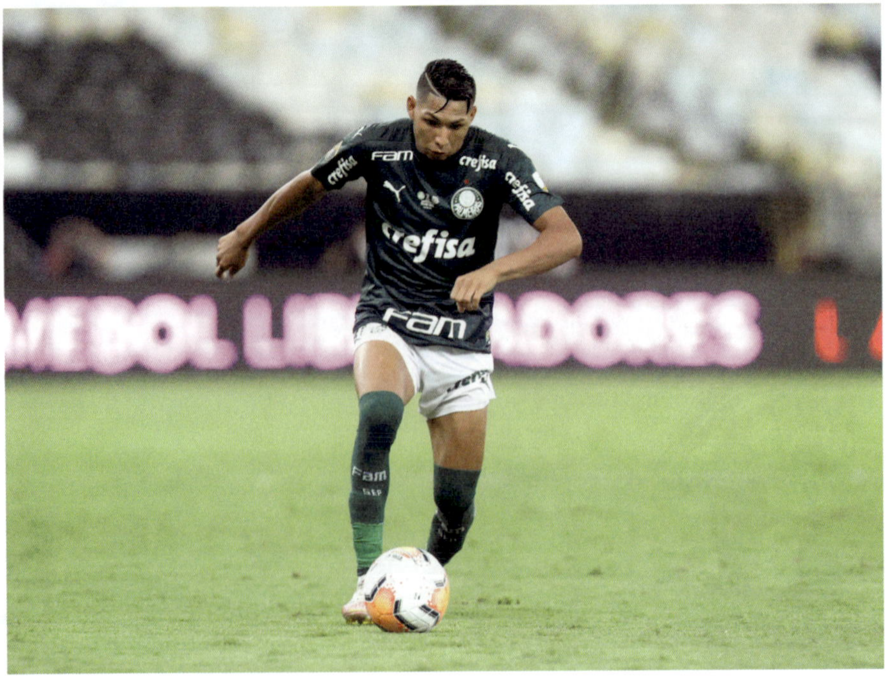
crefisa
FAM

FAM
crefisa
PALMEIRAS
CASA DE APOSTAS
umbro
S.F.C.
TEK BOND
FORTNITE
oceano

CABEÇA FRIA, CORAÇÃO QUENTE

JOGO: PALMEIRAS 1X0 SANTOS (LIBERTADORES – FINAL)

FINAL
2020
AMSTEL
BRIDGESTONE
Rexona
QATAR
AIRWAYS
crefisa
CONMEBOL LIBERTADORES
CONMEBOL LIBERTADORES

-CONMEBOL-
A GLÓRIA ETER
RIO
-CONMEBOL-
betfair
QATAR AIRWAYS
AMSTEL
Ford
GATORADE
Rexona
BRIDGESTONE
Santander
CONMEBOL LIBERTADORES
CONMEBOL LIBERTADORES

A conquista da "Glória Eterna" que era "Obsessão"

VOLTA **35**

"Hoje sou muito melhor treinador do que era há três meses, mas sou pior pai, pior marido, pior filho, pior irmão, pior tio."
Abel Ferreira

Rio de Janeiro, 30 de janeiro de 2021

A conquista da Copa Libertadores significou, para nossa comissão técnica, o primeiro título no futebol profissional. Foi, por isso, a realização de um sonho que tínhamos havia muito tempo e que agora alcançamos. No entanto, para todos os que sentem e vivem o Palmeiras, a conquista de uma nova Libertadores era mais que um sonho: era uma obsessão.

Jogadores, funcionários do clube, diretoria e torcedores, todos têm fixação pelo torneio continental. O último (e até então único) título havia sido obtido em 1999, 21 anos antes, portanto. Muitos torcedores ainda não eram nascidos e não tinham vivido essa emoção. Além disso, entre os atletas, também eram poucos os que possuíam essa conquista no currículo: em nosso elenco, somente 2 dos 30 jogadores.

Essa obsessão também se revela na existência de uma música cantada pela torcida do Palmeiras, que enfatiza o sentimento de toda sua coletividade em relação à Libertadores. Música essa que, até esse momento, somente ouvimo-la naquele "corredor verde" a caminho do Allianz Parque (por ocasião do jogo de volta contra o River Plate) e na final da Libertadores. Ainda não tivemos oportunidade de a ouvir em um estádio cheio de torcedores. Só de imaginar, já arrepia.

(Alegria!) Dá-lhe alegria, alegria no coração
(O quê, o quê?) Daria a vida inteira pra ser campeão
(Libertadores!) A Taça Libertadores obsessão
(Tem que jogar!) Tem que jogar com a alma e o coração, olê olê
Olê, olê (Canta aê!) Eu canto eu sou Palmeiras até morrer, olê olê!

Este sentimento de obsessão foi aquele com que os jogadores nos contagiaram desde a nossa chegada. O desejo obsessivo que eles nos demonstraram ter pela conquista da Libertadores levou a que se mobilizassem de uma forma extraordinária para conseguir esse feito. Coube-nos a nós da equipa técnica guiá-los por aquele que acreditávamos ser o melhor caminho para o conseguir.

O feito histórico torna-se mais histórico ainda pela forma como o alcançamos: com 82% de aproveitamento! Desde 1982 (!!) que o campeão não tinha uma percentagem tão alta. Mérito de todos os jogadores, dos mais aos menos utilizados; mérito do técnico Vanderlei Luxemburgo e de sua comissão, que orientaram a equipa durante toda a fase de grupos; mérito do Abel e de nossa comissão técnica; e mérito de todos aqueles que diariamente trabalham no clube e que garantem que nada falte aos jogadores e comissão para realizarem o seu trabalho. Afinal, "todos somos um".

Nos festejos, vários jogadores nos perguntaram: "Vocês têm noção do que significa conquistar a Libertadores? Há jogadores e comissões que jogam e trabalham uma vida toda por um momento como este. Vocês têm noção disso?". De fato, podemos não senti-lo como um brasileiro ou sul-americano, mas temos, isso sim, a noção do trabalho que custou alcançá-la e das renúncias e sacrifícios que tivemos de fazer para completar essa façanha. Para nós, europeus, este título é o correspondente à Liga dos Campeões na Europa. Não sabemos, obviamente, se algum dia teremos a oportunidade de conquistar esse título tão importante no continente europeu, mas ter conseguido a "Glória Eterna" na América do Sul enche-nos igualmente de orgulho e gratidão.

Aliás, esse slogan da Libertadores é arrepiante. Tão arrepiante quanto ouvir o hino da Champions League na entrada de um jogo. E no momento que percebemos a dimensão do que significa "Glória Eterna", mais uma vez nos vêm à memória as renúncias que fizemos para o conquistar. Não só os sacrifícios profissionais mas principalmente os sacrifícios pessoais. Alguns de nós, como é o caso do Abel, têm a família em Portugal, com as respectivas esposas e filhas/os. É nestes momentos que sentimos que tudo vale a pena. Que aquilo de que abdicamos diariamente tem, além das consequências negativas que sentimos todos os dias, uma consequência bonita. Bem sabemos que o tempo não volta para trás e que nunca o vamos recuperar.

No entanto, ser bem-sucedido na profissão que nos distancia de quem mais amamos é como tomar um paracetamol para tratar uma gripe: não resolve o problema, mas ajuda a suportá-la melhor e com menos dores.

    Como ficou patente nas palavras do Abel na coletiva pós-jogo no Maracanã, hoje somos melhores na nossa profissão. Mas porventura somos piores em nossos laços familiares. Esse é o preço que pagamos por nos dedicarmos tanto à nossa profissão e por termos decidido estar do outro lado do mundo a lutar pelos nossos sonhos.

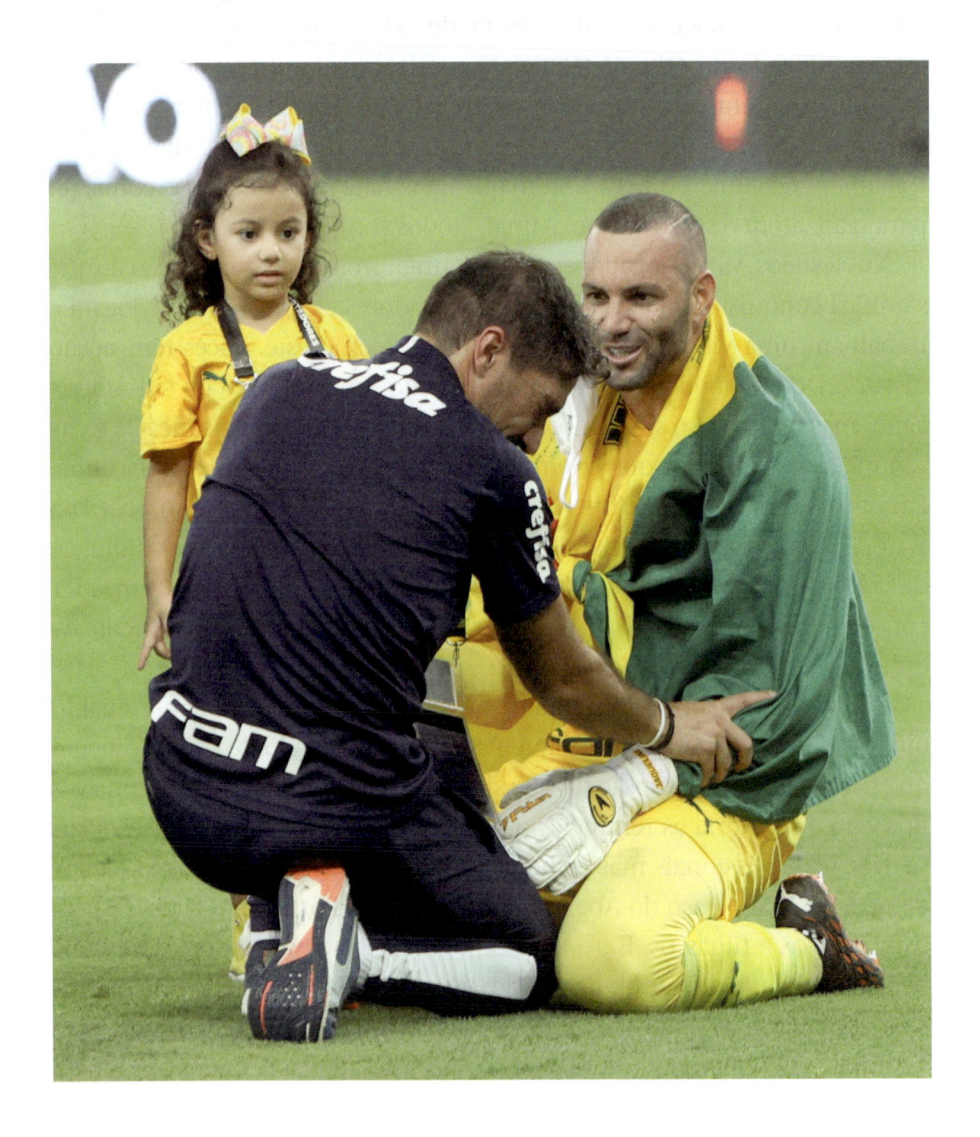

A CONQUISTA DA "GLÓRIA ETERNA" QUE ERA "OBSESSÃO" 183

A música "O melhor de mim"

VOLTA 36

"Quando cheguei ao Palmeiras, me comprometi a fazer um trabalho qualificado e com mentalidade vencedora."
Abel Ferreira

Rio de Janeiro, 30 de janeiro de 2021

Uma música que tem acompanhado a equipa técnica desde 2015 é "O melhor de mim", incluída no álbum "Mundo" da fadista portuguesa Mariza. Esta música, de autoria de AC Firmino e Tiago Machado, tem uma letra genial e estrofes com um significado muito especial para nós:

"Hoje, a semente que dorme na terra... amanhã nascerá uma flor": A importância de plantar trabalho e regar com comportamentos de forma consistente no presente para colher os sucessos no futuro.

"... Algo me diz que a tormenta passará. É preciso perder para depois se ganhar, mesmo sem ver, acreditar!": Ter fé de que as dificuldades são a preparação para os períodos de sucesso; entender que os momentos maus passam e que precedem finais felizes. E também a importância de acreditar no que se faz e no que se quer alcançar, antes mesmo que os resultados apareçam. Acreditar sem ver, com fé!

"É a vida, que segue e não espera pela gente. Cada passo que dermos em frente. Caminhando sem medo de errar": A questão da nossa atividade profissional nos retira muito no âmbito pessoal. Sabemos que há momentos que nunca vamos recuperar, pois a vida e o tempo "não esperam pela gente". Aqui entendemos também a importância de seguir com a convicção de que vamos no caminho certo com o pensamento de acertar (sem medo de errar).

"Sei que o melhor de mim está para chegar": A convicção e a certeza da fé e da esperança, o ato de acreditar que o melhor de nós está continuadamente por vir.

A música tem tanto impacto para nós que, no Braga e no PAOK, afixamos a frase "O melhor de nós está para chegar" nas paredes dos ginásios dos dois clubes. No Palmeiras, após a conquista da Libertadores, pedimos a caixa de som dos jogadores e cantamo-la no ônibus, a caminho do aeroporto, todos juntos, com os olhos fechados e com a crença de que o nosso momento de ganhar e o nosso melhor tinha chegado naquele dia. A serenidade e tranquilidade que esta música nos transmite com a sua mensagem é indescritível. Mas sente-se, cada vez que a ouvimos.

"O melhor de mim"
Álbum: Mundo
Artista: Mariza
Letra: AC Firmino
Música: Tiago Machado

Hoje,
A semente que dorme na terra
E se esconde no escuro que encerra
Amanhã nascerá uma flor.

Ainda
que a esperança da luz seja escassa
A chuva que molha e passa
Vai trazer numa gota amor.

Também eu estou
À espera da luz
Deixo-me aqui
Onde a sombra seduz.

Também eu estou
À espera de mim
Algo me diz
Que a tormenta passará.

É preciso perder
Para depois se ganhar
E mesmo sem ver
Acreditar!

É a vida que segue
E não espera pela gente
Cada passo que dermos em frente
Caminhando sem medo de errar.

Creio que a noite
Sempre se tornará dia
E o brilho que o sol irradia
Há-de sempre me iluminar.

Quebro
as algemas neste meu lamento
Se renasço a cada momento
Meu o destino na vida é maior.
Também eu vou
Em busca da luz
Saio daqui
Onde a sombra seduz.

Também eu estou
À espera de mim
Algo me diz
Que a tormenta passará.

É preciso perder
Para depois se ganhar
E mesmo sem ver
Acreditar!

É a vida
que segue e não espera pela gente
Cada passo que dermos em frente
Caminhando sem medo de errar.

Creio que a noite
Sempre se tornará dia
E o brilho que o sol irradia
Há-de sempre nos iluminar.

Sei que o melhor de mim
Está para chegar.
Sei que o melhor de mim
Está por chegar.
Sei que o melhor de mim
Está para chegar

Conquistar, festejar, treinar (?), jogar (?) e viajar... em 75 horas

VOLTA **37**

"Aqui, nem tempo para festejar há."
Abel Ferreira

São Paulo, 2 de fevereiro de 2021

A conquista da Copa Libertadores fez o Abel quebrar a regra das 24 horas, dando folga aos atletas no dia seguinte mesmo com um jogo marcado para 69 horas depois da decisão no Maracanã. Como ele disse na coletiva, iria permitir que os jogadores comemorassem por mais tempo: afinal, quantas vezes qualquer um de nós tinha conquistado um título assim?

Depois do triunfo, vieram então os festejos. O jogo terminou por volta das 19h; chegamos ao Centro de Treinamento às 2h da manhã; e, às 6h da manhã, ainda estávamos na Academia, no espaço que o clube preparou com comida e música.

O dia seguinte à final foi de folga, mas na segunda-feira já estávamos a treinar novamente. Terça-feira tínhamos jogo às 16h, contra o Botafogo, em partida a contar para o Brasileirão, e, à noite, tínhamos a viagem para disputar o Mundial de Clubes. Ou seja, 69 horas depois da final já estávamos a jogar contra o Botafogo e 75 horas depois da final já estávamos no aeroporto para viajar para Doha, no Catar, em voo que teria a duração prevista de 15 horas. Quando chegássemos a nosso destino, teríamos ainda uma diferença de fuso horário de + 6 horas em relação a São Paulo.

Assim, desde o último apito do árbitro na final da Copa Libertadores até estarmos no avião rumo a Doha foram cerca de 75 horas. Nesse intervalo de tempo: conquistamos um troféu importantíssimo na história do clube, festejamos, treinamos na medida do possível, disputamos um jogo oficial do Brasileirão e ainda embarcamos para um voo que duraria 15 horas. Nesse tempo, foram muitas emoções e pouco tempo para desfrutar – e menos tempo ainda para nos prepararmos devidamente para uma prova como o Mundial de Clubes.

Jogos do Mundial de Clubes

VOLTA **38**

"Ficamos felizes por participar e saímos de cabeça erguida. Não foi como imaginamos, mas isso faz parte do futebol. Não ganhamos só, também perdemos, é o futebol. Mas queremos estar lá novamente. Vamos fazer uma grande temporada na Libertadores para poder jogar o Mundial novamente."
Rony

Doha, 11 de fevereiro de 2021

O sorteio ditou que, na semifinal do Mundial de Clubes, nos esperaria um jogo contra o Tigres, do México, ou Ulsan Hyundai, da Coreia do Sul. Como não sabíamos quem nos poderia calhar, preparamo-nos para enfrentar qualquer um deles, através da análise de ambos. Desse modo, após a definição do vencedor das quartas de final, já teríamos toda a informação de nosso adversário. O Tigres venceu por 2x1 e, de forma imediata, iniciamos a preparação para este jogo.

Aos olhos de quem não a conhece ou não a estudou, a equipa do Tigres podia parecer um adversário acessível. No entanto, e após a análise que fizemos, o Tigres era um adversário que se previa muito difícil de defrontar, por vários motivos. Desde logo possuía um treinador há mais de 10 anos no clube, o brasileiro Ricardo Ferretti, que conhecia muito bem o futebol mexicano – chegou a ser treinador interino da seleção nacional – e, por isso, construiu uma equipa com muitas rotinas de trabalho. Depois, a própria qualidade individual do elenco, com o recurso a jogadores estrangeiros: Gignac, Guido Pizarro, Rafael Carioca e Nahuel Guzmán, todos jogadores de qualidade e com muita experiência, alguns deles no futebol europeu. A esses estrangeiros, juntavam-se jogadores mexicanos de qualidade, internacionais pelo seu país.

Fizemos apenas 3 treinos para preparar esse jogo. Apesar de termos viajado no dia 2, encaramos 15 horas de viagem de avião e, por isso, somente

Pelo telemóvel, Abel mostra para sua esposa o estádio Cidade da Educação, em Doha

no dia 4 estávamos nas mínimas condições para ir a campo. O primeiro treino foi ainda de adaptação ao clima e de recuperação da viagem. O segundo foi de estratégia: como íamos atacar e defender esta equipa do Tigres. O terceiro treino foi também de estratégia, mas direcionado às bolas paradas.

Este era um adversário que tinha comportamentos e posicionamentos semelhantes à nossa equipa e que nós, como comissão técnica, defendemos: os sistemas táticos híbridos, ou seja, sistemas que nos permitem atacar de uma forma e defender de outra. O Tigres defendia em 1:4:4:2, com princípios zonais, mas atacava em 1:3:4:3 com bola. Tal como nós em muitos jogos, eles atacavam de forma assimétrica com a colocação de um lateral baixo a fazer saída a 3. No caso do Tigres, era o lateral-esquerdo (destro) que fazia construção a 3 e ficava junto aos zagueiros, sendo que a largura era dada pelo ponta-esquerda e pelo lateral-direito, que se transformavam em alas no momento de organização ofensiva.

O Tigres tinha um bom jogo posicional e com jogadores com qualidade no 1x1 ofensivo. O ponta canhoto acabou por ser o elemento que mais vezes levou a equipa do Tigres para zonas próximas da nossa área, com suas ações de 1x1 e os desequilíbrios individuais. Era uma equipa muito capaz de manter a posse de bola, devido à qualidade técnica dos seus volantes e dos jogadores mais adiantados que jogavam em zonas interiores (Aquino e Gignac).

A partida foi um jogo de ataque-defesa e defesa-ataque, ao estilo do jogo de handebol, com mais situações de organização do que de transição. Ambas as equipas, sempre que tinham a bola, tentavam propor jogo e construir desde trás, a partir da sua linha defensiva. Da nossa parte, não fomos eficientes nem eficazes. Muitos dos nossos momentos de ataque não tinham sequência de passes; devido à pressão do adversário, tomávamos decisões precipitadas (com excessivas bolas longas). Além disso, nem sempre conseguimos chegar com a bola nas condições ideais ao último terço de ataque e às zonas de finalização. Enquanto isso, o adversário, por meio de ações individuais, facilmente alcançava o último terço, fazendo cruzamentos para a área, onde se faziam bem presentes. Seus lances de mais perigo aconteceram com os dois centroavantes fortes no jogo aéreo.

No início da 2ª parte, aos 10', o Tigres fez o 1x0, em uma penalidade máxima. Depois do golo, decidimos trocar os dois volantes; após as substituições, a equipa melhorou. Não só fruto das alterações, mas também pela necessidade de correr atrás do resultado: afinal, em qualquer equipa, sempre que há um golo há uma reação. Nesse momento, passamos a ter maior volume de jogo ofensivo. No entanto, o Tigres conseguiu sempre ser competente e defender num bloco médio-baixo. Tentamos fazer substituições para gerir o cansaço de alguns jogadores – buscando manter a intensidade no jogo – e fazer alterações táticas para colocar a equipa o mais agressiva possível. Não estávamos a fazer um jogo de qualidade e chegamos ao final sem conseguir reverter o resultado. Foi um jogo em que, de uma forma geral, o adversário foi melhor que nós.

O resultado não era o que pretendíamos, porque o nosso propósito era estar na final. Acabamos o jogo muito tristes e frustrados. Tristes porque tínhamos perdido um jogo que nos tirava da final do Mundial de Clubes. Frustrados porque, apesar de o adversário ter vencido de forma justa, sabíamos que não tínhamos estado no nosso melhor nível, quer no individual quer no coletivo – e esse é um sentimento com o qual (felizmente!) não lidamos muito bem. O resultado e a exibição não foram os desejados. Sabendo que íamos jogar o 3º e 4º lugar, a mensagem do Abel foi clara:

– Vamos lutar para levar a medalha de 3º lugar embora!

Restava-nos, pois, outro jogo para mostrar o nosso real valor e conquistar uma medalha.

Entramos nessa partida, contra o Al-Ahly, do Egito, com a missão de melhorar a nossa performance, individual e coletiva, e ganhar o jogo. Sentíamos também que os jogadores haviam assimilado a mensagem e que estavam desejosos por dar outra resposta. Nesse encontro, como o Abel diz muitas vezes, tínhamos de "ficar em primeiro para nós mesmos". Quando alguém perde o jogo, e sente que não foi a sua melhor versão ou que não deu o melhor de si – isto é, "ficando em segundo lugar para si mesmo" –, o sentimento de frustração vai ser dobrado.

Na preparação para esta partida, realizada quatro dias depois da anterior, todos os jogadores estavam à disposição, e decidimos fazer quatro mudanças na equipa. Estes novos nomes que entraram no onze inicial foram aqueles que haviam sido opção vindo do banco contra o Tigres e que tiveram boa performance.

Para este duelo, resolvemos alterar um pouco a nossa forma de atacar. Atacamos em 1:4:3:3, com duas dinâmicas trabalhadas especificamente para este jogo. A primeira aconteceu no corredor esquerdo, onde pretendíamos trocas posicionais, isto é, a rotação de posição de 3 jogadores (lateral, volante e ponta), algo que potenciaria as qualidades de todos eles. O Viña se envolveria no corredor como se fosse um ponta; o Willian, que era ponta, viria para as zonas interiores do campo, como um meia-atacante/2º avançado; e o Patrick de Paula recuaria no campo para o espaço do lateral. A outra dinâmica trabalhada foi a possível entrada do Felipe Melo no meio dos zagueiros para fazermos construção a 3 com o volante (e não com o lateral-direito).

A partida teve uma história diferente da anterior. Neste jogo, estivemos mais próximos daquilo que somos coletivamente e individualmente. Conseguimos ter mais qualidade na circulação de bola (na fase de construção) e na capacidade de chegar às zonas de criação e finalização. Defensivamente, fomos uma equipa mais pressionante, conseguindo melhorar a nossa eficácia defensiva através da orientação das pressões para os corredores laterais com fortes gatilhos de pressão, algo que tínhamos pedido e treinado. Nossa atitude competitiva foi muito superior à do jogo anterior. O adversário criou-nos alguns desconfortos com seus 3 atacantes, que eram jogadores muito rápidos e que faziam muitos movimentos de facão nas costas da nossa linha defensiva.

Abel fala ao elenco antes das cobranças de penalidades na disputa do terceiro lugar

O primeiro tempo foi equilibrado, com um ligeiro ascendente da nossa parte. Após o intervalo, entramos bem e conseguimos ao longo de toda a segunda etapa ser melhores que o adversário. A nossa equipa teve maior volume ofensivo e esteve em zonas próximas da área adversária, mas sem materializar isso em oportunidades de perigo. Mexemos na equipa perto do final do jogo, tentando dar maior capacidade ofensiva à equipa e colocando jogadores em campo para o caso de o jogo ir para pênaltis. O jogo terminou com empate em 0x0 e seria resolvido mesmo nas penalidades. Das 5 cobranças, apenas conseguimos marcar 2.

O Mundial foi uma grande oportunidade para crescermos e nos desafiarmos. Apesar dos resultados e da performance abaixo no primeiro jogo, não vemos o quão desprestigiante foi essa classificação final de 4º lugar. Poder disputar esse título é algo que nos deve orgulhar a todos, pois quase todas as equipas do mundo desejariam jogar essa competição.

Animicamente, fomos do céu à terra em poucos dias. Que poderoso e emocionante que é o futebol... Agora, restava-nos trabalhar para um dia voltar a viver a oportunidade de disputar uma prova tão importante como o Mundial de Clubes.

Balanço do Mundial:
"Temos de aumentar o sarrafo!"

VOLTA **39**

"Quanto mais ganharmos, mais cobrança teremos, mais temos de aumentar o nosso trabalho, disciplina... É o preço que se paga quando se ganha, é essa responsabilidade. Cada vez que ganhamos, aumentamos o sarrafo e aumentamos a expectativa."
Abel Ferreira

Doha, 12 de fevereiro de 2021

O Mundial de Clubes foi uma experiência positiva com resultados negativos. Explicamos: as reflexões e ensinamentos que tiramos dessa disputa foram muito importantes para a nossa evolução enquanto treinadores, enquanto equipa e enquanto clube. Aprendemos com aquilo que não correu bem e sabemos exatamente os erros que não devemos repetir no futuro.

Antes de tudo, é preciso dizer que a preparação para a competição não foi a melhor, quer por responsabilidade própria, quer sobretudo por motivos totalmente fora do nosso controlo. Não foi por isso que perdemos os jogos, certamente – mas também é inegável que isso contribuiu para não estarmos nas melhores condições físicas e mentais em ambos os jogos.

Do ponto de vista físico, chegamos ao Catar para disputar o Mundial de Clubes com 70 jogos disputados na temporada. A calendarização acabou por nos afetar bastante na preparação deste jogo.

Do ponto de vista mental, disputamos esta competição logo após um clima de festa, o que só traz desvantagens. Esse espaçamento temporal entre os festejos e o novo foco competitivo fez toda diferença na preparação do *mindset* para a abordagem de um campeonato como este.

Ainda do ponto de vista físico, sofremos com o problema do *jetlag*. Não conseguimos combater este desafio – o impacto das 15 horas de voo e da diferença do fuso horário. Todos na delegação (jogadores, comissão, diretoria e restantes) manifestaram dificuldades em lidar com isso. Ao ponto de sentirmos que havia momentos em que estávamos a dormir em pé!

Chegamos ao Mundial em condições desiguais comparativamente aos nossos adversários. Não temos problema nenhum em admitir isso, do mesmo modo que reiteramos que não foi por isso que perdemos os jogos. Perdemos o jogo porque, claramente, fomos menos competentes que os nossos adversários.

Após a nossa performance no Mundial, o Abel decidiu relembrar os jogadores de que, com a conquista da Libertadores, as expectativas agora eram maiores: em outras palavras, havíamos aumentado nosso sarrafo. Tudo o que tínhamos alcançado antes ficara para trás, agora que o sarrafo tinha subido. Com isso, a exigência também aumentaria. E era nosso objetivo que essa exigência nos levasse a trabalhar mais e que isso repercutisse em novas vitórias e conquistas. Afinal, não importa quantas vezes caímos, mas sim a força com que nos levantamos dessas quedas!

Com esse propósito, o Abel decidiu fazer um cartaz para afixar em vários pontos estratégicos no CT. Ele gostaria que os jogadores fossem lembrados a todo momento que suas conquistas tinham elevado ainda mais o "sarrafo". Expectativas altas provocam essa consequência: temos sempre de fazer mais e melhor.

Festa da conquista da Libertadores

VOLTA **40**

"Desde que cheguei ao Brasil, eu aprendi muito, sobretudo que hoje, se ganhar, sou o melhor, e amanhã, se perder, sou o pior."
Abel Ferreira

São Paulo, 15 de fevereiro de 2021

– Alguns dias depois de chegarmos a São Paulo, faremos uma celebração à altura da conquista da Libertadores, visto que não celebramos e devemos realçar o feito que conseguimos – disseram-nos elementos da diretoria, ainda no Catar.

Esta festa seria realmente nosso primeiro verdadeiro momento de comemoração. Após a vitória na final do Maracanã, já viramos a chave para o Mundial de Clubes, viajando logo em seguida. Além disso, era importante que não deixássemos que o rendimento do Mundial abafasse ou fizesse esquecer, de alguma forma, a façanha alcançada 21 anos depois. O Sonho e a Obsessão tornaram-se Realidade.

Muito bem organizada e preparada, a festa contou com a presença das famílias dos jogadores, além de outros convidados. Consideramos isso muito importante, tendo em conta que é pelas nossas famílias que fazemos tudo o que fazemos diariamente – e somente com o apoio e suporte delas é que podemos fazer os sacrifícios que fazemos. Além disso, acreditamos que envolver as famílias em atividades do clube é extremamente importante, quer para as esposas, quer para os filhos dos profissionais.

Nesta festa, decidiram dedicar-nos duas músicas com um grande significado sentimental para nós, portugueses. A primeira, "O melhor de mim", da Mariza, tem, como já referimos, uma relevância especial não só por ser o lema da equipa técnica há muito tempo como também pela poderosa mensagem de sua letra. A segunda canção, "Para os braços da minha mãe", do Pedro Abrunhosa, também nos tocou muito e nos fez relembrar nossa casa, nossa família e nosso país. Esta música contém uma mensagem associada a todos aqueles que são emigrantes e estão fora de sua pátria. É uma música que fala de amor, da saudade, da partida, da despedida, da ausência... E mesmo sabendo que somos emigrantes de luxo e do quão privilegiados somos por isso, acreditamos que a dor da partida e da despedida, bem como das saudades que sentimos pelos nossos, é a mesma da sentida por qualquer emigrante.

Críticas ao calendário
e cinco jogos em onze dias

VOLTA **41**

"É insana a quantidade de jogos.
Vamos ver como chegamos ao final."
Abel Ferreira

São Paulo, 22 de fevereiro de 2021

Terminado o Mundial de Clubes, deparamo-nos com um calendário infernal: disputaríamos 5 jogos em 12 dias! Entre 14 e 25 de fevereiro, enfrentaríamos o Fortaleza, o Cuiabá, o São Paulo, o Atlético Goianiense e o Atlético Mineiro, todos os jogos a contar para o Brasileirão.

Teríamos de ir a campo para esta série de partidas: após disputarmos um Mundial de Clubes literalmente do outro lado do mundo; após fazermos duas viagens de 15 horas de voo num intervalo de poucos dias; após lidarmos com dois momentos de *jetlag* diferentes; após o sentimento de frustração e desilusão por não termos tido melhor rendimento no Mundial.

Foi então que o Abel fez algumas perguntas em público: quão desumano é o calendário do futebol brasileiro para seus jogadores e profissionais? Será que quem o organiza pensa nos atletas e na qualidade do futebol brasileiro? Não está na hora de fazer mudanças no calendário, após tantos e tantos treinadores fazerem as mesmas críticas? Se as autoridades que dirigem o futebol brasileiro não ouvem os jogadores e treinadores, quem vão ouvir?

Depois destes questionamentos, que tinham como objetivo contribuir para uma melhor organização do calendário nacional, recebemos a dica de que se não quiséssemos ter o problema de jogar tantos jogos, a solução seria não chegarmos a tantas finais de competições. Portanto, registramos a dica!

Quando falamos com jogadores, treinadores, diretores e demais profissionais do futebol brasileiro, praticamente todos têm a mesma opinião: o calendário não pensa no atleta nem na qualidade do espetáculo. E se reuníssemos, na mesma mesa, os capitães de equipa, treinadores, diretores e/ou presidentes, CBF e/ou federações e as televisões responsáveis pela transmissão dos jogos para que todos entendam "as dores" uns dos outros?

"As mulheres têm uma sensibilidade diferente"

VOLTA **42**

"Eu não fazia ideia de que este clube era tão grande em valores. Quando falo em valores, falo no respeito, solidariedade, amizade e esforço que se sentem no CT."
Abel Ferreira

São Paulo, 23 de fevereiro de 2021

Apesar de nossas conquistas recentes, uma atmosfera pesada pairava sobre nós, com jogadores e comissão técnica tristes e desiludidos, sentindo que havíamos enterrado um objetivo comum a todos. A performance no Mundial e o posterior desgaste das viagens e dos jogos criaram um aborrecimento grande e geraram nos atletas um discurso de que "precisamos de férias". Foi então que as mulheres integrantes da comissão técnica e do staff do Palmeiras sugeriram que déssemos folga aos jogadores que iriam disputar a final da Copa do Brasil – a fim de que pudessem fazer um "reset" antes da decisão.

Além deste ponto, que consideramos válido, entendemos isso como a possibilidade de os atletas fazerem o "luto" de uma meta não alcançada. Nesta situação, por exemplo, eles não tiveram as 24 horas para lamentar e processar a derrota, de modo a seguir em frente. Afinal, depois de termos jogado dia 11 no Catar, fizemos uma viagem de 15 horas, treinamos dia 13 e estávamos a jogar novamente no dia 14. Até por esse motivo, esta folga assumia maior preponderância. A sugestão foi aceita pelo Abel, que telefonou, por videochamada, a cada um dos jogadores que iria disputar a final da Copa do Brasil e deu-lhes o dia de folga extra. Afinal, neste contexto, a percepção mental de um dia de folga era como se fosse a de uma semana!

Esta situação confirmou-nos algo que todos nós sentimos ao longo de nossas vidas: as mulheres têm uma sensibilidade diferente. Talvez tivéssemos, mais tarde, optado igualmente por dar folga aos jogadores – mas elas perceberam o problema e chegaram a essa solução vários dias antes de nós.

Quando voltaram aos treinos após a folga, os atletas estavam mais felizes e mais "soltos" do que antes. O sexto sentido delas estava certo.

Entrega à diretoria do relatório final

VOLTA **43**

"Isso (concorrência) só me dá mais vontade de treinar, quero treinar o tempo todo."
Matheus Fernandes

São Paulo, 24 de fevereiro de 2021

A temporada ainda não terminou, mas a preparação para a próxima já se iniciou. E, como é *modus operandi* do Abel em cada clube por onde passamos, ele entregou à diretoria o relatório do balanço da temporada que estava a terminar. Este documento, além de conter nossa visão sobre os quatro meses de trabalho realizado, incluía também uma projeção da temporada 2021 e as lacunas/necessidades do elenco que precisaríamos resolver e preencher.

Afinal, como é que pode um balanço de temporada ser feito e entregue antes do término da mesma? No nosso entender, a avaliação de um trabalho deve ser feita primeiramente pelo processo e só depois pelos resultados. O resultado será sempre a consequência de um processo. Mesmo num clube que vive de títulos como o Palmeiras, é um processo bem feito que nos possibilita estar mais perto das conquistas. Por isso nossa análise é, primeiramente, realizada com esse foco.

Além disso, não seria a vitória ou não na final da Copa do Brasil que alteraria nossa visão do que tinha sido feito nos 4 meses de trabalho, nem do planejamento da próxima temporada em termos de necessidades do elenco. Como já referimos, nossa visão é, em grande parte, independente dos resultados. E é também imparcial no momento de avaliação das necessidades de um plantel. Por exemplo, quando é preciso decidir sobre a permanência ou a saída de um jogador, perguntamo-nos sempre "O que é a melhor para a equipa e para o clube?" e não "O que é melhor para o jogador X ou para o atleta Y?".

Nesse relatório, a principal mensagem transmitida pelo Abel foi a necessidade de aumentar a competitividade interna em nosso elenco. Precisávamos ter mais jogadores por posição que pudessem acrescentar valor à equipa e competir com o colega pela posição de forma positiva e leal.

Sabemos que um plantel homogêneo em termos de qualidade pode acarretar algumas consequências negativas. No entanto, nossa experiência como treinadores e a experiência do Abel como jogador nos dizem que, neste caso, as vantagens são muito superiores às eventuais desvantagens. Temos a plena convicção de que um elenco competitivo internamente aumenta a capacidade de sermos mais competitivos externamente. Isso acontece porque a competição interna pela posição tem um efeito silencioso, mas fulcral numa equipa de futebol: evitar a displicência e o relaxamento dos jogadores, muitas vezes sem que o treinador precise intervir. Além disso, tem outro efeito colateral fantástico: estimular o desejo contínuo de evolução nos atletas.

Acreditamos que bons marinheiros não se fazem em mares calmos, e que a competitividade interna consiste num bem necessário para que cada jogador dê o melhor de si a todo o momento. Além disso, e como o Abel sempre diz, as regras do futebol são claras e o regulamento da FIFA também: só onze podem jogar de início e cinco podem entrar no decorrer do jogo (felizmente este número aumentou!). Ainda há os que ficam no banco, aqueles que ficam na bancada e os que ficam em casa. No entanto, algo que procuramos fazer é tratar todos com o mesmo respeito e da forma que cada um merece: treinando-os todos da mesma forma, joguem mais ou menos tempo. Outra das mensagens que o Abel passou desde o primeiro dia de trabalho foi a de que não existem titulares e reservas: a expressão "banco de reservas" foi abolida do vocabulário, dando origem ao "banco de titulares". Ele entende – e tenta que os atletas compreendam também – que, apesar de não entrarem de início, jogadores vindos do banco podem decidir partidas. Além disso, no jogo imediatamente a seguir, estes já podem entrar de início. Tal só depende dos critérios de escolha do treinador (comportamento, rendimento, estratégia).

Assim, é essencial jogarmos em antecipação e realizar estes balanços e avaliações ainda com a temporada em andamento, principalmente quando há uma visão do treinador e da direção para um futuro em conjunto. Afinal, em qualquer atividade e no futebol em particular, não há tempo a perder. E um bom planejamento é o primeiro passo para uma temporada vitoriosa.

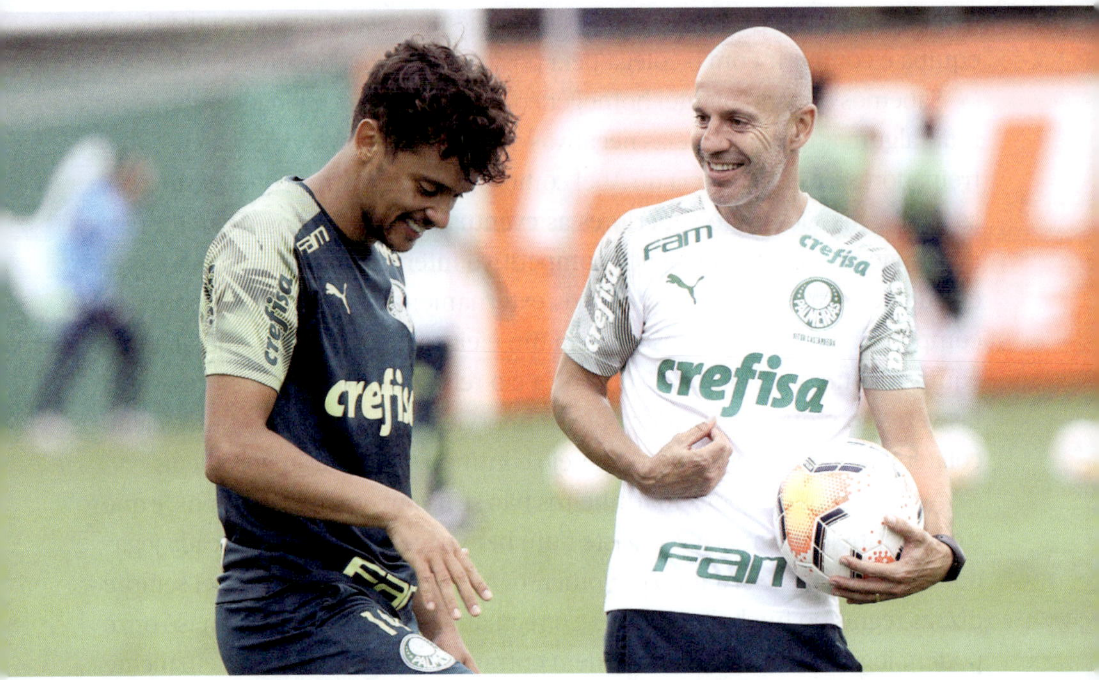
crefisa
FAM
crefisa
FAM
crefisa

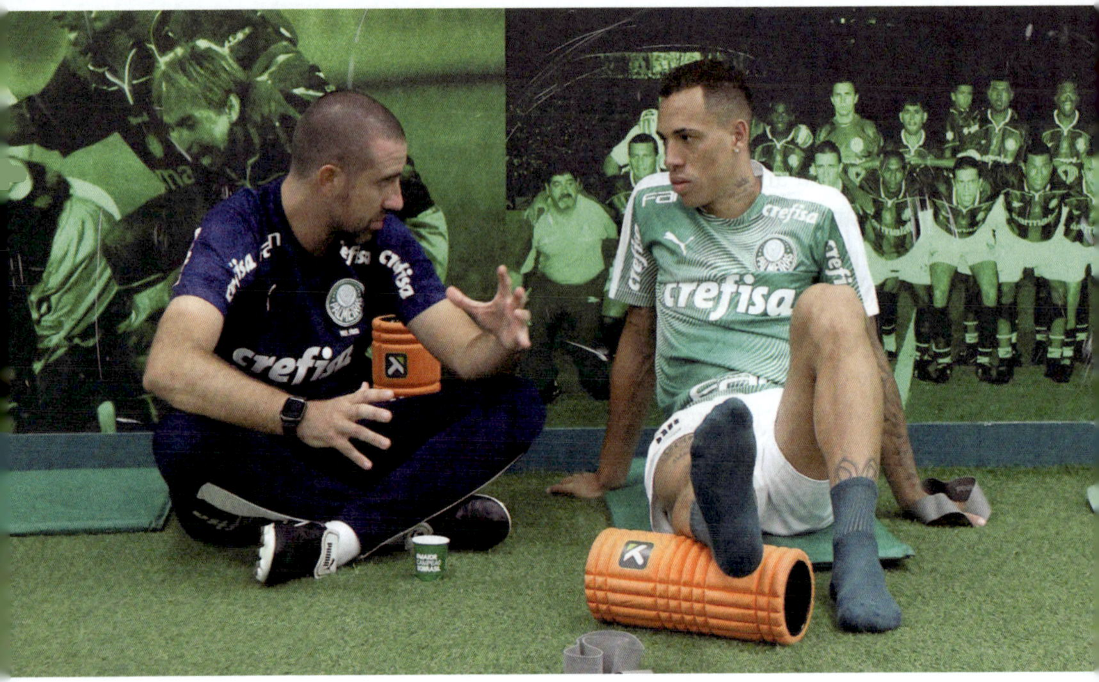
crefisa
crefisa

ENTREGA À DIRETORIA DO RELATÓRIO FINAL

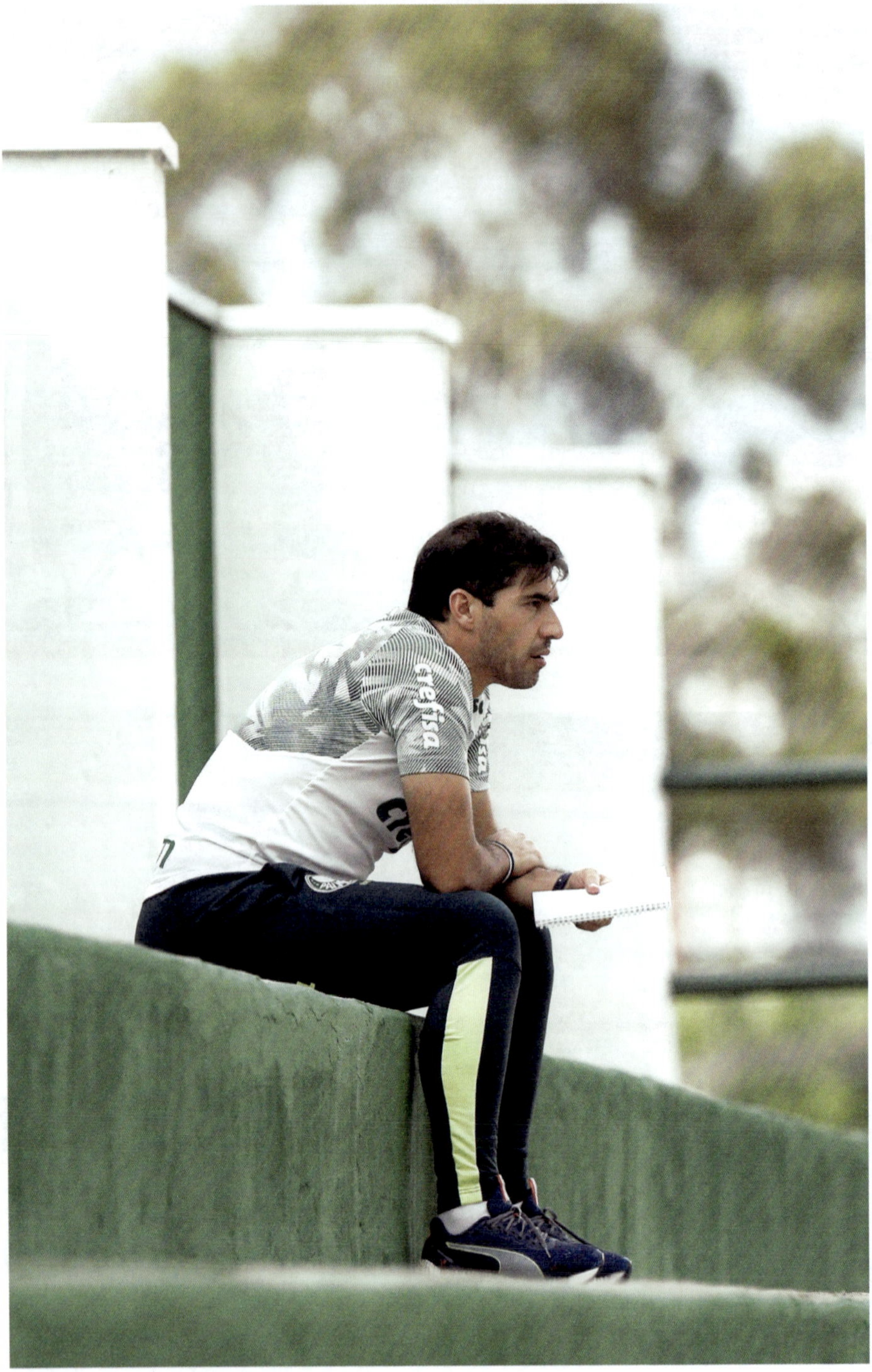
crefisa

Preparação mental para a final da Copa do Brasil

VOLTA **44**

"Os detalhes fazem diferença em jogos contra equipas do mesmo nível. Mais do que tática, são os detalhes."
Abel Ferreira

São Paulo, 26 de fevereiro de 2021

A preparação mental para a final da Copa do Brasil se iniciou com a folga dada aos jogadores, dias antes da primeira partida da decisão. De fato, diante do desgaste dos atletas, um treinamento sem descanso poderia ter causado danos colaterais. Com essa folga, garantimos um melhor bem-estar mental dos jogadores e uma melhor disponibilidade para treinar e preparar estrategicamente a final contra o Grêmio.

Depois, e porque a final da Libertadores tinha sido recente, o Abel usou a experiência dos jogadores nessa decisão e na decisão do Paulista para prepará-los para esta nova final. Acreditamos que não há melhor preparação para uma determinada situação do que vivenciá-la e experimentá-la. Ele começou assim seu discurso.

– O que vocês fizeram nas finais anteriores? Como vocês se preparam para elas? Que rotinas fizeram na semana de treinos anterior ao jogo? Que rotinas tiveram no pré-jogo? Então, não mudem rigorosamente nada. Façam exatamente o mesmo. Não mudem nada. Não é por superstição, mas sim porque essas rotinas já vos fizeram ganhar. E não é por termos perdido alguns jogos agora que vai ser diferente. Mantenham as vossas rotinas. Façam tudo o que vos dá conforto e segurança pois isso dá-nos confiança!

Uma das preocupações do Abel era a de que os atletas não se sentissem duplamente afetados pelo desempenho insatisfatório no Mundial e nos jogos recentes. Nessas horas, o mais importante é continuar a acreditar naquilo que se faz, seja o processo individual e coletivo da equipa, seja as pequenas rotinas que cada jogador faz para se preparar. Afinal, quem sabe lidar com o sucesso e o fracasso da mesma forma está mais preparado para o desafio seguinte.

Por fim, e como sempre gostamos de contar uma história motivacional antes de uma final ou de um jogo decisivo, desta vez o Abel optou por um vídeo. Somente um. Um vídeo de maior duração e com mensagens importantes para abordar mental e motivacionalmente a final. Acompanhado de imagens do percurso até a final, ele tinha o seguinte áudio como fundo:

"*Vamos preparar a nossa mente para entrar em ação. Convocar todos os nossos recursos e capacidades. Preparar nossa mente para conquistar a Copa do Brasil.*

Por uns instantes, deixa o teu corpo relaxar e coloca toda a tua atenção num ponto bem na tua frente. Fixa o teu olhar nesse ponto, enquanto sentes o teu corpo a ficar preparado. Deixa a tensão acumulada abandonar a tua mente para que a tua energia fique limpa e preparada.

Enquanto fixas o teu olhar nesse ponto bem na tua frente, imagina que consegues ver agora o momento em que levantes a Copa. Depois de um jogo intenso e bem jogado.

Um jogo onde cada elemento da equipa deu o seu melhor, manteve o seu foco durante toda a partida, com tranquilidade, confiança e determinação, com inteligência e paixão.

Enquanto te vês agora a levantar a Copa, deixa que o passado desapareça e apenas o presente fique. Sente-te completamente disponível para a partida: tranquilo, confiante e determinado. Pleno de inteligência e paixão.

Neste estado calmo e focado, entende que quando o juiz apitar para o início da partida, estarás no máximo da tua atenção e confiança e manterás esse estado até o final da partida.

Entende que quando o adversário tiver a bola, manterás altos níveis de concentração e determinação para defender com segurança.

Entende que quando tiveres a bola em situação de ataque, te sentirás confiante e criativo, assumindo riscos e conquistando vantagens.

Entende que, quando decidires rematar, isso acontecerá com força e colocação perfeita.

Entende que a equipa jogará unida, solidária, competitiva, sempre com fé na vitória.

Está na hora de proteger o sonho, de viver a fé e de dar o máximo.

Está na hora de conquistar a vitória.

O sonho é agora!

(pausa)

Muitas pessoas contribuíram para que pudesses chegar aqui.

Passaste por muito para poder chegar aqui. Conquistaste, com mérito e esforço, a oportunidade de estar aqui.

Agora, é a hora de protegeres o teu sonho, de transformares essa imagem de ti a levantar a Copa em realidade.

Está na hora de usares todos os teus recursos, de cumprires o plano, de praticares o processo que tão bem conheces. De fazer aquilo que tens de fazer para protegeres o teu sonho, para proteger o sonho da equipa.

Os sonhos fazem-se de momentos como este. Momentos em que reunimos toda a nossa confiança, toda a nossa fé, toda a nossa capacidade para fazer aquilo que sabes fazer tão bem. Para fazer aquilo para que treinaste toda a tua vida: jogar futebol ao mais alto nível.

E é assim, com foco no processo, com as tuas intenções bem claras e definididas, que irás proteger o teu sonho. O sonho da equipa. O sonho do clube.

O sonho é agora."

O Abel decidiu que este vídeo deveria ser colocado no grupo de WhatsApp dos jogadores e da comissão – grupo esse que o Abel pediu para criar assim que chegamos ao Brasil. Por quê? Ao contrário do vídeo da Libertadores, em que sentíamos que era importante os jogadores verem as mensagens das suas famílias imediatamente antes de entrarem em campo, este vídeo transmitia uma mensagem de visualização mental e de preparação para a partida, sendo o timing ideal para mostrá-lo cerca de 2/3 horas antes do jogo, quando os atletas saem do hotel. Assim, colocamos o vídeo no grupo imediatamente após a preleção, isto é, 2 horas antes do jogo.

É a nossa filosofia enquanto comissão, e do Abel enquanto líder máximo, que não podemos nem devemos fazer sempre o mesmo, nem usar sempre as mesmas estratégias. Gostamos de variar, não só porque acreditamos que não existe uma receita igual para tudo, como também porque gostamos de experimentar estratégias novas.

Jogo: Grêmio 0x1 Palmeiras
(Copa do Brasil – final – ida)

VOLTA **45**

"O Abel é um cara que ensina como a gente vai atacar e como vai defender. Isso fica muito claro para nós: entramos em campo com duas, três formas de atacar o adversário, e outras duas ou três formas de defender. Somos muito bem estruturados como equipe porque ele planeja isso."
Weverton

Porto Alegre, 28 de fevereiro de 2021

Segunda final da temporada para nossa equipa técnica.

Por ser uma decisão em dois jogos (experiência nova para nós!) e por sabermos que a segunda partida seria em nossa casa, a meta era conseguir um bom resultado no estádio do Grêmio para trazer a eliminatória em aberto ou, preferencialmente, com vantagem para nossa casa. O mais importante era conseguir um bom resultado no jogo de ida.

À semelhança da análise feita ao Santos, estudamos 8 partidas do adversário, mas o jogo-referência da análise foi nosso encontro com o Grêmio no Allianz Parque, pelo Campeonato Brasileiro, em 15 de janeiro de 2021. Já tínhamos jogado contra eles e conhecíamos bem os seus pontos fortes e fracos: o Grêmio mantinha treinador, atletas e também uma ideia de jogo característica. Tratava-se de uma equipa com jogadores de elevada qualidade técnica, em especial os 3 médios e os 2 pontas, e com 1 centroavante fortíssimo no jogo aéreo dentro da área. Os três médios do Grêmio eram o "motor da equipa"; acreditávamos que, anulando esses médios, anularíamos também os demais jogadores (pontas e centroavante), pois a bola não chegaria até eles com tanta frequência.

Em relação à nossa escalação, fizemos apenas uma alteração na equipa que vinha a jogar com mais frequência: a saída do Willian para a entrada do Wesley. Esta opção, por um atleta vindo de um longo período de paragem, foi puramente estratégica. Entendíamos que precisávamos de um jogador rápido, com capacidade de criar desequilíbrios no corredor lateral

– ao contrário do Willian, que é um jogador mais de jogo entrelinhas e por zonas interiores (quase um 2º avançado). Precisávamos, pois, de um ponta de origem, porque entendíamos que essa seria uma forma de explorar as debilidades do Grêmio. Foi já a pensar nisso que o Abel colocou o Wesley para atuar 60' na partida anterior ao jogo de ida da Copa do Brasil (contra o Atlético Mineiro, a contar pelo Brasileirão).

Na primeira partida da decisão, em Porto Alegre, fomos muito competentes e cumprimos exatamente aquilo que pretendíamos fazer, quer ofensivamente, quer defensivamente. Além disso, conseguimos chegar ao golo num momento do jogo que trabalhamos muito: a bola parada. Esse golo deu-nos conforto e motivação.

Ao longo do segundo tempo, mantivemos o bom ritmo e criamos perigo ao adversário, quer em momentos de organização (até a expulsão), quer em momentos de transição (após a expulsão). O Grêmio, com um volume ofensivo grande, conseguiu criar algumas situações de finalização, uma delas de grande perigo.

Tendo em conta a análise do adversário e os comportamentos inerentes à nossa ideia de jogo, definimos as seguintes ideias-chave no plano de jogo:

Ideias-chave: Grêmio x SE Palmeiras

Momento do Jogo	Problema (Adversário)	Solução (Equipa)	Estratégia
Organização Ofensiva #1	Pressão pouco intensa em nossa 1ª fase de construção + Ponta adversário saltava a pressionar no nosso lateral baixo e meia-atacante adversário dividia o nosso volante e o nosso ZAG do meio, podendo fazer 3x3 em alguns momentos	**Manter a base/Identidade** Construção 3:1 com LAT/ZAG/ZAG e 1 VOL na frente + zagueiros bem abertos e com rápida circulação + Em caso de 3x3: encontrar o ponta-direita mais baixo diretamente ou 1º volante livre (diretamente ou indiretamente de 3º homem)	
Organização Ofensiva #2	Encaixe mano a mano (MxM) com "sobra" 2º volante e meia-atacante teriam marcação MxM dos médios adversários Zagueiros nem sempre faziam cobertura ao lateral, mantendo-se no corredor central	**Manter a base/Identidade** 2º volante e meia-atacante deviam forçar movimentos facão entre zagueiro e lateral, quer para receber bola, quer para abrir o corredor central para apoio frontal do centroavante	
Organização Defensiva #1	1ª fase: Corriam poucos riscos e procuravam jogo mais direto para "casquinha" do Diego Souza, através de bola longa dos zagueiros ou goleiro	**Manter a base/Identidade** Importante o tripé entre zagueiro-1º volante-zagueiro + Importância de ser o 1º volante a disputar a bola com o centroavante adversário para não abrir espaços na defesa que pudessem ser aproveitados pelos pontas adversários	
Organização Defensiva #2	2ª fase: Médios com muita mobilidade procuravam assumir o jogo a todo o momento, através do recuo para zonas próximas dos zagueiros (atrás da linha da bola)	**Manter a base/Identidade** 3x3 no meio-campo, controlando os médios zonalmente + Sempre que possível, procurar fazer 4x3 com a ajuda do ponta do lado contrário (como um "médio extra")	
Organização Defensiva #3	3ª fase: Pontas fortes no 1x1 e laterais ofensivos que se envolviam tanto por dentro quanto por fora + Centroavante muito forte no jogo aéreo (com mais movimentos de ataque à bola no 2º poste)	**Manter a base/Identidade** Os 3 jogadores de pressão no corredor (ponta, médio, lateral) deviam ser pressionantes, em especial o lateral + Marcação forte dentro da área, sendo que o zagueiro de marcação devia estar em constante contato com o Diego Souza, com marcação cerrada e sem troca de marcação	
Esquemas Táticos Ofensivos #1	Adversário com marcação referências individuais (Mano a Mano)	Nuance estratégica dentro da nossa ideia	Colocar 3 jogadores para canto curto, somente para atrair adversário e retirar 3 jogadores de dentro da área + Iniciar a corrida de ataque à bola perto da linha da área para criar o espaço dentro da área que posteriormente queremos atacar

Tabela 7: Ideias-chave: Grêmio x SE Palmeiras

Figura 36: Organização Ofensiva #1 – Problema: Pressão pouco intensa na nossa 1ª fase de construção + Ponta adversário saltava a pressionar no nosso lateral baixo e meia-atacante adersário dividia o nosso volante e o nosso zagueiro do meio, podendo fazer 3x3 em alguns momentos + Encaixe MxM com "sobra" + Zagueiros nem sempre faziam cobertura ao lateral | **Solução:** Construção 3:1 com lateral/zagueiro/zagueiro e 1 volante na frente + Zagueiros bem abertos e com rápida circulação + Em caso de 3x3: encontrar o ponta-direita mais baixo diretamente ou 1º volante livre (diretamente ou indiretamente de 3º homem) + 2º volante e meia-atacante deviam forçar movimentos facão entre zagueiro e lateral, quer para receber bola quer para abrir o corredor central para apoio frontal do centroavante

Figura 37: Organização Defensiva #1 – Problema: Médios com muita mobilidade procuravam assumir o jogo e recuavam para trás da linha da bola + Pontas fortes no 1x1 | **Solução:** 3x3 no meio-campo, controlando os médios zonalmente, com ajuda do ponta do lado contrário (como um "médio extra", fazendo 4x3 sempre que possível) + 3 jogadores de pressão no corredor (ponta, médio, lateral) deviam ser pressionantes, em especial o lateral

Figura 38: Esquema Tático Ofensivo #1 **Treino – Golo da vitória** – Problema: Marcação com referências, mano a mano | **Solução:** Colocar 3 jogadores para canto curto, somente para atrair adversário e retirar 3 jogadores de dentro da área + Iniciar a corrida de ataque à bola perto da linha da área para criar o espaço dentro da área que posteriormente queremos atacar

Figura 39: Esquema Tático Ofensivo #1 **Jogo – Golo da vitória** – Problema: Marcação com referências, mano a mano | **Solução:** Colocar 3 jogadores para canto curto, somente para atrair adversário e retirar 3 jogadores de dentro da área + Iniciar a corrida de ataque à bola perto da linha da área para criar o espaço dentro da área que posteriormente queremos atacar

Após a expulsão do Luan aos 64' de jogo, tivemos necessidade de ajustar o sistema tático para manter o equilíbrio defensivo e segurarmos a vantagem, sem tirar os olhos da baliza do adversário. Ao longo da nossa carreira como equipa técnica, fomos construindo um documento com os diferentes planos para os diferentes cenários que possam acontecer no jogo: situação de vantagem no marcador, situação de desvantagem, situação de expulsão na nossa equipa, situação de expulsão na equipa adversária, entre outros. Além disso, em todas as noites de vésperas dos jogos, fazemos uma reunião técnica e abordamos esses diferentes planos em função da equipa que vai iniciar a partida e dos atletas que temos disponíveis para esse determinado jogo. Dessa forma, garantimos que, aconteça o que acontecer em campo, temos sempre um plano preparado e podemos agir de imediato durante o jogo. Mesmo que, por vezes, optemos por não seguir o plano e tomar outra decisão, a verdade é que essa organização e antecipação deixa-nos mais preparados, seguros e confiantes para lidar com qualquer adversidade que ocorra durante a partida.

Neste caso, optamos por colocar a equipa a jogar em 1:4:4:1 "híbrido", visto que facilmente este se tornaria 1:5:3:1, fruto das caraterísticas dos atletas que escolhemos para as posições. Com os jogadores que colocamos em campo, conseguimos um 2 em 1: defensivamente encaixamos no adversário com dois laterais no corredor mais forte do adversário, e ofensivamente conseguimos atacar em 1:3:5:1 com jogadores de progressão nos corredores laterais e 3 médios com capacidade de manter a posse de bola e garantir equilíbrios.

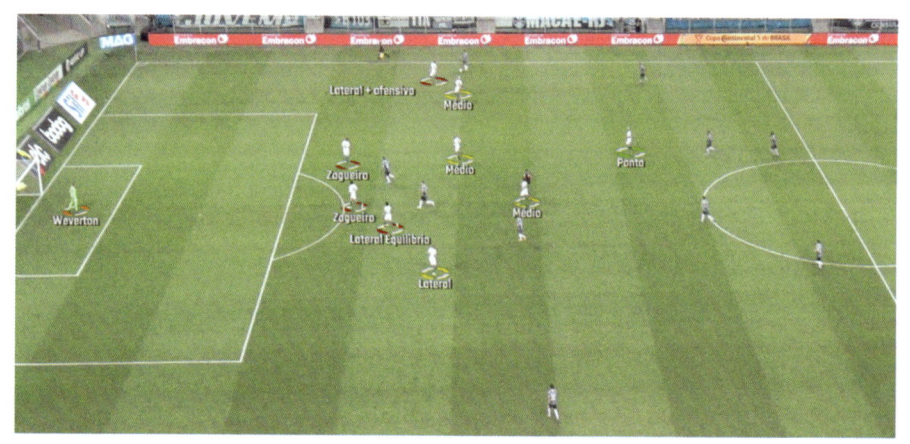

Figura 40: Ajuste tático após a expulsão do Luan: equipa em 1:4:4:1 híbrido, fruto das características dos jogadores

A (retirada da) primeira e última "semana limpa" da temporada

VOLTA **46**

"Eu só conheço uma forma de melhorar: treinando."
Abel Ferreira

São Paulo, 3 de março de 2021

Estávamos confiantes e contentes porque, pela primeira vez, teríamos uma semana "limpa" (completa) para preparar um jogo, ainda mais um jogo de final. Nosso adversário, o Grêmio, também estava nas mesmas condições que nós. Ao fim de quatro meses, ansiávamos por esta semana para podermos ter mais tempo para treinar e preparar uma final.

No entanto, aproximadamente 15 dias antes da partida, eis que nos retiram essa semana "limpa". Foi agendado para dia 3 de março um jogo válido pela 2ª rodada do Campeonato Paulista de 2021. E não qualquer jogo: justamente o Derby paulista contra o Corinthians. Ou seja, um dos maiores e mais importantes clássicos nacionais e mundiais foi agendado entre os jogos da final da Copa do Brasil (algo que não seria uma situação inédita para o nosso elenco, como iremos notar na volta 50).

Não compreendemos a escolha desta data.

Jogo: Palmeiras 2x0 Grêmio
(Copa do Brasil - final - volta)

VOLTA **47**

"O clube pensa em títulos, o presidente pensa, os torcedores pensam... Mas ninguém pensa mais do que eu."
Abel Ferreira

São Paulo, 7 de março de 2021

Em função do jogo no meio da semana, tivemos novamente de "criar" nossa semana completa de trabalho, uma vez que pela calendarização isso não era possível. Assim, a equipa que atuou em Porto Alegre não jogou o Derby contra o Corinthians, voltando a entrar em campo novamente na segunda partida da decisão contra o Grêmio, no Allianz Parque (exceto o Luan, suspenso, que foi substituído pelo Alan Empereur).

Sabíamos que o adversário não iria alterar comportamentos e dinâmicas, uma vez que já trazem uma ideia de jogo consumada de vários anos com o mesmo treinador, mas talvez pudessem alterar jogadores – que, por suas características distintas, trariam dinâmicas novas ao jogo e criariam outras dificuldades. E isso confirmou-se. O Grêmio mexeu em dois jogadores: colocou um lateral-direito mais ofensivo e trocou um médio (de mais jogo apoiado e bola no pé) por um médio com maior capacidade de movimentos sem bola e mais chegada a zonas de finalização.

Nossos comportamentos e dinâmicas foram exatamente os mesmos que no jogo de ida. A equipa tinha tido um desempenho consistente, e o mais importante era manter o mesmo rigor no jogo de volta.

A nível estratégico, avisamos os jogadores que o adversário assumiria uma postura mais ofensiva, pois tinha de correr atrás do resultado, e dessa forma exporia-se mais defensivamente. Isso acentuava a importância das transições pós-ganho da bola, pois esse seria o momento que teríamos mais espaço para atacar o adversário. Por esse motivo, era muito importante defender bem os corredores laterais com o ponta do lado da bola (que tinha de ser o mais solidário possível) e o ponta do lado contrário (que precisava estar por dentro para ser porta de saída na transição ofensiva). Não só nesta semana, mas ao longo da temporada, vínhamos falando da importância de, nos momentos de recuperação de bola em zonas mais baixas, conseguirmos alternar a transição direta (no espaço) com a transição indireta (através do passe ou da progressão). Tanto o 1º golo como o 2º golo acabaram por surgir em duas transições indiretas.

Como prevíamos, o jogo começou com o Grêmio a tentar ser mais agressivo ofensivamente para correr atrás do resultado na eliminatória; no entanto, a primeira grande oportunidade foi nossa. Fruto de uma boa pressão coletiva, recuperamos a bola e transitamos através do ponta do lado contrário, algo que tanto insistimos. O Rony ficou muito perto de fazer o 1º golo do jogo.

No decorrer da partida, fomos sempre uma equipa que bloqueou bem o adversário, com capacidade para transitar. Fomos conseguindo desferir "golpes" no Grêmio e estar junto da baliza adversária.

Para a etapa final, ambas as equipas não alteraram nada. Nosso adversário, com a necessidade expressa do resultado, teve cada vez mais volume ofensivo, mas se expôs cada vez mais. E foi numa transição que tanto pedimos ao longo dos últimos meses que conseguimos o 1º golo. Por meio de uma transição indireta, o Veiga conseguiu ser capaz de progredir com bola a partir de zonas baixas e "servir" o nosso ponta Wesley, que fez o golo.

*Figura 41: **Lance do 1º golo** – Situação de transição indireta, por meio da progressão*

Após a abertura do placar, não houve grandes oportunidades. Em que pese o volume ofensivo do adversário, nunca fomos ameaçados ao ponto de sentirmos a necessidade de alterar o sistema. Estávamos a defender bem e a conseguir transitar. Por esse motivo, as substituições que fizemos foram trocas diretas de jogadores. E foi assim que conseguimos "fechar o jogo de vez", através de nova transição ofensiva indireta, concluída num lance individual do Gabriel Menino, fazendo o 2x0.

Figura 42: Como defendemos o Grêmio nos últimos 10/15 minutos? 1:4:5:1, com os zagueiros com a missão de marcar os centroavantes adversários (dentro de área e no corredor) e o volante a encaixar entre zagueiros para cobrir o espaço libertado pelos zagueiros + Equipa junta para não dar espaços e bloquear a baliza

A partida terminou com uma vitória por 2x0. Apenas pela sexta vez na história da competição uma equipa tinha vencido os dois jogos da final. Para o clube, a conquista da Copa do Brasil representou o 3º troféu na temporada. Assim, 2020 se juntaria às temporadas de 1951, 1972 e 1993 como as mais vitoriosas da história do Palmeiras, cada uma delas com três títulos de grande relevância. Para nós, como equipa técnica, essa conquista tinha um sentimento especial acrescido: foi a primeira vez que um treinador estrangeiro venceu a Copa do Brasil.

O ambiente foi de festa, felicidade e celebração. Mas não envolto em tanto êxtase como após a final da Libertadores. Não só pela conquista em si ser diferente, mas principalmente porque houve um sentimento de alívio com o encerramento oficial da temporada 2020. "Férias, finalmente!", foi o que mais ouvimos no vestiário após a celebração.

Tal como na conquista da Libertadores, não se deu a comemoração devida da Copa do Brasil. Após a Libertadores, ainda existiu uma simbólica celebração com as famílias. No entanto, após a conquista da Copa do Brasil, o calendário não permitiu a comemoração desse título e do feito da temporada mais vitoriosa da história.

Neste momento de celebração, ocorre-nos um sentimento estranho. Sentimos falta de algo que nunca tivemos (mas que ambicionávamos ter): as emoções de uma celebração conjunta com a torcida, os jogadores e a nossa família. Fosse com estádio cheio de torcedores ou com as ruas de São Paulo pintadas de verde (como aquele corredor verde na semifinal da Libertadores contra o River Plate). Mas tal não foi possível. Devido à pandemia, não tivemos a oportunidade de viver estas experiências e de sentir essas emoções. Imperaram a responsabilidade social e as obrigações cívicas de todos nós. Trabalhamos muito para viver e sentir as emoções de conquistas como esta. Mas, naquele momento, não tivemos essa oportunidade...

Trabalharíamos mais para, no futuro, voltar a conquistá-las e festejá-las como sempre sonhamos.

Separadas por temas, estas foram as principais ideias apresentadas pelo Abel na coletiva:

Esperava ganhar tanto em tão pouco tempo?

Eu não penso nos títulos, penso no processo, na forma de trabalhar e na forma de lidar com os meus jogadores. Tenho de os convencer de que o caminho é este. Não prometi títulos quando cheguei, prometi qualidade no trabalho, dedicação, valorizar o futebol com minha opinião, com minha forma de jogar. Valorizar o clube, que é grande e temos de elevar ainda mais alto seu nome. E, claro, valorizar os nossos jogadores. É um dos meus compromissos, minha forma de trabalhar. Muita gente me perguntou como era possível o PAOK ter pago tanto dinheiro por um treinador que não ganhou títulos, o próprio Palmeiras. Alguma coisa fazemos que está certo. Tenho de agradecer ao presidente Galiotte, que teve coragem de apostar em um treinador sem títulos, de me dar a oportunidade de trabalhar no maior campeão brasileiro.

JOGO: PALMEIRAS 2X0 GRÊMIO (COPA DO BRASIL – FINAL – VOLTA)

O quanto gostaria de comemorar um título com o estádio lotado?

Já celebrei títulos enquanto jogador, mas como treinador não. Só uma amostra na Libertadores com os torcedores que estavam atrás do banco. Eram poucos, mas bons. E já massacraram a cabeça: "mete o Willian, mete aquele, mete outro". De uma coisa podem ter certeza, na minha função, as minhas intenções e tudo que faço é para o melhor do Palmeiras. Não vou acertar sempre, cometo muitas asneiras no meu trabalho, mas não há ninguém mais exigente comigo mesmo do que eu.

De que forma esse time pode ser melhor em 2021?

Temos de perceber que se ficarmos iguais, vamos parar. Para mim, o grande segredo do sucesso é no momento que ganha perceber o que tem de melhorar e continuar a investir para continuar a crescer. Não é esperar que as coisas corram mal para depois trocar. A partir de agora passamos a ser um alvo. Somos uma equipe que todo mundo vai querer ganhar. Os adversários vão se sentir motivados para derrotar os líderes, os campeões. Temos de estar preparados mentalmente. Nós como clube, estrutura, treinadores e torcedores. Digo já com toda sinceridade: vai ser muito difícil repetir outra temporada como essa. É bom que as pessoas tenham essa noção. O que vamos fazer, e é minha obrigação, da estrutura e de todos os patrocinadores também, é criar todas as condições para que a equipe continue a crescer, para que este clube siga a crescer. Só assim conseguiremos nos manter no topo. Este clube nos últimos anos tem sido vencedor e nós queremos continuar a juntar títulos. O próximo ano será difícil, especial, onde teremos muito mais dificuldades. Veremos se seremos todos um em todos os momentos. Agora é fácil dizer que é Palmeiras, que o treinador é bom, que a estrutura é espetacular, que os jogadores são os melhores do mundo. Mas quando criei esse logo, disse aos jogadores quando perdemos o Mundial que o "todos somos um" entra também nesse momento. O verdadeiro palmeirense tem que ser em todos os momentos. E é disso que precisamos cada vez mais nos bons e maus momentos. Mostrar que de fato somos verdes e diferentes. Somos Palmeiras!

Repercussão do título da Copa do Brasil em Portugal

Há um valor que meu pai me ensinou e minha mãe também, que é *gratidão. Não me esqueço das minhas raízes, é um orgulho tremendo ser português. Sinto mais do que nunca o fato de ser imigrante, mas não posso me esquecer de que foi o Brasil que me abriu portas para ganhar troféus. Jamais me esquecerei isso. Se me perguntas se no passado imaginei vir para o Brasil ganhar troféus, diria que não. Depois que tudo aconteceu seria muito difícil, conhecendo meus valores e princípios, que não sentisse a gratidão pelo Brasil e de forma especial pelo futebol brasileiro e mais especial ainda ao Palmeiras. Porque me deu oportunidade de colecionar meus primeiros títulos. Isso ninguém apagará, ficará gravado na minha memória e no meu coração.*

Programação para o início de 2021

Vamos todos ter descanso. É justo, merecido. Mas vamos continuar competitivos, dou-vos essa certeza. Vamos dividir todo mundo do CT, desde treinadores, jogadores, diretores, departamento médico. Precisamos "desligar" a ficha de quem sai, mas quem fica tem que estar com ela "ligada" e vamos nos revezar. Todos temos que ter calma com o Paulista e baixar um pouco a expectativa. Mas vamos ver o que os rapazes são capazes de fazer em contexto de dificuldade e de oportunidade. Se vão continuar com essa ambição e coragem de se desafiarem e ambição de crescer a cada dia. O Paulista está aí para isso, para dar oportunidades com a mesma vontade e identidade e todos os jogos lutar para vencer.

Tenho que ir (a Portugal). Não há outra forma. Acho que é merecido. Nossa equipe técnica vai se dividir, somos portugueses. Temos o Andrey que entra de férias e depois vai nos ajudar também. O interesse do clube vai estar sempre acima dos individuais, mas temos que fazer aqui alternadamente uma pausa. Peço desculpas se não me virem no banco em algum momento, mas os meus jogadores sabem que estarei presente todos os dias. Há formas de estarmos em contato. Mas tenho que atravessar o Atlântico, carregar energias, encher o coração de amor e carinho e voltar de novo.

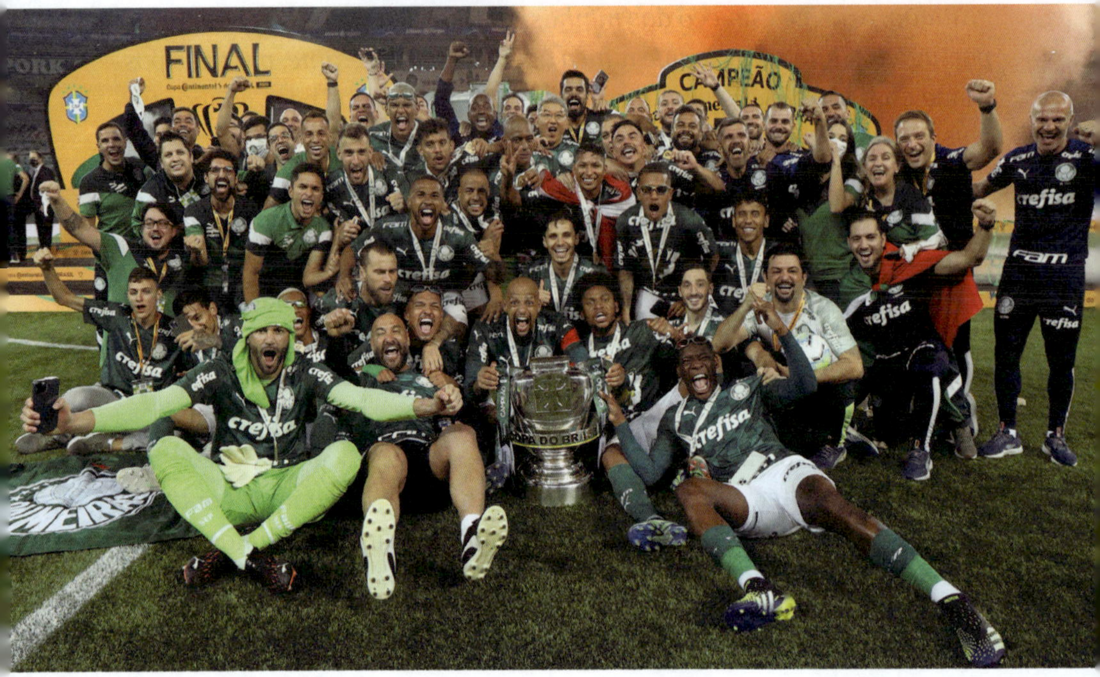
FINAL
crefisa
COPA DO BRASIL

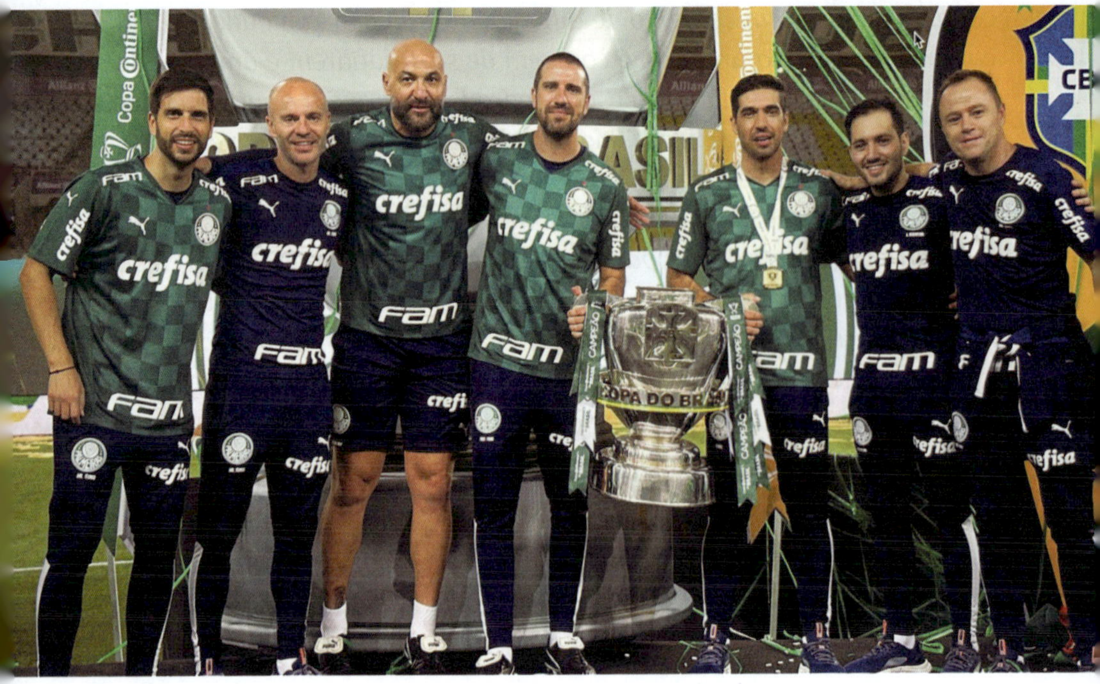
crefisa
COPA DO BRASIL

FINAL
Copa Continental do BRASIL 2020
CBF
PALMEIRAS
crefisa
FAM

CBF
CAMPEÃO
crefisa
FAM

Que a dureza do prélio não tarda   E o Palmei

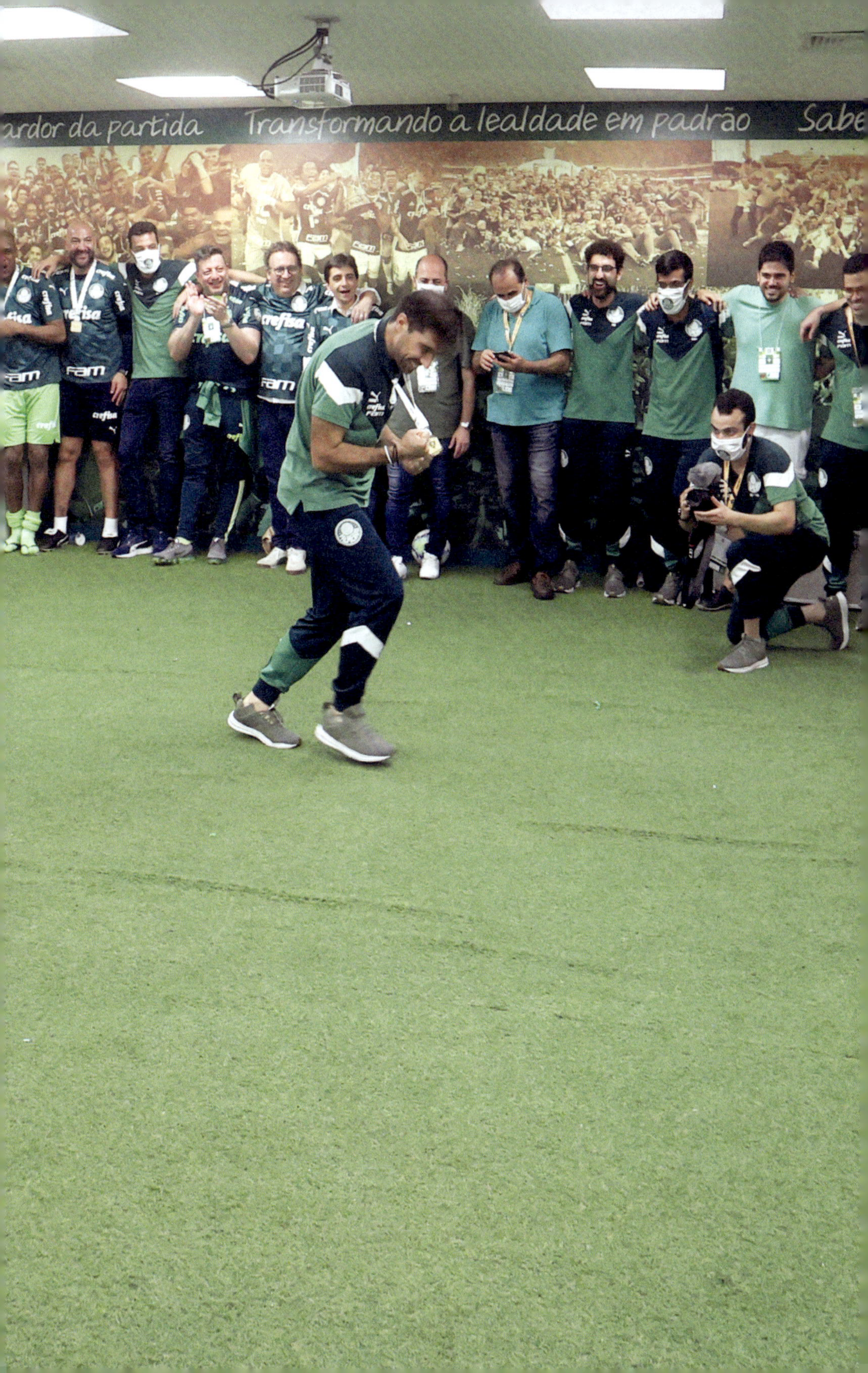
ardor da partida
Transformando a lealdade em padrão
Sabe

A adaptação ao contexto, a criatividade e a coragem

VOLTA **48**

"Não sei tudo e não sou o melhor treinador do mundo, mas tenho a ambição que o Palmeiras tem, que é de estar em todas as competições e fazer de tudo para ganhar."
Abel Ferreira

São Paulo, 8 de março de 2021

Se tivéssemos de pensar em três palavras que revelassem o segredo para a conquista de nossos dois primeiros títulos a serviço do Palmeiras, diríamos: adaptação, criatividade e coragem.

Ao longo dos quatro meses de trabalho no futebol brasileiro, vivemos situações inéditas em termos profissionais. O segredo para lidar com isso? A adaptação, a criatividade e a coragem.

Experimentamos desafios pela primeira vez, com os quais não tínhamos termo de comparação. O segredo para lidar com isso? A adaptação, a criatividade e a coragem.

Chegamos a uma equipa sem tempo para treinar e mesmo assim tivemos de arranjar formas de transmitir as nossas ideias. Como o conseguimos? Com a adaptação, a criatividade e a coragem.

Conseguimos que os jogadores "comprassem" as nossas ideias e as "vendessem" a um preço alto dentro de campo. O segredo para o conseguir? A adaptação, a criatividade e a coragem.

Assim, foram a adaptação ao contexto, a criatividade ao arranjar soluções para os diferentes problemas e a coragem de seguir as nossas convicções, que nos aproximaram da vitória. Essa adaptação, criatividade e coragem levaram-nos, em muitos momentos, a um desgaste tremendo, sobretudo mental, acentuado ainda mais pela densidade competitiva. Nós já somos, por si só, uma equipa técnica que discute bastante entre nós para procurar as melhores soluções para os problemas. E com a quantidade de problemas que aqui enfrentamos, tivemos de discutir com mais frequência, e também essas discussões nos desgastam. Não em termos de relacionamento, porque

A ADAPTAÇÃO AO CONTEXTO, A CRIATIVIDADE E A CORAGEM   225

o objetivo das discussões é claro e sempre em busca do que é melhor para equipa, mas em termos mentais e emocionais.

Contudo, a grande adaptação forçada que tivemos de fazer foi em relação à falta de tempo para treinar – ou seja, a falta de tempo para transmitir informações aos jogadores e eles as repetirem sistematicamente nos exercícios dentro de campo. Isso nos fez criar estratégias de treino e de transmissão de informação "diferentes"; nos fez encontrar soluções para problemas que nunca tivemos; e nos fez crescer como profissionais, ao desafiar-nos tanto profissionalmente.

Sobre a falta de tempo de treino, fizemos um balanço da temporada e realçamos os pontos mais importantes:

• No total de 87 treinos, somente 14 deles foram de aquisição de conteúdos. Os restantes foram de recuperação (28) e estratégia de jogo (45);

• Nosso microciclo mais frequente foi o microciclo de JOGO-TREINO-TREINO-JOGO, que aconteceu por 15 vezes. Nele, o dia de treino pós-jogo (dia +1/+1.1) é ainda de recuperação, e o dia de treino pré-jogo pode ser de recuperação (dia +2.1) ou de estratégia (dia -1.1), dependendo da condição física dos jogadores nesse dia e da carga acumulada;

• Por 7 vezes, tivemos o microciclo de JOGO-TREINO-JOGO. Em 3 oportunidades, treinamos na manhã do jogo para rentabilizar o tempo;

Figura 43: Balanço de treinos da temporada 2020

CALENDÁRIO 2020-21

NOVEMBRO		DEZEMBRO		JANEIRO		FEVEREIRO		MARÇO	
1 DOM		1 TER		1 SEX		1 SEG		1 SEG	
2 SEG		2 QUA	DELFIN (VOLTA)	2 SAB		2 TER	BOTAFOGO (CASA)	2 TER	
3 TER		3 QUI		3 DOM		3 QUA		3 QUA	CORINTHIANS (FORA)
4 QUA		4 SEX		4 SEG		4 QUI		4 QUI	
5 QUI	REDBULL (CASA)	5 SÁB	SANTOS (FORA)	5 TER	RIVER PLATE (FORA)	5 SEX		5 SEX	
6 SEX		6 DOM		6 QUA		6 SÁB		6 SÁB	
7 SÁB		7 SEG		7 QUI		7 DOM	MUNDIAL	7 DOM	GRÊMIO (CASA)
8 DOM	VASCO (FORA)	8 TER	LIBERTAD (FORA)	8 SEX		8 SEG		8 SEG	
9 SEG		9 QUA		9 SÁB	SPORT (FORA)	9 TER		9 TER	
10 TER		10 QUI		10 DOM		10 QUA		10 QUA	
11 QUA	CEARÁ (CASA)	11 SEX		11 SEG		11 QUI	MUNDIAL	11 QUI	
12 QUI		12 SÁB	BAHIA (CASA)	12 TER	RIVER PLATE (CASA)	12 SEX		12 SEX	
13 SEX		13 DOM		13 QUA		13 SÁB		13 SÁB	
14 SÁB	FLUMINENSE (CASA)	14 SEG		14 QUI		14 DOM	FORTALEZA (CASA)	14 DOM	
15 DOM		15 TER	LIBERTAD (CASA)	15 SEX	GRÊMIO (CASA)	15 SEG		15 SEG	
16 SEG		16 QUA		16 SÁB		16 TER		16 TER	
17 TER		17 QUI		17 DOM		17 QUA	CORITIBA (FORA)	17 QUA	
18 QUA	CEARÁ (FORA)	18 SEX		18 SEG	CORINTHIANS (CASA)	18 QUI		18 QUI	
19 QUI		19 SÁB	INTERNACIONAL (FORA)	19 TER		19 SEX	SÃO PAULO (FORA)	19 SEX	
20 SEX		20 DOM		20 QUA		20 SÁB		20 SÁB	
21 SÁB	GOIÁS (FORA)	21 SEG		21 QUI	FLAMENGO (FORA)	21 DOM		21 DOM	
22 DOM		22 TER		22 SEX		22 SEG	ATLÉTICO-GO (CASA)	22 SEG	
23 SEG		23 QUA	AMÉRICA-MG (CASA)	23 SÁB		23 TER		23 TER	
24 TER		24 QUI		24 DOM	CEARÁ (FORA)	24 QUA		24 QUA	
25 QUA	DELFIN (IDA)	25 SEX		25 SEG		25 QUI	ATLÉTICO-MG (FORA)	25 QUI	
26 QUI		26 SÁB		26 TER	VASCO DA GAMA (CASA)	26 SEX		26 SEX	
27 SEX		27 DOM	BRAGANTINO (CASA)	27 QUA		27 SÁB		27 SÁB	
28 SÁB	ATHLETICO PR (CASA)	28 SEG		28 QUI		28 DOM	GRÊMIO (FORA)	28 DOM	
29 DOM		29 TER		29 SEX				29 SEG	
30 SEG		30 QUA	AMÉRICA-MG (FORA)	30 SÁB	SANTOS			30 TER	
		31 QUI		31 DOM				31 QUA	

Legenda:

- 🟥 FERIADOS
- 🟪 PAULISTA
- 🟦 LIBERTADORES
- 🟩 BRASILEIRO
- 🟨 COPA DO BRASIL
- 🟥 MUNDIAL FIFA
- 🟦 RECOPA
- 🟩 SUPERCOPA BR

• No total de microciclos, por 10 vezes tivemos de treinar na manhã do jogo para rentabilizar todo o tempo e prepararmo-nos da melhor forma possível para a partida;

• No total de 0 vezes, tivemos uma semana "limpa" para trabalhar, isto é, uma semana completa de treinos entre jogos;

• No período de temporada com o Abel como técnico, ou seja, nos últimos 128 dias da época, os jogadores praticamente só tiveram 12 dias de folga. (Algo que dá para refletir sobre a fadiga mental!)

Apesar de tudo, esta adaptação forçada ao contexto teve consequências muito positivas: a primeira, a conquista de títulos importantes para o Palmeiras e para todos os que trabalham diariamente no clube; a segunda, um desenvolvimento muito grande de nossas capacidades profissionais em virtude do contexto desafiador do futebol brasileiro; a terceira, por nos permitir abrir horizontes e quebrar alguns dogmas que criamos ao longo dos últimos anos.

Todos os momentos de dificuldade, crise ou revolução podem ser momentos de inovação e crescimento em todos as áreas e setores de atividade.

"Ganhar é como um orgasmo"

2º PIT STOP

"Acho que foi um ano mágico poder levantar três títulos desse tamanho. Para mim, um ano praticamente perfeito."
Wesley

"Para mim, o grande segredo do sucesso é no momento em que tu ganhas perceber o que é que tens de melhorar e continuar a investir para continuar a crescer."
Abel Ferreira

São Paulo, 10 de março de 2021

Refletindo sobre a temporada 2020, perguntamo-nos: poderia ser melhor? Com certeza! No entanto, a conquista de três títulos numa época de pandemia ficará para sempre na história do clube. Foi a primeira vez que o Palmeiras alcançou a Tríplice Coroa com um título estadual, um título nacional e um título continental no mesmo ano.

A temporada de 2020 se iniciou com o trabalho do técnico Vanderlei Luxemburgo e de sua comissão técnica, que conquistaram o Paulista, e terminou com a nossa equipa técnica, liderada por Abel Ferreira, que conquistamos a Copa do Brasil e a Copa Libertadores da América.

No entanto, permitam-nos a franqueza: os jogadores são os grandes protagonistas e o mérito é deles. Foram eles que tornaram possíveis estas conquistas. Obviamente, bons jogadores tornam um treinador melhor, e bons treinadores tornam os jogadores melhores também.

O treinador depende mais dos jogadores do que os jogadores do treinador; em condições normais, será sempre assim. Não há treinador que ganhe sem jogadores, mas há jogadores que ganham sem treinador. Por isso, todo o nosso respeito, carinho e admiração pelos "nossos jogadores" que nos tornaram melhores treinadores.

Além disso, também pudemos sentir a alegria e felicidade em todos aqueles que trabalham conosco ou fazem parte da nossa vida. Ver os outros felizes é também muito gratificante para nós.

Terminada a temporada, vivemos uma experiência pela primeira vez: sentimos que ganhar é como um orgasmo, com o devido respeito a todos os leitores do livro. Isto porque, depois de conquistar os títulos, atingimos um pico de adrenalina tremendo, que se esfuma e desaparece muito rapidamente. Além disso, ganhar também é viciante, não só pelas emoções vividas nesse pico de adrenalina que sentimos, como também pelas consequências positivas que as conquistas dos títulos nos trazem. Sentimento espetacular e efêmero, que nos resta buscar novamente...

Férias: um mal necessário

VOLTA 49

"Tudo que eu faço é para o bem do Palmeiras. Não vou acertar sempre, vou cometer muitos erros seguramente. Não sou perfeito, mas podem ter certeza de que não há ninguém mais exigente comigo do que eu próprio."
Abel Ferreira

São Paulo, 1º de abril de 2021

Após a final da Copa do Brasil, encerramos a temporada 2020. Ou seja, 427 dias após o primeiro dia de trabalho, o grupo iniciou um curto (!) mas merecido descanso. Apesar de ser uma necessidade em termos mentais e físicos, nossa decisão de dar férias foi também uma desvantagem em termos competitivos. Para compreender o porquê, precisamos entender todo o contexto.

Nos catorze meses que distanciaram temporalmente o primeiro jogo da temporada 2020 ao último da Copa do Brasil, o plantel do Palmeiras participou do máximo número de partidas possível: foram 79 jogos em seis competições do ano 2020 e ainda mais 1 jogo de uma competição do ano 2021 (Tabela 8).

COMPETIÇÃO	FLORIDA CUP	PAULISTA 2020	BRASILEIRO 2020	COPA DO BRASIL 2020	LIBERTADORES 2021	MUNDIAL DE CLUBES 2021	PAULISTA 2021
PARTIDAS POR CAMPEONATO	2	16	38	8	13	2	1
% DE PARTIDAS DISPUTADAS PELA SEP NO CAMPEONATO	100%	100%	100%	100%	100%	100%	-

Tabela 8: Quantidade de jogos efetuados pelo Palmeiras na temporada 2020 por competição

O feito notável de disputar o máximo de jogos em cada torneio e o sucesso atingido nas diferentes competições tornou a temporada 2020 uma das melhores da história no quesito títulos (igualando as de 1951, 1972 e 1993): foram conquistados três campeonatos significativos. No entanto, a vitoriosa campanha não trouxe apenas consequências positivas.

Devido à pandemia, a temporada 2020 teve a duração de 14 meses, sendo extremamente desgastante pela densidade competitiva provocada pelo adiamento dos jogos. Nos quatro últimos meses da campanha, por exemplo, tivemos uma média de 9 a 10 partidas por mês, acentuando o desgaste mental e físico provocado pela quarentena e pela pandemia.

Quando finalmente terminamos a temporada 2020, dez dias depois dos nossos adversários – e tendo em conta que o Campeonato Paulista 2021 já havia começado antes de terminar a temporada anterior –, surgiu a questão: damos férias ou não?

Por um lado, o desgaste provocado pela longa temporada indicava um período de descanso para jogadores (e funcionários). Por outro, tínhamos como objetivo ser competitivos no Campeonato Paulista, que é, de longe, o campeonato estadual mais difícil do Brasil.

Apesar de termos vontade de disputar o Campeonato Paulista 2021 na máxima força, não poderíamos deixar de considerar a extrema necessidade dos jogadores (e funcionários do clube) de ter um período de férias que permitisse desligar o chip do futebol. Não sabemos se a temporada 2020 foi a mais longa da história, mas temos a exata noção do impacto físico e mental que esta extensa campanha exerceu em todos nós. Assim, a decisão de dar férias aos jogadores foi fundamentada num imperativo categórico e teve como objetivo providenciar aos atletas um merecido período de descanso da desgastante temporada anterior.

Optamos pela divisão do plantel em três grupos (com férias alternadas). Tratava-se da melhor solução para termos uma equipa minimamente competitiva a disputar o Campeonato Paulista 2021:

• Grupo 1 (jogadores mais utilizados): férias de 8/3/21 a 18/3/21;

• Grupo 2 (jogadores menos utilizados): férias de 19/3/21 a 31/3/21;

• Grupo de apoio (jogadores oriundos da base no ano de 2020 ou 2021/ jogadores lesionados/ jogadores a retornar ao clube): férias a determinar.

Nossa decisão previa que o Grupo 1 voltasse em 18 de março e ainda realizasse 3 ou 4 partidas do Paulista antes da Recopa e Supercopa, como forma de preparação para ambas. No entanto, de forma inesperada, houve uma paralisação do Campeonato Paulista no período prévio às duas finais. Devido às regras sanitárias do Estado de São Paulo, os jogos oficiais foram cancelados; nem sequer amistosos puderam ser realizados antes das duas decisões. Assim, enquanto nós chegávamos para Recopa e Supercopa após um período de férias e sem jogos de campeonato, nossos adversários vinham de um ritmo que incluía partidas oficiais: o Flamengo disputava o Carioca após as férias e o Defensa y Justicia estava em atividade no Campeonato Argentino e na Copa Argentina.

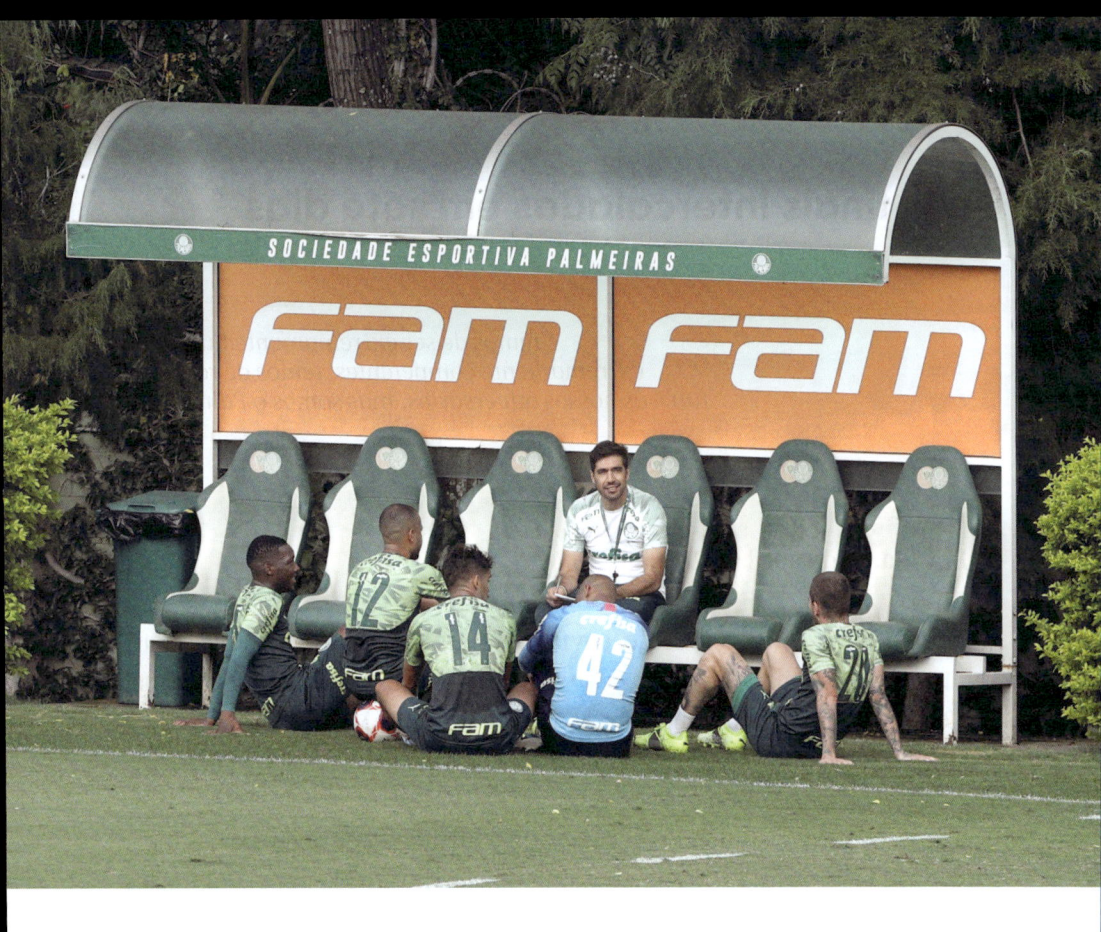

Desta forma, as férias, que considerávamos um mal necessário, acabaram por ter ainda mais desvantagens do que vantagens. A nossa intenção era ter vários jogos antes das finais para as preparar devidamente. "*You can't always get what you want*" – "nem sempre temos o que queremos", já cantavam os Rolling Stones.

Duas finais intercaladas em sete dias

VOLTA **50**

"Temos de ser extremamente humildes, extremamente competentes, temos de respeitar 100% os nossos adversários, mas somos o Palmeiras."
Abel Ferreira

Brasília, 14 de abril de 2021

Como referido anteriormente, havíamos definido em nosso planejamento que o Grupo 1 voltasse e realizasse 3 ou 4 jogos do Paulista antes da final da Recopa e Supercopa como forma de preparação. Mas isso acabou não acontecendo devido ao cancelamento dos jogos do Paulista no período anterior à Recopa e à Supercopa.

A Recopa seria disputada em 2 jogos (nos dias 7 e 14 de abril); já a Supercopa, em 1 jogo (no dia 11 de abril). Como ponto de partida para falar destes jogos, gostaríamos de ter entendido o porquê de terem agendado uma final da Supercopa entre os jogos da Recopa. Por várias vezes, fizemos esse questionamento – e continuamos sem resposta. Jogos de final têm um componente emocional e físico muito elevado e, no espaço de 7 dias, tivemos de disputar 3 jogos que definem títulos. Faltaram sensibilidade e conhecimento de causa a quem permitiu que a Supercopa fosse realizada entre os jogos da Recopa, não defendendo a igualdade/isonomia entre ambas as equipas nem o interesse pelo espetáculo que é o futebol.

O primeiro jogo do Grupo 1, após as férias, foi a partida de ida da Recopa. Estávamos preparados para esse desafio: um confronto às 21h30 na Argentina, com temperaturas baixas e um adversário muito competitivo. Foi um jogo intenso e extremamente disputado, como são em norma todos os duelos entre equipas brasileiras e argentinas. A vitória acabou por surgir por nossa capacidade de igualar os níveis de competitividade e a agressividade do adversário. Terminado o jogo com o placar de 2x1, optamos por dormir na Argentina e viajar para o Brasil no dia seguinte, diretamente para Brasília, onde aconteceria a decisão da Supercopa. Assim, no dia 8 de abril fizemos a viagem e montamos lá o nosso quartel-general, dentro da logística possível.

A Supercopa foi muito bem disputada. Estrategicamente, conseguimos estar bem ofensiva e defensivamente. Começamos a ganhar com um golo da nossa equipa aos 2' de jogo e sofremos dois golos ainda no primeiro tempo. Em desvantagem no marcador no intervalo (1x2), acabamos por empatar 2x2 no tempo regulamentar. Com a igualdade no placar, fomos a pênaltis. Na marcação de grandes penalidades, porém, fomos menos competentes que nosso adversário – não só porque falhamos mais pênaltis do que eles, mas principalmente porque estivemos em vantagem por duas vezes e não tivemos a capacidade de "matar" o jogo. Após o 3º pênalti de ambas as equipas, tínhamos 3x1 a nosso favor; falhamos o 4º e 5º pênalti e deixamos escapar a vantagem de 2 penalidades em relação ao Flamengo. Apesar do resultado e de termos perdido um título, foi um jogo com boa promoção para o futebol brasileiro: final única, bem organizada e bem jogada entre duas grandes equipas que proporcionaram um grande espetáculo.

O jogo de volta da Recopa teve várias particularidades. A primeira delas: como a partida não foi disputada no nosso estádio, acabamos por fazer ambos os jogos fora de casa. Isto porque as regras sanitárias do Estado de São Paulo ainda não permitiam a realização de eventos desportivos – o que aconteceria, porém, no dia seguinte ao jogo... Por somente um dia, será que não podíamos mesmo ter jogado em nossa casa? Por somente um dia, tivemos de fazer a partida de volta da Recopa fora do nosso estádio e fora do nosso ambiente natural? Incrível!

Dentro de campo, este jogo de volta teve vários jogos dentro do próprio jogo. Aconteceu de tudo!

Começamos com 1x0 para nós aos 23', com um gol de pênalti, e 7' depois sofremos o gol do empate. Aos 68', surgiu o primeiro contratempo: a expulsão de Matías Viña, em lance involuntário que o árbitro considerou agressão ao jogador adversário. Até esse momento e apesar do empate em 1x1, estávamos por cima do jogo. Depois da expulsão, nossa equipa inconscientemente baixou as linhas e o adversário começou a ter maior presença na nossa área defensiva através de situações de cruzamento.

Aos 92'55'', o resultado nos era favorável. O jogo terminaria aos 95'. Acabamos por sofrer o gol quando faltavam somente 2'05'' para o apito final.

Num lance caricato, no qual não aliviamos devidamente a bola, o adversário ganhou o rebote e empatou a eliminatória num remate de fora da área. 2x1 e o jogo foi para a prorrogação.

Mais uma particularidade: aos 10' da 1ª parte do prolongamento, tivemos um pênalti a nosso favor. Perdemos o pênalti... Talvez fosse um sinal, mas recusávamo-nos a acreditar.

O jogo foi novamente para a disputa de penalidades máximas. Depois de termos perdido uma final 3 dias antes nos pênaltis, sentimos que pairava uma certa insegurança no ar. Não acreditamos que os pênaltis são uma loteria; perdemos novamente porque fomos menos competentes que nosso adversário. Depois de vencer por 2x1 na Argentina, sentimos uma grande frustração por não termos vencido a Recopa. Um sentimento acentuado pelo fato de ter sido um jogo onde tudo aconteceu à nossa equipe e com uma narrativa muito peculiar! Tão peculiar que, acreditamos nós, dificilmente se repetirá ao longo das nossas carreiras. Mas o futebol é mesmo assim: mágico, (muitas vezes) imprevisível e apaixonante.

As consequências de duas finais perdidas... ambas nos pênaltis

VOLTA 51

"Derrota sempre dói. Ninguém gosta de perder. Mas precisamos entender que o futebol é assim. E é bom por causa disso: se um dia a gente perde, amanhã podemos dar a resposta."
Patrick de Paula

São Paulo, 15 de abril de 2021

Depois de sairmos derrotados em duas finais num período de sete dias, ambas nos pênaltis, sentimo-nos como se tivéssemos perdido uma corrida de Grande Prêmio após termos derrapado na última curva da última volta. Ou como se perdêssemos uma luta de boxe após sofrer dois inapeláveis nocautes. Além dos danos emocionais, estes resultados trouxeram uma série de consequências negativas para nosso ambiente, em sua maior parte vindas do exterior.

Havíamos iniciado a temporada com expectativas elevadíssimas, fruto da bem-sucedida temporada anterior. E agora, estávamos a pagar pelo próprio sucesso. Fomos nós que colocamos o sarrafo tão alto e agora sofríamos com isso.

Depois, a frustração de perder ambas as finais nos pênaltis, sendo que, em nenhum dos jogos, fomos inferiores aos nossos adversários. Pela terceira vez no ano (Mundial de Clubes, Supercopa e Recopa), perdemos um título ou uma classificação melhor nos pênaltis.

Além disso, a desilusão por, em ambas as finais, estarmos com o pássaro na mão e tê-lo deixado fugir. Na Supercopa, tivemos a vantagem nos pênaltis por duas vezes; na Recopa, o tempo jogava a nosso favor (mas sofremos gol os 93') e tivemos a oportunidade de fazer mais um golo de pênalti aos 10' da prorrogação.

Por último, mas não menos importante: a Sociedade Esportiva Palmeiras é um clube que vive de títulos e começar a temporada perdendo aumenta a pressão externa.

Internamente, todos tiveram a percepção e a noção de que perdemos ambas as finais por detalhes. Só fomos menos competentes do que os adversários nos pênaltis.

De nosso ponto de vista como profissionais do futebol, isso pode acontecer: afinal, o futebol (ainda) é um jogo onde três resultados são possíveis, apesar de trabalharmos arduamente todos os dias e todos os jogos para um só resultado, a vitória. Entretanto, para um clube com a exigência e expectativas dos torcedores do Palmeiras, isso parece incompreensível. Como se pode terminar uma temporada a ganhar e começar outra a perder?

No entanto, sempre ouvimos que "Só existe uma emoção maior que a de ser campeão... É a emoção de ser Palmeirense!"...

As redes sociais e os três budas

52

"Tudo tem um momento certo. Cheguei com 33 anos no Palmeiras, nunca tinha jogado uma Série A. Pessoal falou: 'pô, vai trazer um goleiro de 33 anos?'. Me criticaram bastante. Entrou em um ouvido, guardei. Tudo o que ouvi para mim foi combustível."
Jailson

"Há jogadores que gostam de ler os comentários nas redes sociais. Digo-lhes que os mesmos que elogiarão agora, irão criticar depois. Temos de ser equilibrados."
Abel Ferreira

São Paulo, 17 de abril de 2021

Como é efêmero o momento no futebol. Depois de um título tão importante quanto a Copa Libertadores da América (conquistado 21 anos depois), e um título tão prestigioso como a Copa do Brasil, as derrotas recentes abafaram qualquer significado que essas conquistas pudessem ter. Esse foi o sentimento com que fomos absorvidos após vermos os muros do Palmeiras pichados com o nome do Abel, do presidente e de jogadores que tantas alegrias nos deram.

No entanto, e mais do que os muros pichados, as redes sociais e os meios de comunicação podem ser os maiores inimigos dos profissionais de futebol, quer nos momentos de sucesso, quer nos momentos de insucesso - principalmente nestes.

Quando as coisas correm mal, jogadores, treinadores e profissionais de futebol são alvos de injúrias e enxovalhamento público, por parte de pessoas que se escondem por trás de um celular ou computador. Ou então por parte de pessoas que, em busca de atenção e protagonismo, utilizam os canais de televisão para se promover.

Respeitamos que todos tenham a sua opinião, mas não compreendemos que alguém possa usá-la simplesmente para rebaixar ou ofender alguém. Criticar? Sim! Faz parte da vida... Ofender? Não! Não entendemos... Uma ofensa demonstra muito mais do caráter da pessoa que ofende do que de quem é ofendido.

Para nós, são duas as soluções para estes momentos. A primeira é o equilíbrio emocional, pois nem tudo está bem nos momentos de sucesso nem tudo está mal nos momentos de insucesso.

A segunda é a técnica dos três budas: não falar, não ver e não ouvir. Cedendo à tentação de falar e/ou ver e/ou ouvir, podemos ser contagiados por sentimentos negativos e depressivos que em nada vão contribuir para superarmos um eventual momento menos bom.

No Brasil, passamos por algumas destas experiências. Um exemplo que nos fica na memória foi o que aconteceu com o Ramires, que decidiu retirar-se do Palmeiras – e do futebol, mesmo tendo convites para voltar à ativa – após um longo período de tempo em que foi criticado e ofendido.

As redes sociais são um espelho da sociedade. Nelas, podemos encontrar de tudo. Pessoas positivas e negativas, pessoas sensatas ou não sensatas, etc. No entanto, nos dias de hoje, os comentários nas redes sociais são muito agressivos, mal-educados e cruéis. São um massacre psicológico para quem ceder à tentação de ouvir e/ou ler.

Para quem critica, permita-nos uma observação: não há ninguém que fique mais frustrado, desiludido e triste com uma má performance do que o próprio jogador. Não há ninguém que fique mais frustrado, desiludido e triste com uma má decisão tática do que o próprio treinador. Talvez quando entendamos isso, consigamos ser mais sensíveis e tolerantes ao erro. Por mais que os jogadores e treinadores sejam vistos como ídolos de milhares ou milhões de pessoas, somos todos feitos de carne e osso. E todos nós, independentemente da sua profissão, vamos acertar e vamos errar. As únicas certezas são: ninguém que tem caráter erra de propósito; todos que têm ambição trabalham cada vez mais para errar cada vez menos.

Para quem é criticado, o que referimos antes. Ter equilíbrio emocional para perceber que um mau momento não define o que fazemos nem o que somos. E não esquecer da técnica dos três budas! Não falar, não ver e não ouvir! E seguir em frente... Com convicção.

P.S.: Só nos afeta o que nós deixamos que nos afete. Por isso, o poder está em nós e não nos outros.

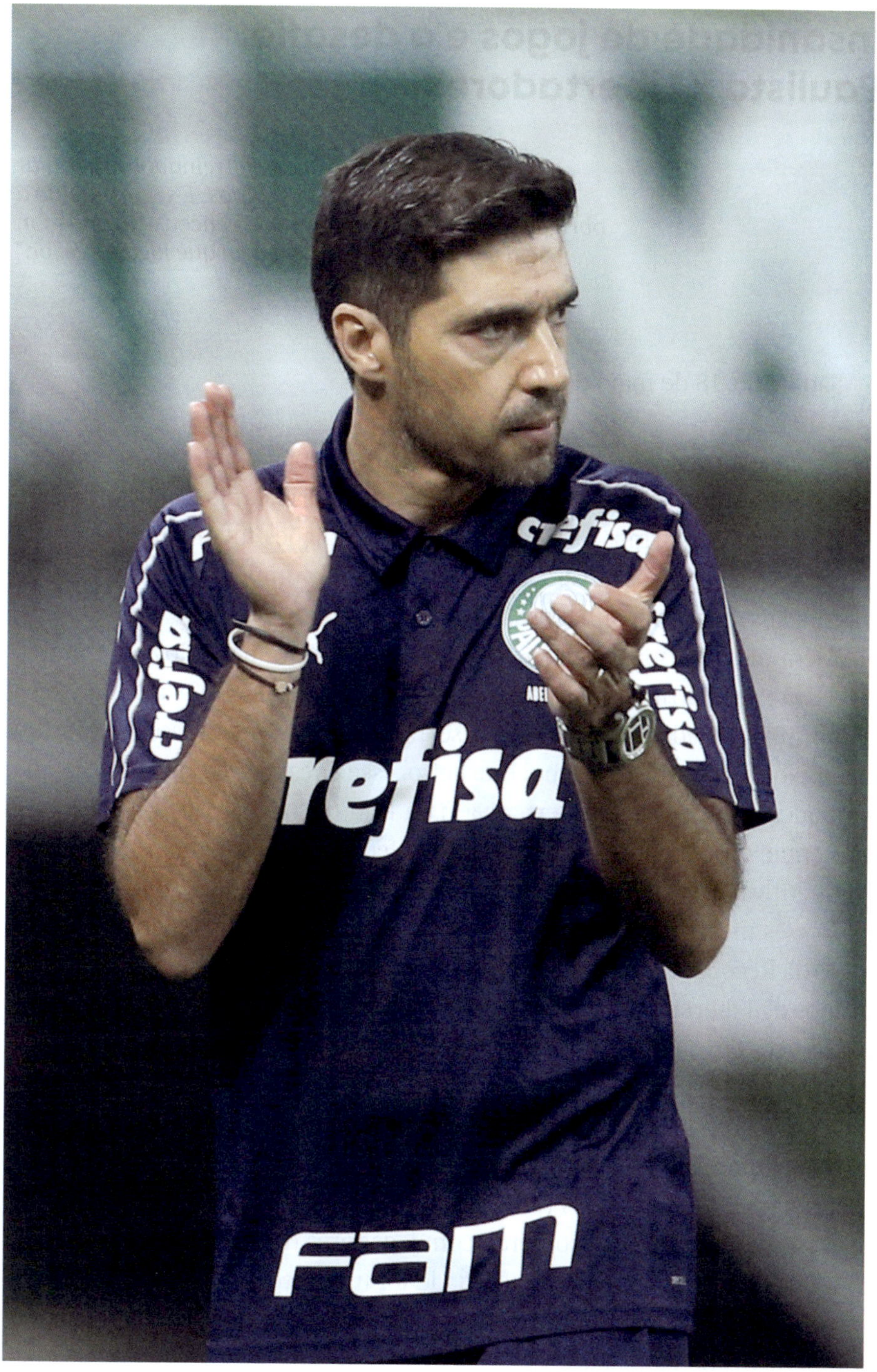
crefisa
crefisa
crefisa
crefisa
FAM

Insanidade de jogos e o desafio: Paulista x Libertadores

VOLTA **53**

"A minha função como treinador é arranjar soluções, não arranjar desculpas. E seguramente a obrigação que tenho é jogar para vencer, seja onde for, seja contra quem for, seja com que jogadores for."
Abel Ferreira

São Paulo, 18 de maio de 2021

O cancelamento dos jogos no período pré-Recopa e pré-Supercopa teve várias consequências negativas. Uma delas, como já falamos anteriormente, foi o fato de chegarmos às duas finais em condições totalmente desiguais em relação aos nossos adversários – ou seja, sem competição efetiva (partidas oficiais ou mesmo amistosos).

Além disso, os jogos cancelados tiveram de ser remarcados para outras datas. O Paulista tinha de terminar, obrigatoriamente, em 23 de maio, e os compromissos adiados precisaram ser "encaixados" nos meses de abril e maio. No calendário do futebol brasileiro, esse encaixe é complicado, já que há poucas ou nenhuma alternativa para este tipo de situação – a não ser aumentar o condensamento dos jogos e, consequentemente, a densidade competitiva.

Nesses meses de abril e maio, disputamos 22 jogos de 5 competições: 2 jogos da Recopa, 1 jogo da Supercopa, 12 jogos do Paulista, 6 jogos da fase de grupos da Libertadores e ainda 1 jogo do Brasileirão. Ora, com a insanidade de 22 jogos em 53 dias – 4 jogos a cada 7 dias, durante 5 semanas –, questionamo-nos: como vamos gerir isto?

A solução que encontramos para o problema foi a de montar 3 equipas para disputar os 4 jogos por semana. Uma que só disputaria os jogos da Libertadores, e outras duas (uma com um mix de jogadores do profissional e jovens da base, e outra somente com jogadores do sub-20) que atuariam nos jogos do Paulista. Esta rotatividade foi uma necessidade extrema para sermos competitivos na Copa Libertadores e tentarmos ser minimamente competitivos no Paulista.

Permitam-nos agora uma observação, que somente queremos que sirva como alerta para a saúde mental dos profissionais que trabalham no futebol.

Apesar da rotatividade dos jogadores, houve algo que nunca existiu: rotatividade do treinador ou da equipa técnica. Tivemos de preparar 14 jogos em 32 dias ou 22 jogos em 53 dias, com uma média de 10 a 12 jogos por mês!

Nossa filosofia é sempre preparar todas as partidas da mesma forma: analisar o último jogo, analisar o adversário e preparar a estratégia do próximo jogo. Como podemos fazer isso com partidas no intervalo de 48 horas? E como podemos fazer isso de forma consistente durante estes dois meses insanos de abril e maio? A verdade é que não podemos cumprir à risca nosso método e nossa filosofia. Tivemos de nos adaptar para conseguir "sobreviver" a esta sequência louca.

Este período foi extremamente desgastante e penoso para todos nós, enquanto comissão, e em particular para o Abel, enquanto treinador, que dia sim dia não tinha de enfrentar as perguntas (algumas bem provocadoras!) da imprensa e da comunicação social.

Estes dois meses, que provavelmente nos tiraram anos de vida, foram extremamente desafiadores. E suas consequências acabaram por ser visíveis a todos, dentro e fora do clube: um treinador e uma comissão com fadiga mental. A carga de trabalho excessiva, o confronto com a emoção da vitória ou da derrota e a necessidade de preparar jogos em intervalos de tempo recorde afetaram, de forma imensa, nossa parte psíquica.

Bem sabemos que somos pagos para executar nossa atividade de qualquer forma, e do quão bem pagos somos comparativamente a outras profissões com igual ou superior desgaste mental. No entanto, esta densidade competitiva, nunca vista no futebol, está muito acima de qualquer questão profissional ou desportiva: é uma questão de saúde que afeta qualquer pessoa, tenha ela a profissão e a posição que tiver.

A insanidade de jogos acabou por ser penosa para tudo e todos, mas principalmente para nós da comissão e de todos os departamentos que tivemos de preparar jogos em tempo recorde. E muito em particular para o Abel que, como responsável máximo pela equipa, precisou dar o corpo às balas de forma frequente.

O "laboratório" do Paulista

VOLTA **54**

"Nós sabemos que são muitos jogos, então é legal aprender um com outro. A gente troca essas ideias. A gente não se vê como concorrente na posição. Vemos como uma concorrência positiva para a evolução."
Victor Luis

São Paulo, 19 de maio de 2021

Tendo em conta as circunstâncias do adiamento dos jogos, tivemos de tomar uma decisão estratégica em termos de abordagem aos campeonatos. A Copa Libertadores foi tida como nossa principal competição, e o Campeonato Paulista usamo-lo como "laboratório" – como referido anteriormente, na Libertadores jogaríamos com uma equipa e no Paulista com duas equipas, uma com um misto dos atletas da equipa profissional e os jovens da base e a outra somente com os jovens jogadores do sub-20.

Internamente, houve esse acordo e compromisso em relação à sequência dos dois campeonatos. Apesar de não ter existido uma comunicação para o exterior no momento certo – que seria no início da competição –, mais tarde ela foi realizada: primeiro através do Abel em coletiva de imprensa, depois pelo Presidente Maurício Galiotte em entrevista.

Mesmo num contexto como este, conseguimos na última rodada da fase de grupos do Campeonato Paulista atingir a fase final da competição, utilizando majoritariamente os jogadores da base do clube.

Aí, surgiu a questão: "E agora? Estamos a um passo de uma final e vamos desperdiçar esta oportunidade?". "Não!", foi nossa decisão. Uma vez que estávamos naquela posição, resolvemos que lutaríamos pelo troféu. E assim, considerando que os 4 jogos restantes da competição (quartas de final, semifinal e as finais do Paulista) aconteceriam em somente 10 dias (!), decidimos reverter as nossas prioridades nesse período de tempo. Posto isso, encaramos esses jogos unicamente com os jogadores da equipa profissional.

No estádio rival, vencemos por 2x0 e eliminamos o Corinthians do campeonato estadual

Nas quartas de final, superamos o Red Bull Bragantino, por 0x1, fora de casa. Um adversário competente e qualificado, num estádio muito complicado de se jogar.

Na semifinal, ganhamos do nosso maior rival, Corinthians, por 0x2, também fora de casa! A vitória contra um rival é sempre especial para o torcedor – ainda mais quando se trata de uma eliminatória.

Foi desta forma inequívoca que garantimos a presença em mais uma final, desta vez do Campeonato Paulista.

Jogo: Palmeiras 0x0 São Paulo
(Paulista - final - ida)

55

"O jogo de futebol é feito de erros e de acertos. Para mim, os jogadores mentalmente fortes são aqueles que conseguem lidar com os erros e os acertos da mesma maneira."
Abel Ferreira

São Paulo, 20 de maio de 2021

Estávamos na final do Campeonato Paulista, o estadual mais disputado do Brasil. Era mais uma decisão em que dizíamos "presente!". O nosso adversário foi o São Paulo, contra quem já tínhamos jogado em outra fase do Paulista. Por essa partida, sabíamos o quão difícil seria esta final.

O nosso adversário encontrava-se em um momento muito bom. No Paulista tinha apenas 1 derrota e, em todas as competições da temporada, somava apenas 2 derrotas. O que mais nos impressionava na equipa do São Paulo era a intensidade da marcação mano a mano, a todo o campo, durante praticamente os 90 minutos. Como resultado dessa marcação, que certamente treinavam todos os dias, o São Paulo era uma equipa muito forte nos duelos defensivos e ofensivos.

Nós chegamos à final também em um bom momento. Havíamos nos qualificado em primeiro lugar na fase de grupos da Copa Libertadores, com o melhor ataque da competição e a 2ª melhor campanha, e tínhamos alcançado a decisão do Paulista após uma primeira fase irregular e um mata-mata exímio (eliminamos duas equipas fortes - Red Bull Bragantino e Corinthians - no espaço de poucos dias).

Pelo bom momento das duas equipas, decidimos iniciar a decisão do Paulista com a equipa que mais utilizámos na fase de grupos da Libertadores.

A nível de preparação para o jogo, e apesar do pouco tempo que tivemos, conseguimos trabalhar um componente estratégico que achávamos ser o ideal para combater o São Paulo. Este se baseou em nosso primeiro confronto, que foi o jogo-referência para a análise do adversário. Definimos as seguintes ideias-chave no plano de jogo:

Ideias-chave: SE Palmeiras x São Paulo

Momento do Jogo	Problema (Adversário)	Solução (Equipa)	Estratégia
Organização Ofensiva #1	Pressão alta com agressividade na pressão mas muitas vezes "partiam" as linhas, criando espaço entre a linha atacante e a linha de médios	**Manter a base/identidade** Usar o goleiro para construir a 3 e criar superioridade numérica. Colocar o zagueiro como 1 volante extra a jogar nas costas dos centroavantes adversários e abrir mais espaço para os outros 2 zagueiros receberem	Movimentos complementares dos nossos jogadores + Médios deviam jogar como 3º homem + Colocar os nossos médios a fazer movimentos "fora da caixa": meia-atacante e 2º volante deveriam ser mais "rompedores"
Organização Ofensiva #2	Marcação com perseguições (mano a mano) a campo todo. Volantes fortes nas pressões e na marcação	Nuance estratégica dentro da nossa ideia	
Organização Defensiva #1	1ª fase: Adversário com grande volume e qualidade no jogo exterior. Fortes no ataque à profundidade com os 2 centroavantes móveis	Nuance estratégica dentro da nossa ideia	Orientar a 1ª fase pressão de fora para dentro, condicionando o zagueiro a jogar para zonas interiores, onde tínhamos 3 médios e 3 zagueiros preparados para pressionar e recuperar a bola. Rony e Luiz Adriano começavam já bem abertos, para fechar a linha de passe lateral-zagueiro e, com movimento circular, iam fechando o espaço exterior condicionando o Miranda a jogar por dentro
Organização Defensiva #2	2ª fase: Médios adversários com muita mobilidade. Volante: com movimentos de aproximação para receber a bola. Meia-atacantes: com movimentos facão	**Manter a base/identidade** Devíamos marcar em nossa zona de pressão, não deixar receber com espaço. Caso baixasse a linha dos avançados deixar avançados condicionar a ação	
Organização Defensiva #3	3ª fase: Equipa que mais finaliza, muito através de cruzamentos (principalmente do lateral/ala esquerdo) + 4/5 jogadores em zonas de finalização (2 centroavantes + 1/2 meias + 1 ala lado contrário)	**Manter a base/identidade** Rigor no posicionamento final defensivo + Teríamos de controlar e marcar os adversários mano a mano + Somente 1/2 jogadores no corredor lateral (consoante o número que o adversário tinha) para aumentar o número de jogadores a defender a área.	

Tabela 9: Ideias-chave: SE Palmeiras x São Paulo

O jogo foi muito tático. Ambas as equipas se estudaram muito e tentaram anular-se uma à outra. O encaixe foi bastante semelhante, de modo que só era "quebrado" por desequilíbrios individuais ou eventuais erros dos jogadores.

A primeira oportunidade de perigo do jogo surgiu de uma nuance estratégica que trabalhamos especificamente para este jogo: a pressão de fora pra dentro dos dois centroavantes, de modo a eliminar o passe zagueiro-lateral e para dar iniciativa ao zagueiro Miranda e condicioná-lo a jogar na nossa zona de pressão interior – onde tínhamos 3 médios + 3 zagueiros preparados para pressionar e recuperar a bola.

O adversário foi conseguindo chegar perto da nossa área pela capacidade de colocar muitos homens no corredor da bola (um total de 6 jogadores: zagueiro, lateral, volante, meia-atacante e os 2 centroavantes) e conseguiu criar mais perigo através de remates de meia distância e cruzamentos para a área.

Tivemos ainda outra oportunidade, surgida novamente de um lance em que o Miranda forçou o jogo interior; ganhamos a bola nessa zona de pressão interior, condicionado pela pressão de fora para dentro por parte dos nossos dois centroavantes.

Ao longo da partida, sentimos que nosso adversário conseguiu ser mais forte do que nós nos duelos individuais, quer ganhando no confronto físico quer parando as ações com faltas. A equipa do São Paulo confirmou-se uma equipa altamente competitiva.

Da nossa parte, a nuance estratégica da utilização do goleiro em zona 1 permitiu-nos ter maior controlo da posse de bola e ligar jogo com mais facilidade entre zona 1 e zona 2. Posteriormente, nessa zona 2 faltou-nos capacidade para conseguir ultrapassar os duelos individuais do adversário e criar situações de perigo.

Figura 44: Organização Ofensiva #1 **Treino** – Problema: Pressão alta com agressividade na pressão, mas muitas vezes "partiam" as linhas, criando espaço entre a linha atacante e a linha de médios | **Solução: Usar o goleiro para construir a 3 e criar superioridade numérica + Colocar o zagueiro como volante extra a jogar nas costas dos centroavantes adversários e abrir mais espaço para os outros 2 zagueiros receberem**

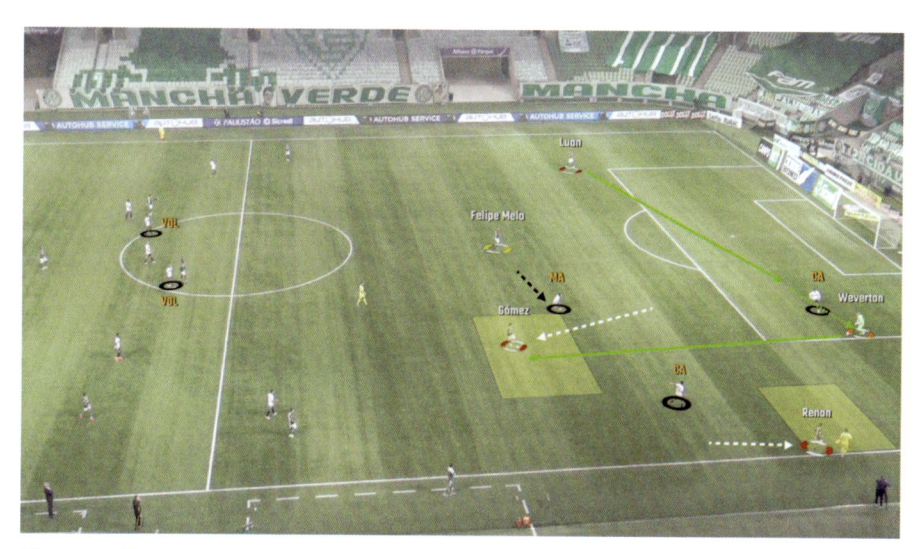

Figura 45: Organização Ofensiva #1 **Jogo** – Problema: Pressão alta com agressividade na pressão, mas muitas vezes "partiam" as linhas, criando espaço entre a linha atacante e a linha de médios | **Solução: Usar o goleiro para construir a 3 e criar superioridade numérica + Colocar o zagueiro como 1 volante extra a jogar nas costas dos centroavantes adversários e abrir mais espaço para os outros 2 zagueiros receberem**

Figura 46: Organização Defensiva #1 – Problema: Adversário fortíssimo no jogo exterior | Solução: 1:5:3:2 com pressão dos centroavantes de fora para dentro + Objetivo de condicionar o jogo exterior e obrigar o adversário a jogar por dentro na nossa zona pressionante | No corredor central tínhamos 3 médios e 3 zagueiros preparados para pressionar e recuperar a bola

Figura 47: Organização Ofensiva #2 – Problema: Adversário pressionava com perseguições individuais o campo inteiro, ou seja, teríamos que nos libertar dessas marcações | Solução: Movimentos "fora da caixa" dos nossos jogadores, em particular dos médios e do centroavante + Movimentos complementares dos nossos jogadores + Médios deviam jogar como 3º homem

Jogo: São Paulo 2x0 Palmeiras (Paulista - final - volta)

VOLTA **56**

"O certo é que os jogadores são guerreiros. Temos comido alguns limões ultimamente, mas faremos deles uma limonada."
Abel Ferreira

São Paulo, 23 de maio de 2021

O 0x0 no jogo de ida fazia com que ambas as equipas sonhassem.

Apesar de no primeiro jogo não termos sido eficientes em zonas 2 e 3 (mas o fomos em zona 1), optamos por manter a mesma estratégia para contrariar as marcações individuais a todo o campo. A ideia era estimular os jogadores a saírem das zonas habituais e fazer movimentos "fora da caixa": o centroavante deveria aproximar para ligar jogo, e o meia-atacante e o 2º volante deveriam romper a última linha do adversário com movimentos facão. Dessa forma, e fruto das marcações individuais do São Paulo, o zagueiro adversário acompanharia nosso centroavante e os volantes adversários acompanhariam nossos médios, ambos "até a morte". Isto porque entendemos que a melhor forma de eliminar uma marcação individual e abrir espaços é através de muita mobilidade e movimentos mais amplos (movimentos "fora da caixa").

Figura 48: Movimentos "fora da caixa" dos nossos jogadores. O centroavante (Luiz Adriano) deveria aproximar-se para a linha dos médios e o meia-atacante/2º volante (Veiga/Danilo Barbosa) deviam aproveitar o espaço liberado

O jogo foi muito equilibrado durante o primeiro tempo, apesar de alguma ascendência do São Paulo. E foi num lance de felicidade (num remate, a bola desviou e enganou o goleiro) que o nosso adversário chegou ao 1x0. Quão aleatório pode ser o futebol...

A história da primeira parte resume-se praticamente ao gol e pouco mais.

Na segunda etapa tivemos de arriscar e começamos por mudar as características dos nossos dois médios. Colocamos em campo dois médios mais ofensivos para procurar criar mais situações de perigo e de chegada à área.

Conseguimos melhorar nossa produção ofensiva, mesmo após as 3 substituições seguintes, onde colocamos jogadores rápidos e fortes no 1x1 nos corredores laterais.

No entanto, acabamos por fazer uma substituição que nos fez perder equilíbrio – ao tirar um zagueiro. E foi numa perda de bola, onde não fomos eficientes a reagir, que sofremos o 2º golo. Neste lance, estávamos muito desequilibrados.

Esse gol deitou-nos abaixo emocionalmente. Depois dele, passamos a jogar muito com o coração (entenda-se, com muita emoção) e pouca razão. E isso contribuiu para que o adversário fosse superior a nós e tivesse oportunidade para marcar mais golos.

Figura 49: Nuance estratégica que o São Paulo introduziu no jogo de modo a combater a nossa nuance estratégica: recuo do volante com mais qualidade ofensiva para entre os 3 zagueiros, de modo a retirar o ônus da construção do zagueiro Miranda

Esta foi uma derrota muito difícil de digerir. Não só pelo título que perdemos, como também pelo fato de não termos conseguido criar grandes oportunidades de gol nas duas finais. As marcações agressivas e individuais anularam o nosso jogo ofensivo nestes primeiros confrontos contra o São Paulo.

No que diz respeito ao processo de valorização dos jovens jogadores e de experimentação, o Paulista foi um autêntico sucesso. Promovemos a utilização de muitos jovens atletas da base e pudemos testá-los em um nível competitivo superior, verificando se estavam realmente preparados ou não para a equipa profissional. Por isso e além disso, fizemos do Paulista um "laboratório" para o restante da temporada.

No que diz respeito aos resultados, o Paulista só não foi um êxito porque não ganhamos o título. Isto porque, com todas as condicionantes, conseguimos atingir a final da competição e estar em mais uma decisão, eliminando o Red Bull Bragantino e o Corinthians, nas quartas e semifinal, respectivamente.

Neste momento, e após 3 finais perdidas em dois meses, experienciávamos "comer" limões muito azedos e difíceis de saborear. Limões esses com os quais teríamos, necessariamente, de fazer uma limonada. Aprender com os nossos erros era o primeiro passo para não voltar a cometê-los e para sair mais fortes deste período custoso da temporada. Ou sim ou sim.

A escalada de uma nova montanha na Libertadores

VOLTA **57**

"Temos de ser equilibrados. Vocês não vão me ouvir dizer quando ganhamos que está tudo bem feito nem quando perdemos que está tudo mal feito."
Abel Ferreira

São Paulo, 27 de maio de 2021

Enquanto no Campeonato Paulista íamos disputando os jogos com alguns atletas da equipa profissional e com os jovens da base, na Libertadores jogávamos todas as fichas. Ao contrário da Libertadores de 2020, em que foram os jogadores que nos contagiaram a lutar por essa competição – colocando em nós o sentimento de "obsessão" –, na Libertadores de 2021 fomos nós que contagiamos os jogadores.

Em 2020, havíamos assistido a uma mobilização total por ganhar a Libertadores. Mas em 2021 isso não se repetiu, ao menos não daquela forma "obsessiva" como presenciamos anteriormente. Talvez o fato de termos chegado à conquista no ano anterior tivesse feito com que o ar do "balão da obsessão" se esvaziasse. Foi então que decidimos que cabia a nós provocar nos jogadores a vontade e o desejo de ganhar novamente essa competição. Tínhamos o objetivo de criar um sentimento interno de que tudo acontecesse como se fosse a primeira vez. E isso começou com uma simples ação: a criação da "nossa montanha".

"A nossa montanha" foi uma imagem que criamos e que simbolizava a escalada que precisaríamos fazer a fim de colocar, mais uma vez, a plaquinha com o nome do Palmeiras na taça (destacada em verde na imagem).

Após a final da Libertadores de 2020, o Abel referiu que tínhamos visto e sentido o sabor do quão bonita era a vista da montanha que havíamos escalado. E que não só já sabíamos o que nos custou escalar, como seria necessário fazer todo o caminho de novo em 2021, escalando uma nova montanha. Essa mensagem do Abel na final da Libertadores de 2020 foi o mote que nos levou a criar a "montanha" que utilizamos em 2021.

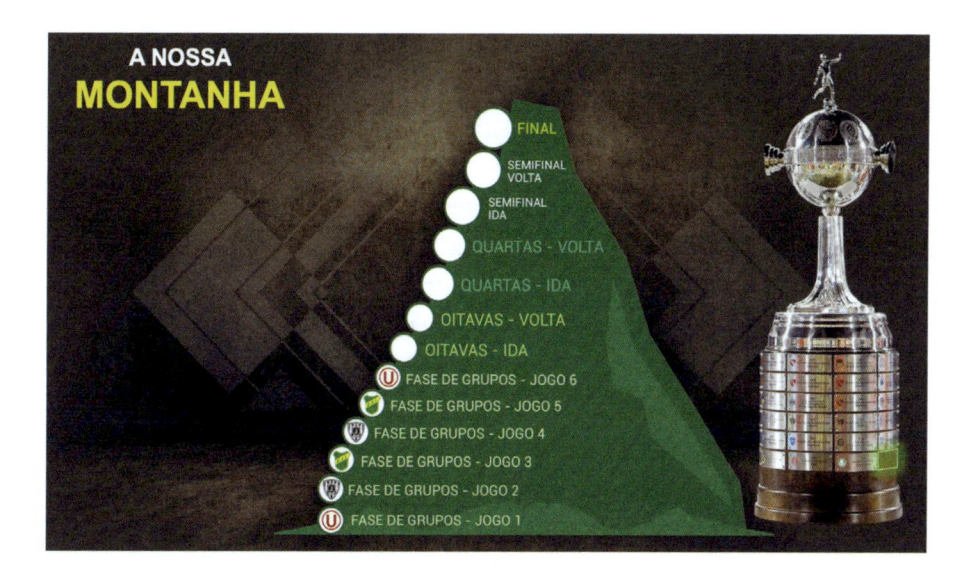

O sorteio do nosso grupo colocou-nos como adversários: o Defensa y Justicia (campeão da Copa Sul-Americana de 2020), o Independiente Del Valle, do Equador (campeão da Copa Sul-Americana de 2019), e o Universitario, do Peru.

Jogo 1. Universitario (fora): primeira vez que enfrentamos a altitude, ainda que relativamente baixa. Sentimos o terremoto no dia anterior. Apesar de nosso adversário não ter grandes argumentos, demonstrou muita competitividade. Estávamos a ganhar por 2x0, tivemos uma expulsão, eles empataram 2x2 e, no último minuto, marcamos de bola parada o 3x2. No final do jogo ainda assistimos a um momento emocionante e que representou o significado de uma verdadeira família: no habitual momento de reza pós-jogo no vestiário, o Weverton não só partilhou o seu sentimento de orgulho com o grupo de trabalho como fez questão de dedicar ao seu colega Luan algumas palavras. Em dois jogos no início da temporada (no Mundial de Clubes e na Supercopa), o Luan recebera muitas críticas; o Weverton, então, disse a todo o grupo aquilo que nós da comissão também sentimos: que após os momentos que ele tinha passado, ele estava a dar aos críticos uma resposta à altura de sua qualidade humana, qualidade profissional e força mental.

Jogo 2. Independiente Del Valle (casa): jogo perfeito, perfeito, perfeito. Antecipamos tudo o que aconteceu na partida. A vitória por 5x0 foi consequência de uma estratégia cumprida perfeitamente pelos jogadores. Nota:

duas semanas antes, este mesmo adversário tinha eliminado o Grêmio da Copa Libertadores.

Jogo 3. Defensa y Justicia (fora). Depois de perder a Recopa contra o mesmo adversário, tivemos de reviver a dor que havíamos sofrido: passar outra vez pela mesma viagem e defrontar o mesmo adversário que nos havia retirado uma conquista. Mesmo sabendo que não há como recuperar um título perdido, este jogo foi uma oportunidade de o vingar. E teve um sentimento agridoce, acentuado ainda mais pelo fato de termos vencido novamente fora de casa por 1x2.

Jogo 4. Del Valle (fora). Vitória por 0x1 contra um adversário que nunca tinha perdido em sua própria casa num jogo a contar para a Copa Libertadores! Para nós, foi a primeira experiência a jogar em altitude, contra uma equipa muito competente e um clube bem organizado e orientado. Ainda que a altitude de Quito não fosse a mais alta (2.850 metros acima do nível do mar), esta primeira experiência permitiu-nos compreender o impacto que tem essa variável no rendimento dos jogadores. Assim, procuramos discutir a estratégia com os jogadores e pedir a opinião deles de como devíamos abordar um jogo onde teríamos dois adversários: o Independiente e a altitude. Garantimos a 4ª vitória em 4 jogos na competição e a consequente passagem às oitavas. Histórico!

Jogo 5. Defensa y Justicia (casa). Por termos invertido as prioridades do Paulista-Libertadores, foi um jogo em que acabamos por fazer muitas alterações na equipa – estávamos, naquele período, a disputar a reta final do campeonato estadual. Perdemos por 3x4 numa partida em que fomos menos competentes que o nosso adversário.

Jogo 6. Universitario (casa). Vitória por 6x0 e consequentemente a maior goleada da história do Allianz Parque pela Copa Libertadores. Um jogo em que estávamos por cima até a expulsão do adversário – mas que só depois desse momento é que materializamos a nossa superioridade em golos.

Ao final da fase de grupos, obtivemos 5 vitórias e 1 derrota em 6 jogos, com 15 pontos em 18 possíveis (83,3% de aproveitamento). Mesmo com adversários muito complicados, registramos o melhor ataque da competição, com 20 gols marcados, recorde histórico do Palmeiras nesta etapa da competição. Com certeza estes são números de uma equipa ofensivamente agressiva, que tem sempre os olhos postos na baliza do adversário!

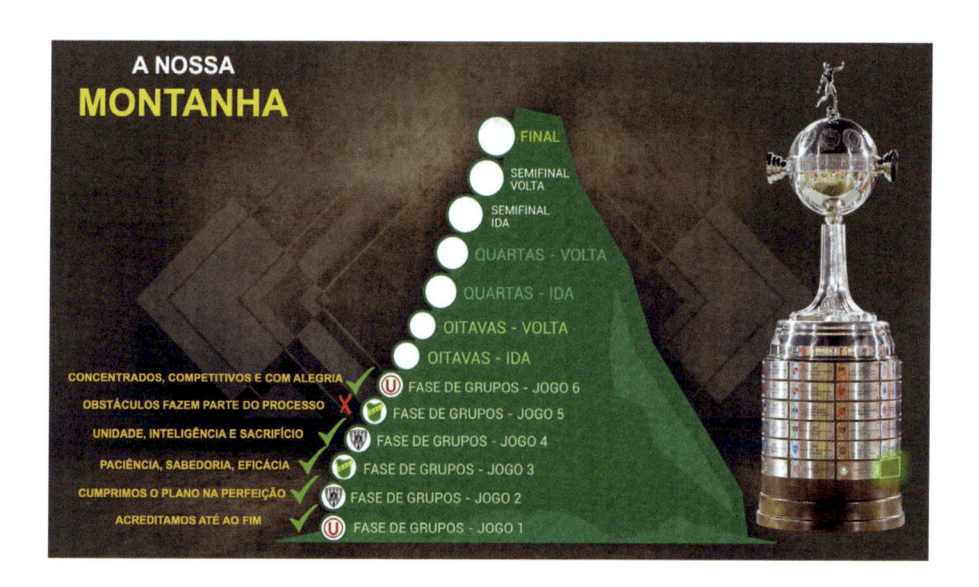

A ESCALADA DE UMA NOVA MONTANHA NA LIBERTADORES

Derrota para o CRB (nos pênaltis): Choque, Realidade, Benefício

VOLTA **58**

"Esta equipa tem um espírito muito grande dentro dela, uma alma muito grande. Sabe lidar com momentos críticos porque sabe o que quer."
Abel Ferreira

São Paulo, 9 de junho de 2021

A derrota contra o CRB, válida pela 3ª fase da Copa do Brasil, é um jogo que irá perdurar para sempre na nossa memória. Depois de uma vitória por 0x1 na partida de ida no campo do CRB, clube que na ocasião disputava a segunda divisão do Campeonato Brasileiro, perdemos em casa por 0x1 e fomos para pênaltis, finalmente perdendo por 3x4. Este jogo nos custou a eliminação de um torneio em que fomos campeões no ano anterior, e foi um marco importante em nossa temporada.

Em primeiro lugar, porque foi um objetivo falhado. E assumimo-lo sem qualquer problema. Não pudemos sequer tentar defender o título que era nosso porque perdemos na primeira eliminatória para uma equipa competente da Série B.

Em segundo lugar, porque foi um jogo bastante atípico. Finalizamos muitas vezes (34 no total) e criamos o suficiente para fazer pelo menos um gol, mas não aconteceu. Revezes como esse acontecem em qualquer desporto, e no futebol não é exceção. Ainda em janeiro de 2021, havia se passado o mesmo com o Bayern de Munique na Copa da Alemanha: depois de ter conquistado a Liga dos Campeões e a Copa da Alemanha do ano anterior, a equipa bávara foi eliminada pelo Holstein Kiel, da 2ª divisão da Bundesliga. Também em janeiro de 2021, o Real Madrid foi eliminado da Copa do Rei por um time da 3ª divisão. O fato é que isso acontece a todas as equipas do mundo, e naquele momento dependia só de nós como reagir a uma queda tão grande. Podíamos ficar a lamentar ou podíamos já refocar a equipa nos próximos objetivos.

Em terceiro lugar, porque foi mais uma eliminação nos pênaltis. Pela 4ª vez na temporada, perdemos uma decisão dessa forma – as anteriores haviam sido no Mundial de Clubes, na Supercopa e na Recopa. Novamente e à semelhança da Supercopa, tivemos a vantagem nos pênaltis para terminar o jogo e não conseguimos.

Por último, pelas palavras do Abel aos atletas, no pós-jogo do vestiário, antes da tradicional reza:

– Derrota injustificável e um resultado inadmissível. Mas que pode acontecer porque o futebol ainda é um jogo. E como um jogo que é, tem fatores aleatórios que não controlamos. Um deles é a felicidade do próprio jogo. Isto acontece às melhores equipas. Não tenho nada a dizer da vossa atitude, porque tentaram, tentaram e tentaram. Mas espero que todos aqui dentro deste vestiário percebam que temos de fazer mais e melhor para o bem de todos. Mais e melhor do que temos feito. E que este jogo sirva de lição para todos.

Desta forma, o CRB foi uma lição para todos nós. De forma análoga, definimos assim esse momento: "C" de Choque (eliminados por uma equipa da 2ª divisão), "R" de Realidade (estamos fora de uma competição em que éramos os últimos vencedores) e "B" de Benefício (esta eliminação nos daria algumas semanas limpas para descansar e trabalhar a equipa para a sequência da temporada – o que, diante da densidade competitiva, seria uma vantagem para nós). Como se viria a confirmar mais tarde, esta eliminação foi um mal que veio para o bem.

As convocações para as seleções nacionais e as consequências

VOLTA **59**

"O bom espetáculo só pode acontecer se todos os protagonistas estiverem disponíveis, é assim que eu penso."
Abel Ferreira

São Paulo, 11 de junho de 2021

Algo que nos surpreendeu e nos criou alguma confusão é que, ao contrário do que acontece na Europa, as competições nacionais sul-americanas não são interrompidas durante a realização dos jogos das seleções nacionais. Isso quer dizer que os jogadores internacionais deixam de atuar em muitas partidas das suas equipas – ou, em outras palavras, que os clubes perdem os jogadores internacionais por inúmeros jogos ao longo de uma temporada.

Inicialmente, não fomos muito afetados por isso em termos de resultados. Entretanto, isso ocorreu em um segundo momento. Isto porque, como o Abel sempre disse: "Quando temos o elenco todo disponível, somos muito mais competitivos".

A Copa América retirou-nos vários atletas por 9 jogos, os Jogos Olímpicos retiraram-nos um atleta por 7 jogos e as 4 datas FIFA das eliminatórias também nos retiraram vários atletas por mais 12 jogos. Excluindo os Jogos Olímpicos, quando só perdemos um atleta, os atletas internacionais não fizeram um total de 21 jogos ao longo da temporada, dos quais 16 foram do Campeonato Brasileiro (16 jogos num campeonato de 38 jogos corresponde a 42% da totalidade, quase um turno completo).

Não será que a adoção da parada das datas FIFA no calendário do futebol brasileiro seria benéfica para todos os intervenientes? Isto é: CBF, clubes e jogadores. Todos sairiam a ganhar em ter os melhores jogadores presentes em todas as partidas.

Caso as datas FIFA não sejam adotadas no calendário do futebol brasileiro, levantamos outra questão: para os clubes, quais as vantagens de ter jogadores internacionais no futebol brasileiro? Do ponto de vista financeiro, é positivo porque valoriza os clubes e o campeonato. Do ponto de vista desportivo, é negativo porque ficamos sem jogadores que afetam, normalmente, as dinâmicas da equipa: isto porque em cerca de 40% dos jogos do Brasileirão eles não estarão presentes.

Brasileirão: os objetivos de resultado e de processo (e o G8/G11)

VOLTA **60**

"Ele mostra nos quadros antes das partidas o que ele quer que a gente faça. Ele quer que a gente finalize 15 vezes por jogo, por exemplo. É algo que nunca tinha visto antes. Depois dos jogos, ele mostra quantas finalizações e quantos cruzamentos fizemos."
Breno Lopes

São Paulo, 17 de junho de 2021

Quando aconteceu a eliminação da Copa do Brasil, estávamos na 2ª rodada do Brasileirão e as oitavas da Libertadores se realizariam apenas dentro de 1 mês. Nesse período de tempo, tínhamos de disputar 9 jogos pelo Campeonato Brasileiro.

O choque da derrota levou-nos a querer refocar rapidamente os jogadores para os próximos desafios. Não podíamos deixar que aquela queda abalasse o resto da temporada, pois ainda teríamos duas competições: Brasileirão e Libertadores. E iríamos lutar pelas duas, o quanto conseguíssemos.

Enquanto a Libertadores não chegava, decidimos nos reunir com os atletas dois dias depois da eliminação da Copa do Brasil. E em vez de fazer a análise ao jogo do CRB – uma partida que, como referimos, para nós foi totalmente atípica –, optamos por direcionar o olhar dos jogadores para o Campeonato Brasileiro e partilhar com eles nossos objetivos.

Primeiramente, o Abel iniciou a preleção com o estudo que tínhamos feito do Campeonato Brasileiro, e que continha os objetivos de resultado. Pretendíamos fazer os mesmos 80 pontos que o Palmeiras fez em 2016 e 2018; pretendíamos ser a melhor defesa como o Palmeiras de 2016 e 2018; e, a nível ofensivo, pretendíamos finalizar 15 vezes por jogo. Partilhamos também com os jogadores a importância de o aproveitamento nos jogos em casa ser elevado e, indiretamente, superior ao aproveitamento dos jogos fora de casa. Isto porque, como tínhamos analisado, um alto aproveitamento nos jogos em casa permitia-nos estar mais perto de conquistar um título de um campeonato de dezenas de rodadas, isto é, que requer regularidade.

OBJETIVO: CAMPEÃO DO BRASILEIRÃO 2021

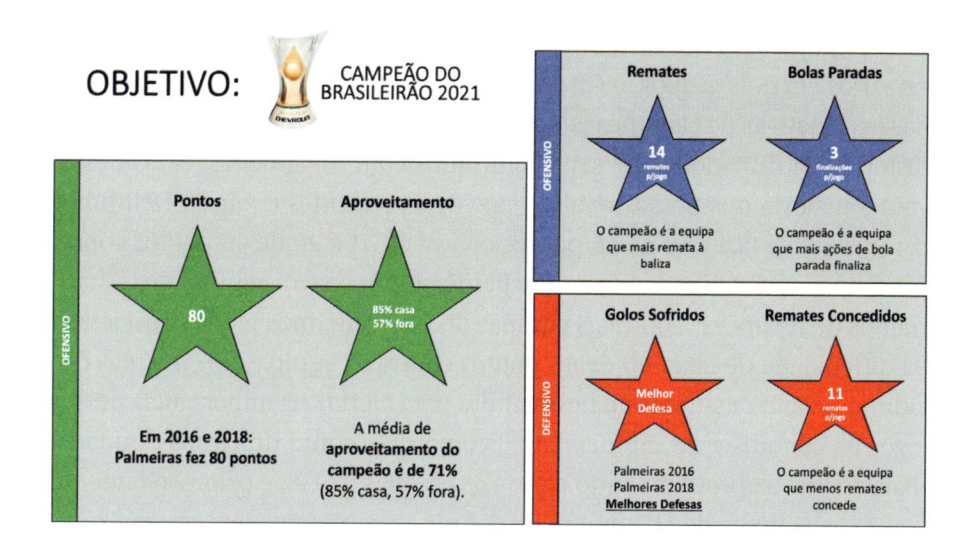

OFENSIVO
- Pontos: **80** — Em 2016 e 2018: Palmeiras fez 80 pontos
- Aproveitamento: **85% casa / 57% fora** — A média de aproveitamento do campeão é de 71% (85% casa, 57% fora).

OFENSIVO
- Remates: **14** remates p/jogo — O campeão é a equipa que mais remata à baliza
- Bolas Paradas: **3** finalizações p/jogo — O campeão é a equipa que mais ações de bola parada finaliza

DEFENSIVO
- Golos Sofridos: **Melhor Defesa** — Palmeiras 2016, Palmeiras 2018, Melhores Defesas
- Remates Concedidos: **11** remates p/jogo — O campeão é a equipa que menos remates concede

Em seguida, apresentamos aos jogadores um estudo que fizemos dos dados estatísticos por jogo dos campeões brasileiros nos últimos 11 anos. Esses dados seriam os nossos objetivos de processo, isto é, orientariam a nossa performance em todos os jogos, inclusive durante os mesmos, ou seja, no próprio tempo de intervalo. Pretendíamos ter, por jogo:
- 15 finalizações / 15 cruzamentos / 3 finalizações de bola parada
- 8 remates concedidos / 15 recuperações / 15 faltas

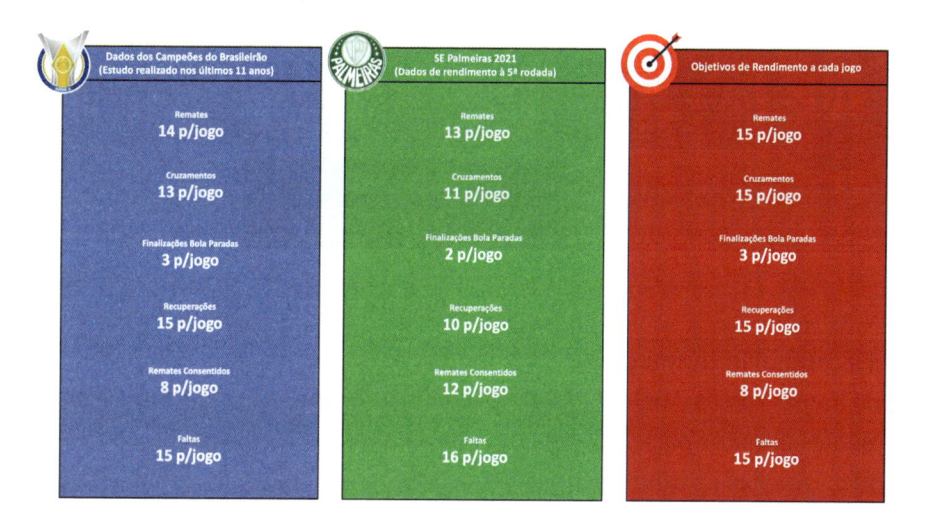

Dados dos Campeões do Brasileirão (Estudo realizado nos últimos 11 anos)	SE Palmeiras 2021 (Dados de rendimento à 5ª rodada)	Objetivos de Rendimento a cada jogo
Remates: 14 p/jogo	Remates: 13 p/jogo	Remates: 15 p/jogo
Cruzamentos: 13 p/jogo	Cruzamentos: 11 p/jogo	Cruzamentos: 15 p/jogo
Finalizações Bola Paradas: 3 p/jogo	Finalizações Bola Paradas: 2 p/jogo	Finalizações Bola Paradas: 3 p/jogo
Recuperações: 15 p/jogo	Recuperações: 10 p/jogo	Recuperações: 15 p/jogo
Remates Consentidos: 8 p/jogo	Remates Consentidos: 12 p/jogo	Remates Consentidos: 8 p/jogo
Faltas: 15 p/jogo	Faltas: 16 p/jogo	Faltas: 15 p/jogo

Por último, decidimos partilhar com os jogadores a separação dos adversários em dois grupos: o G8 e o G11. Nossa divisão não foi feita com base nas expectativas de classificação que tínhamos para essas equipas, e sim no histórico da dificuldade de seus confrontos com o Palmeiras. No G8 estavam a maioria dos nossos rivais, e no G11 as restantes equipas. Definimos como objetivo fazer 60 de 66 pontos contra o G11 e 20 de 46 pontos contra as equipas do G8. E cada ponto que perdêssemos contra equipas do G11, teríamos de recuperar contra as equipas do G8. Tínhamos plena consciência da dificuldade de fazer 60 de 66 pontos contra as equipas do G11, mas decidimos colocar esse sarrafo nessa altura para alertar da importância desses jogos na conquista do campeonato. Isto porque, como tínhamos estudado, mais do que o aproveitamento contra as equipas do G8, é o aproveitamento contra as equipas do G11 que pode definir se ganhamos ou perdemos um campeonato.

G11

Objetivo: 60/66

G8

Objetivo: 20/48

Essa reunião durou quase 45 minutos. Talvez tenha sido das preleções mais longas que o Abel fez enquanto técnico do Palmeiras. Nela, estavam presentes a maior parte do elenco e pelo menos 30 membros da comissão técnica. Apenas os internacionais não estavam presentes; os estudos foram apresentados a eles mais tarde.

Sentimos que os jogadores não imaginavam que o treinador não fosse falar da eliminação na preleção seguinte. Mas a verdade é que o Abel já tinha dito tudo o que havia a dizer após o jogo do CRB e agora era tempo de refocar os jogadores nos restantes objetivos da temporada.

Mais do que massacrar os jogadores com a análise de uma derrota injustificável contra o CRB, optamos por refocar os jogadores para uma competição que estava apenas começando. Os jogadores e todos nós percebíamos que tínhamos perdido aquela partida no detalhe mais importante do jogo de futebol: a eficácia. Algumas vezes, esse detalhe é controlado por nós; outras vezes, não o é. Mas "a bola não entra por acaso" – e por algum motivo ela não entrou. Restava-nos trabalhar mais e melhor para descobrir o porquê.

Informação passada aos jogadores no período de intervalo sobre os objetivos de processo

Jogo: U. Católica 0x1 Palmeiras (Libertadores – oitavas – ida)

VOLTA **61**

"Os jogos de Libertadores são assim, ainda mais como visitante. São jogos muito difíceis. Nós já conhecíamos a Católica, é uma equipe muito forte, sobretudo como mandante. Era importante conseguir um bom resultado aqui, para conseguir um resultado melhor ainda em casa e fechar a classificação."

Kuscevic

Santiago, 14 de julho de 2021

No momento do sorteio, a Universidad Católica era um dos adversários do qual tínhamos menor conhecimento. No entanto, assim que o sorteio ditou esse confronto, sabíamos que contávamos no elenco com alguém que conhecia muito bem nosso adversário e o contexto em que jogaríamos. Essa pessoa era o Kuscevic, nosso zagueiro, que até o ano anterior era o capitão da Universidad Católica (clube no qual jogou várias temporadas).

Sentimos que o resultado do sorteio foi interpretado como um alívio para alguns, que queriam evitar outras equipas; no entanto, rapidamente procuramos "apagar" essa ideia da mente de todos – em particular dos jogadores. Isto porque, após fazermos uma breve análise e depois de falarmos com o Kuscevic, percebemos que seria uma eliminatória muito difícil. A Universidad Católica tinha sido quatro vezes consecutivas campeã do campeonato chileno e contava com uma equipa muito competitiva e intensa. Além disso, era orientada por um treinador que tinha experiência europeia, quer como jogador, quer como treinador (onde tinha treinado equipas na Liga Inglesa, Liga Espanhola, Liga Francesa, Liga Grega, entre outras).

Enfrentamos a Universidad Católica num momento bom da temporada. Tínhamos, nos jogos mais recentes, utilizado uma base e tática em que jogavam simultaneamente o Scarpa e o Veiga no onze inicial (passamos a fazê-lo após um mau momento, em que tivemos a necessidade de testar algo novo para melhorar os resultados). Arranjamos a forma de incluir ambos na escalação porque eram os jogadores da equipa com maior rendimento em suas ações (golos e assistências). Assim, colocamos o Veiga numa posição híbrida (com bola era meia-atacante, e sem bola era ponta) e o Scarpa na posição de meia-atacante, dando-lhe a liberdade que ele tanto gosta. Após esta mudança tática e de jogadores, a equipa começou a ter bons resultados; conseguimos 5 vitórias seguidas no Brasileirão, chegando em um bom ritmo ao jogo de ida das oitavas de final da Libertadores.

A equipa inicial não teve muitas mexidas tendo em conta a equipa que vinha jogando. A única alteração foi a inclusão do Kuscevic, porque o Luan teve problemas físicos. O Kuscevic foi escolhido para jogar essa partida não como prêmio ou porque o adversário era sua equipa anterior, mas porque acreditávamos que ele era a melhor opção para o tipo de confronto que nos esperava: um jogo muito físico e de duelos.

Iniciamos a reunião de análise do adversário com um slide que abordava o contexto do jogo, algo que fazemos muito em jogos da Libertadores. Contra adversários brasileiros, não sentimos tanta necessidade para o fazer porque normalmente os jogadores já conhecem o contexto do jogo que os espera.

Figura 50: Slide do contexto do jogo das oitavas de final contra a Universidad Católica

Após o Abel terminar a apresentação deste slide, ele disse aos jogadores:
– Se vocês têm dúvidas do quão difícil será jogar contra esta equipa, pensem no quão difícil é enfrentar o Kuscevic no treino. Super trabalhador, super competitivo, cada lance que ele disputa é como se disputasse a pró-

pria vida. É isto que nos espera no próximo jogo! Uma equipa à imagem do nosso Kuscevic!

Com essa analogia do Abel, acreditamos que os jogadores perceberam exatamente o que nos esperava nesse duelo, ficando em alerta.

Tendo em conta a análise do adversário e os comportamentos inerentes à nossa ideia de jogo, definimos as seguintes ideias-chave no plano de jogo (na página seguinte).

As dificuldades que sentimos nessa partida surgiram por demérito nosso. Tínhamos planejado explorar e forçar muito o jogo exterior, através das dinâmicas diferentes no corredor direito e corredor esquerdo. No entanto, em muitos momentos, insistimos demasiado no jogo interior – e foi nesses momentos que mais perdemos a bola e que o adversário melhor conseguiu transitar. Isto porque nem sempre estávamos equilibrados defensivamente no momento da perda, fruto do envolvimento ofensivo do nosso lateral-esquerdo que construía a 3.

Chegamos ao 0x1, antes do intervalo, através de um pênalti.

Ainda antes do intervalo, tivemos um lance decisivo a nosso favor. Numa cobrança de falta, o adversário atirou à trave e, depois, já sem o Weverton na baliza, o Zé Rafael, antecipando um novo remate, posicionou-se e tirou uma bola (de cabeça) em cima da linha. Nós acreditamos que estes são os momentos que mostram os verdadeiros campeões, que podem superar qualquer obstáculo com solidariedade e compromisso.

Na 2ª parte, devido ao resultado, o adversário teve mais domínio da bola. No entanto, acreditávamos que conseguiríamos segurar o placar da forma como estávamos a jogar, sem alterar sistema e mantendo os comportamentos com jogadores mais descansados. Nesse sentido, as alterações serviram para refrescar algumas posições de jogadores que acusaram a intensidade da partida.

Não fizemos um bom jogo; o adversário teve mais oportunidades do que nós. Apesar de defensivamente termos sido uma equipa eficaz, ofensivamente estivemos longe do que pretendíamos, pois quando tivemos a bola sentimos dificuldade em impor o nosso jogo e com isso demos chance ao adversário para ser mais agudo ofensivamente. Apesar de tudo, realçamos a entrega dos jogadores e o fato de igualarem a competitividade e agressividade do adversário, neste típico jogo de Libertadores.

Ideias-chave: Universidad Católica x SE Palmeiras

Momento do Jogo	Problema (Adversário)	Solução (Equipa)	Estratégia
Comportamental	Equipa muito agressiva e intensa nos duelos.	**Manter a base/Identidade** Fundamental igualar a intensidade competitiva do adversário	
Organização Defensiva #1	Adversário poderia jogar de 2 formas: O plano A era o 1:4:3:3 com pontas abertos O plano B era o 1:3:5:2	**Manter a base/Identidade** vs 1:4:3:3 – encaixe normal com 3 médios marcados vs 1:3:5:2 – fazer linha de 4+1 com um ponta com os 3 médios marcados	
Organização Defensiva #2	2ª fase: Meia-atacantes do adversário com muitos movimentos fação entre zagueiro-lateral Com os pontas bem abertos, esse era o espaço que eles criavam para entrar no último terço	**Manter a base/Identidade** Nuance estratégica dentro da nossa ideia	Dividimos a marcação dos médios por duas posições, consoante a zona no campo: - Em zonas mais altas do campo, quem acompanhava o movimento era o zagueiro; - Em zonas próximas da área, quem acompanhava esse movimento era o médio (com o zagueiro dentro da área)
Organização Ofensiva #1	Pressionavam em bloco médio com referências individuais (principalmente dos 3 médios)	**Manter a base/Identidade** Construir de forma assimétrica nos corredores laterais, para potenciar as qualidades dos nossos jogadores e criar dúvida no adversário com dinâmicas diferentes + Lado direito: lateral-direito envolvia-se ofensivamente e meia-atacante do lado direito recuava na zona do lateral + Lado esquerdo: lateral-esquerdo construía a 3, ponta-esquerda devia aproximar para liberar espaço para receber no pé ou para abrir espaço para meia-atacante fazer movimentos de ruptura no espaço entre lateral-zagueiro adversário	
Transição Defensiva #1	Um dos pontos fortes do adversário, fruto dos pontas muito rápidos no ataque ao espaço e do centroavante com capacidade de oferecer apoio frontal, ficar com bola e ligar jogo	**Manter a base/Identidade** Ter sempre a estrutura fixa 3+1 para garantir uma boa prevenção à perda nas transições Lateral-esquerdo deveria ser o jogador que fazia linha de 3, ou quando se envolvesse o volante do mesmo lado deveria fechar nessa zona	

Tabela 10: *Ideias-chave: Universidad Católica x SE Palmeiras*

Esta foi uma vitória importantíssima, na qual foi preciso usar o "perfume do suor". Num terreno muito rápido (diferente dos que encontramos geralmente no futebol nacional), com um clima frio (diferente dos que encontramos no Brasil) e num tipo de jogo muito físico (diferente dos que encontramos geralmente no futebol nacional), foi uma vitória essencial para podermos decidir a eliminatória em casa com um resultado favorável.

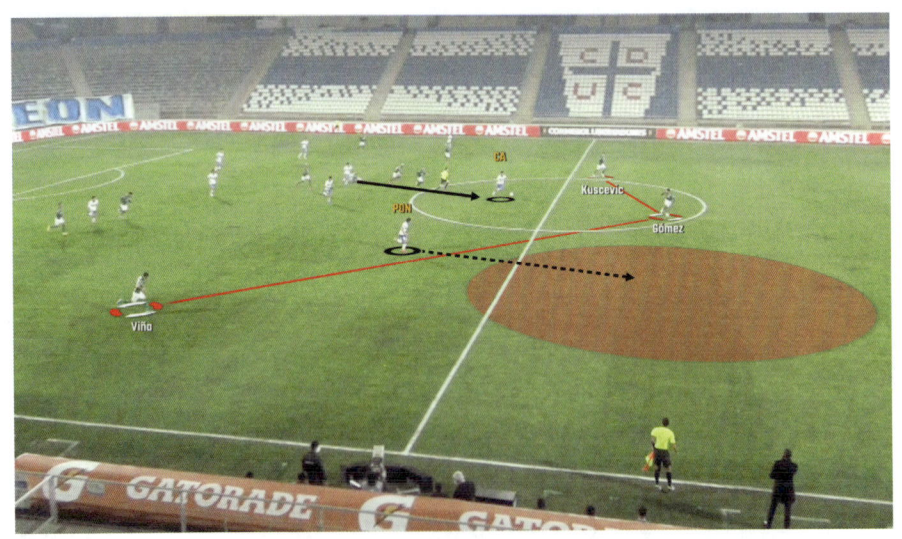

Figura 51: Um dos exemplos dos momentos em que não estávamos preparados para a transição defensiva, fruto do envolvimento do lateral-esquerdo que construía a 3

*Figura 52: Organização Defensiva #1 – Problema: Adversário no típico 1:4:3:3 com laterais baixos, pontas abertos, e movimentos facão dos meia-atacantes no espaço zagueiro-lateral adversário | **Solução: Controlar o meio-campo 3x3 + Controlar os movimentos facão por dois jogadores, consoante a zona (em zonas mais altas do campo, quem acompanhava o movimento era o zagueiro; em zonas próximas da área, quem acompanhava esse movimento era o médio, com o zagueiro dentro da área)***

*Figura 53: Organização Ofensiva #1 – Problema: Adversário em bloco-médio com referências individuais, principalmente os 3 médios | **Solução: Construir de forma assimétrica nos corredores laterais, para potenciar as qualidades dos nossos jogadores e criar dúvida no adversário com dinâmicas diferentes + Lado direito: lateral-direito envolvia-se ofensivamente e o meia-atacante do lado direito recuava na zona do lateral + Lado esquerdo: lateral-esquerdo construía a 3, ponta-esquerda devia aproximar para liberar espaço para receber no pé ou para abrir espaço para meia-atacante fazer movimentos de ruptura no espaço entre lateral-zagueiro adversário***

Jogo: Palmeiras 1x0 U. Católica
(Libertadores – oitavas – volta)

VOLTA **62**

"No futebol, gostamos de individualizar, mas há uma palavra de que gosto muito que é o nós. Nós ganhamos, nós perdemos e cada um contribui com o seu melhor para proporcionar as melhores condições para que os jogadores possam render o seu máximo."

Abel Ferreira

São Paulo, 21 de julho de 2021

Três dias antes do jogo de volta contra a Universidad Católica, fizemos uma partida contra o Atlético Goianiense. Nesse duelo, promovemos algumas alterações na equipa. Assim, e como o Abel sempre diz, fizemos "gestão de energia para jogarmos na máxima força" em ambos os jogos.

Nesta 2ª partida da eliminatória, sabíamos que o principal aspecto a melhorar era nosso jogo com bola, isto é, a organização ofensiva. Fizemos nossa análise da última partida e todos percebemos (jogadores inclusive) que, apesar de termos saído do Chile com um bom resultado, estivemos longe do que deveríamos e poderíamos ter feito.

A equipa inicial deste jogo teve três alterações em relação ao duelo da ida. Optamos pela entrada do Felipe Melo para o lugar do Kuscevic, pois entendemos que, por ser uma partida em nossa casa, o Felipe ajudar-nos-ia a assumir mais o jogo. O Wesley também entrou no lugar do Breno, por motivos de rendimento e estratégia. E a terceira e última alteração foi uma troca obrigatória. O Matías Viña estava de saída do clube, e apesar de sua transferência para a Roma ainda não estar concluída, estava bem adiantada; precisávamos, portanto, de um atleta que jogasse naquela posição. O Renan tinha feito um grande jogo contra o Atlético Goianiense, naquela mesma posição, e por isso decidimos mantê-lo na equipa.

Em termos de estratégia, não alteramos nada em relação à partida de ida em Santiago. Somente reforçamos que precisávamos ser mais capazes de impor o nosso plano de jogo ofensivo. Algo que neste duelo teríamos de fazer com coragem, paciência e velocidade na circulação para abrir espaços e encontrar as nossas rotas de ataque: jogo interior, jogo exterior e ataque à profundidade.

Este segundo jogo acabou por ser muito diferente do primeiro. Tivemos uma performance muito melhor e fomos claramente superiores ao nosso adversário, principalmente na primeira parte. Conseguimos criar algumas oportunidades, fruto da boa dinâmica ofensiva da equipa, enquanto o adversário apostou muito nas transições ofensivas. Algo que controlamos bastante bem com a entrada do Renan como lateral, pois estivemos muito mais equilibrados no momento de perda da bola (do que no 1º jogo) e o adversário não nos apanhou desequilibrados.

Na 2ª parte aconteceu algo em que acreditamos muito enquanto equipa técnica. Por mais que tenhamos um plano A de jogo que funciona contra vários sistemas, existe algo que chamamos de confronto/encaixe de sistema que nos permite compreender as desvantagens do nosso sistema do plano A ou do plano B quando confrontados contra determinados sistemas.

Tínhamos analisado que o adversário tinha um plano B de sistema de jogo: o 1:3:5:2, sendo que podiam começar o jogo dessa forma ou alterar durante a partida. Nessa análise, entendemos que os comportamentos do sistema do nosso plano A não resolviam os problemas que o plano B do adversário podiam nos colocar. Por isso, e através desse confronto/encaixe de sistemas, mostramos aos jogadores qual seria o nosso plano B que nos permitiria defrontar o plano B do adversário.

A Católica, no decorrer da 2ª parte e ao sentir que não estava a ter sucesso no seu esquema habitual, mudou de sistema para o 1:3:5:2, o seu plano B. Para nós, como resposta ao plano B do adversário, era fundamental não perdermos a luta do meio-campo nem perdermos a pressão na frente. Por isso, decidimos defender em 1:5:3:2 com linha defensiva de 4+1 ponta - na qual um ponta defendia a partir da linha da defesa e o outro ponta defendia na linha atacante. Assim, pelas características dos jogadores que tínhamos em campo, foi trabalhado que seria o ponta-direita que passaria a pressionar na linha atacante, juntamente com o centroavante, e que seria o ponta-esquerda que defenderia posicionado na linha defensiva. Esse sistema seria um esquema muito próximo ao do nosso adversário, embora ofensivamente mantivéssemos as posições base e as dinâmicas do 1:3:4:3.

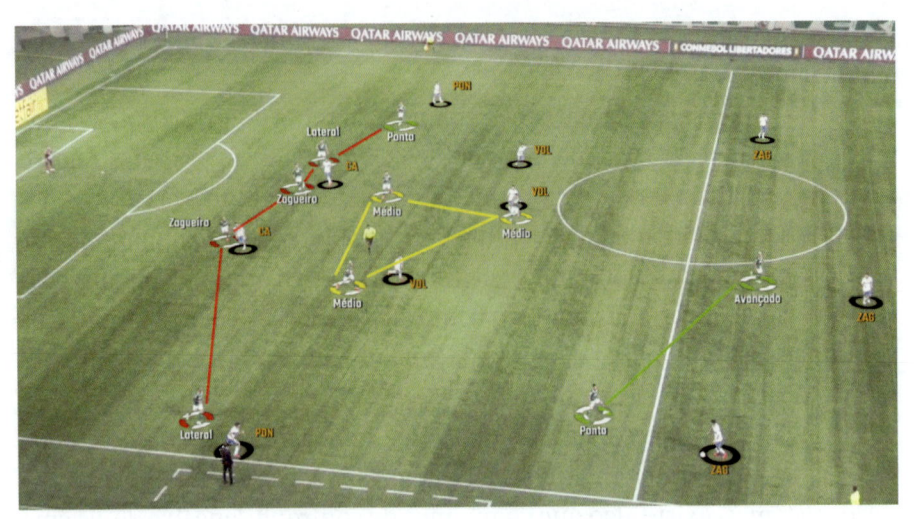

Figura 54: O nosso plano B para defrontar o plano B do adversário

Este confronto de sistemas, na nossa forma de trabalhar, é fundamental. Quer para nós treinadores estarmos preparados para os diferentes cenários que podem acontecer, como também para darmos respostas mais rápidas e efetivas ao que o jogo nos pede e as passarmos mais rapidamente aos atletas. Obviamente, não conseguimos transmitir todos os cenários para os jogadores, mas acreditamos que devemos passar a eles os cenários mais importantes. Acreditamos também que os jogadores devem conhecer com antecedência esse plano B (seja ofensivo ou defensivo), para depois no momento do jogo podermos ser mais rápidos e efetivos a ajustar. É também por isso que treinamos, sempre que possível, os planos A e B em contexto de exercício de treino, ou seja, com o constrangimento do resultado (a perder e a ganhar), de modo a estimular os jogadores não a reagirem, mas sim a anteciparem.

Quando o adversário altera algo, é para nos criar mais desconforto e, portanto, quanto mais preparados estivermos para essas alterações, melhor. Como o psicólogo com quem trabalhamos no SC Braga "A" sempre nos dizia: "Não sejas surpreendido, sê a surpresa!". É isso que sempre procuramos fazer com as nossas reuniões de antecipação de cenários, nas vésperas dos jogos, e com o confronto de sistemas.

No futebol atual, a capacidade de resposta rápida ao que o jogo está a pedir – não só do treinador, mas também do entendimento por parte dos atletas – é fundamental para a obtenção de mais vitórias e resultados. Quanto melhor eles entenderem o jogo e os seus momentos, melhor será seu desempenho. Essa é a nossa missão como treinadores: ensinar o jogo a quem o joga: os jogadores.

Figura 55: A mesma nuance do jogo de ida apresentada pelo adversário no jogo de volta: movimentos facão dos meia-atacantes com movimento de aproximação do centroavante

*Figura 56: **Lance do 1º e único golo** – A boa chegada a zonas de finalização com 4 jogadores, sendo 1 deles o nosso jogador da largura do corredor (elemento surpresa nos cruzamentos) que acabou por finalizar ao 2º poste e marcar gol. Além disso, e um dos pontos-chave no confronto contra a Universidad Católica, foi a prevenção à perda com uma estrutura fixa de 3:1 para melhor controlar as situações de transição defensiva do adversário*

Jogo: São Paulo 1x1 Palmeiras
(Libertadores - quartas - ida)

VOLTA 63

"Temos de ser fiéis à nossa identidade e à nossa forma de atacar e de defender. Independentemente de como o adversário jogará, ficará a nossa identidade."

Abel Ferreira

São Paulo, 10 de agosto de 2021

Sabíamos de antemão que, caso vencêssemos a eliminatória contra a Universidad Católica, poderíamos apanhar um grande rival na próxima fase da Libertadores - o São Paulo. Evidentemente, sua passagem não era certa, porque jogavam contra uma grande equipa do campeonato argentino, o Racing; mas sentimos que a maioria dos brasileiros desejava esse confronto nacional nas quartas de final.

No momento que soubemos que íamos defrontar o São Paulo, o Abel criou imediatamente um lema: "Somos nós contra eles!".

Desde nossa chegada ao futebol brasileiro, sentimos que a história tem muito peso no momento de abordagem dos jogos entre as equipas. E este confronto tinha uma grande carga histórica - com muita negatividade para o nosso lado. O Palmeiras nunca havia vencido o São Paulo em uma partida a contar pela Libertadores; há 13 anos, o Palmeiras não ganhava uma eliminatória de qualquer competição contra o São Paulo; os jogos nos últimos dois anos davam vantagem ao São Paulo; e, especialmente no ano de 2021, ainda não tínhamos ganho ao São Paulo, num total de 4 jogos disputados - havíamos inclusive perdido uma final de campeonato para eles. Outra das mensagens que o Abel passou para os jogadores após a confirmação desta eliminatória foi: "Temos uma grande oportunidade de escrever a nossa própria história!".

Além disso, o jogo era de extrema importância para ambos os clubes no tocante ao cumprimento dos objetivos da temporada. O São Paulo estava na zona de rebaixamento no Brasileirão, mas seguia na Copa do Brasil. E nós já estávamos eliminados da Copa do Brasil, mas seguíamos na luta pelo

Brasileirão. A passagem às semifinais da Libertadores, portanto, permitiria a um dos clubes a chance de seguir brigando por mais um título até o final da temporada. Quem perdesse o jogo ficava com somente um campeonato por disputar nos quatro meses restantes.

Nos 4 jogos anteriores que fizemos contra o São Paulo, ambas as equipas técnicas tentaram implementar nuances estratégicas para surpreender uma à outra. Não à toa, a final do Campeonato Paulista já tinha sido rica do ponto de vista tático. Assim, na preparação para os duelos da Libertadores, tivemos um cuidado especial na transmissão de informação aos jogadores, pois estes dois jogos iriam novamente ter o componente da imprevisibilidade de ambas as equipas na abordagem estratégica ao jogo.

O São Paulo já tinha atuado de várias formas contra nós, quer com linha de 5 (mais frequente) quer com linha de 4 (menos frequente), isto é 1:3:5:2/1:3:4:3 e 1:4:2:2:2/1:4:3:3 respectivamente. Ainda que jogassem com linha de 4, procuravam fazer a construção a 3 com o volante a entrar entre zagueiros e teriam igualmente bastante jogadores entrelinhas no corredor central. Assim, nossa equipa técnica trabalhou muito a abordagem aos possíveis cenários do rival. Com bola, nada se alteraria; o que pretendíamos fazer era independente da organização adversária. Sem bola, a melhor forma que encontramos para combater ambos os sistemas do São Paulo foi o recurso a referências individuais (em particular dos médios), algo que se ajustaria a qualquer esquema do adversário.

Devido à análise que fizemos de todos os jogos contra o São Paulo, concluímos que praticamente nenhuma das ideias ofensivas que utilizamos nesses encontros tiveram sucesso. Por isso, procuramos mudar e apresentar algo diferente. E fizemos o contrário do que tínhamos feito anteriormente: pedimos que os jogadores executassem igualmente movimentos "fora da caixa", mas, neste caso, deviam ser movimentos de aproximação para a zona da bola, criando superioridades perto dos zagueiros e abrindo espaços (pois atraímos a marcação do adversário e retiramo-los das posições) que depois iriam ser conquistados indiretamente, através de combinações e tabelas curtas com bola. Isto porque acreditamos que a melhor forma de atacar uma defesa zonal é com mais ataque posicional (logo, menos mobilidade); e a melhor forma de atacar uma defesa mano a mano é com mais mobilidade (logo, menos ataque posicional).

No início dos trabalhos de preparação para esta partida, mostramos a análise da decisão do Paulista contra o São Paulo. Além de indicar o que tínhamos feito de positivo, apontamos também aquilo que deveríamos melhorar para o próximo jogo: em especial, a distância das linhas de passe entre os nossos jogadores. Na final do estadual tivemos, ofensivamente, distâncias muito longas entre jogadores. Estas longas distâncias davam uma grande vantagem ao adversário, que estava sempre posicionado em zonas confortáveis defensivamente, a "ver-nos de frente", e em situações de 1x1 defensivo onde eram muito fortes.

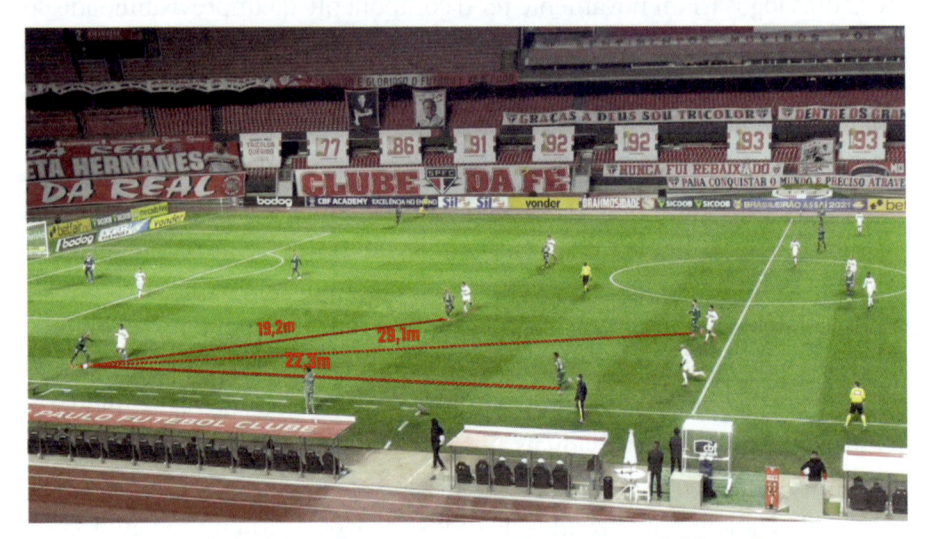

Figura 57: Imagem da final do Paulista que queríamos evitar no jogo da Libertadores: precisávamos ter as linhas de passe mais próximas

Tendo em conta a análise do adversário e os comportamentos inerentes à nossa ideia de jogo, definimos as seguintes ideias-chave no plano de jogo (na página seguinte).

Para o duelo de ida das quartas da Libertadores, procuramos nuances estratégicas diferentes dos jogos anteriores, quer ofensivamente, quer defensivamente.

Ofensivamente, o nosso plano passava por atacar em 1:3:4:3 com um quadrado no meio-campo composto por 4 jogadores: 2 volantes e 2 meia-atacantes. Estes quatro atletas eram os elementos com mais mobilidade da nossa equipa; seu posicionamento e sua qualidade iriam criar desequilí-

Ideias-chave: São Paulo x SE Palmeiras

Momento do Jogo	Problema (Adversário)	Solução (Equipa)	Estratégia
Organização Ofensiva #1	Pressão alta com agressividade na pressão, mas muitas vezes "partiam" as linhas, criando espaço entre a linha atacante e a linha de médios	**Mantivemos a estratégia** em relação aos jogos anteriores contra o São Paulo	Usar o goleiro para criar superioridade numérica na 1ª fase de construção
Organização Ofensiva #2	Marcação com perseguições (mano a mano) a campo todo Volantes fortes nas pressões e na marcação	**Alteramos a estratégia** em relação aos jogos anteriores contra o São Paulo	Os nossos jogadores de zona interior (Veiga, Dudu, Danilo e Zé) teriam de se aproximar da bola e conseguir atrair o adversário para depois ganhar as costas em combinações curtas
Organização Ofensiva #3	Adversário fazia forte marcação nos corredores laterais e colocava muitos jogadores nessa zona de pressão	**Mantivemos a estratégia** em relação aos jogos anteriores contra o São Paulo	Espaço no lado contrário a bola, que tinha de ser aproveitado Zagueiro do lado contrário era o homem livre e deveria oferecer linha de passe mais subido no terreno (como volante) para depois progredir com bola
Organização Defensiva #1	Adversário com grande volume e qualidade no jogo exterior	**Alteramos a estratégia** em relação aos jogos anteriores contra o São Paulo	Passamos a orientar a pressão para os corredores laterais, de modo a provocar que progredissem com bola e deixassem mais espaço para transição
Organização Defensiva #2	Fortes no ataque à profundidade através dos meia-atacantes e dos 2 centroavantes móveis	**Alteramos a estratégia** em relação aos jogos anteriores contra o São Paulo	Não faríamos uma marcação dos médios à zona, faríamos marcação mano a mano (tal como o São Paulo, mas nós faríamos somente no corredor da bola e não campo inteiro)

Tabela 11: Ideias-chave: São Paulo x SE Palmeiras

brios na marcação do adversário. Os meia-atacantes, em particular, teriam "liberdade total" e poderiam movimentar-se para as zonas onde sentissem que havia espaço livre, mas sempre se aproximando da zona da bola. Os volantes, por sua vez, tinham liberdade "condicionada"; poderiam ir para os corredores laterais, mas não deveriam executar movimentos de profundidade. Assim, no caso de perda de bola, estariam mais próximos e seriam um primeiro "tampão" à transição ofensiva do adversário (momento do jogo onde também eram perigosos).

Para este jogo, acreditamos que não seriam as situações ofensivas padronizadas que resolveriam a partida, porque o São Paulo iria marcar/perseguir os nossos jogadores (mano a mano) pelo campo todo. Contra um adversário que defende com esta marcação, teriam de ser a mobilidade e a qualidade individual dos jogadores a nos livrar da marcação e encaixe.

Figura 58: Ataque em 1:3:4:3 com quadrado no meio-campo composto por 2 volantes e 2 meia-atacantes

Do ponto de vista ofensivo, exploramos também o fato de o homem livre ser muitas vezes o zagueiro do lado contrário; como os 2 centroavantes do adversário dividiam a pressão dos nossos 3 zagueiros, o homem livre seria um desses zagueiros. E havia também o goleiro, obviamente, que era o jogador que nos permitia criar ainda mais superioridade numérica na 1ª fase de construção. Então, sempre que tivéssemos dificuldade em atacar pelo corredor, por estar "cheio" de jogadores adversários, procurávamos variar o centro de jogo (virada longa ou apoiada) para encontrar o zagueiro do lado contrário.

Figura 59: Homem livre, fruto do encaixe de marcação mano a mano do São Paulo: goleiro e 1 dos zagueiros, consoante o lado da pressão

Defensivamente, foi fácil de explicar aos nossos jogadores a estratégia. De forma resumida, tínhamos de usar o mesmo "veneno" que o adversário usava. E para isso precisávamos fazer as marcações individuais em que o adversário era tão forte. No entanto, não queríamos que elas acontecessem no campo todo: a marcação individual deveria se concentrar somente no corredor onde estava a bola, porque os jogadores do lado contrário teriam de fechar por dentro. Assim, jogasse o adversário como jogasse, sabíamos que teríamos vantagem no confronto de sistemas e que os médios do adversário estariam sempre sob marcação do lado da bola, fosse 3x3 ou 4x4.

De uma forma geral: Rony teria de dividir 2 jogadores (Miranda e Arboleda), orientando as pressões para os corredores laterais – ou seja, deixando o zagueiro conduzir a bola e fazendo um movimento circular para fechar o espaço central e obrigar este a jogar no corredor lateral. Veiga teria de ajudar a fechar o corredor central, se o adversário tivesse 4 médios, ou fechar o espaço exterior caso o adversário contasse com 3 médios. Dudu, Zé Rafael e Danilo faziam marcação mano a mano no lado da bola, e no lado contrário equilibravam a equipa. Breno Lopes e Marcos Rocha defendiam todo o corredor e tinham de controlar o Daniel Alves e o Léo, respectivamente. A defesa teria superioridade numérica e posicional de 3x2 (com dois a marcar e um a fazer cobertura como homem livre); devido à mobilidade dos jogadores adversários, teria de haver muita comunicação para estarmos bem posicionados.

Figura 60: Estratégia defensiva adotada no jogo de ida das quartas de final da Libertadores: 1:3:6:1

A nível mental, a preparação centrou-se na confiança que o Abel passou aos jogadores sobre esta partida específica. Sentimos que antes do jogo se falava muito de a história de confrontos não ser positiva para o Palmeiras. Nossa equipa técnica, porém, tem a opinião de que a história não "joga jogos", nem contra nem a favor. Quem joga são os jogadores; são eles que fazem a história, no presente. E daí surgiu o lema utilizado pelo Abel para esta eliminatória: "a história faz-se aqui e agora!", como forma de combater o peso que tentavam atribuir ao retrospecto histórico.

A hora do jogo chegou.

O São Paulo apresentou-se ofensivamente em 1:4:2:2:2 com construção a 3 com o volante entre zagueiros, ou seja, num sistema que já esperávamos e para o qual nos preparamos. Defensivamente, utilizou a mesma estratégia dos jogos anteriores: perseguições individuais a campo interior.

Com o passar do tempo, conseguimos aplicar nosso plano de jogo: ofensivamente ter os jogadores mais juntos e com os nossos 4 médios a terem mais bola. Fruto de uma 1ª fase de construção com muitos homens próximos do portador da bola, era possível chegar em boas condições ao último terço.

Ao longo do primeiro tempo, o São Paulo tentou impor seu jogo com a mobilidade dos seus médios – algo que contrariamos muito bem com nosso plano e com as funções de nossos atletas bem definidas. Apesar de em alguns momentos abrirmos em demasia o corredor central (fruto da marcação do nosso volante ao meia-atacante do adversário, que abria ou rompia no corredor lateral), nossa defesa foi muito competente na cobertura desse espaço.

Quando o adversário começou a sentir dificuldades em progredir com bola e entrar em nosso bloco, passou a insistir nas bolas em profundidade. Por sabermos que este era um ponto forte do São Paulo, a par do jogo exterior, também havíamos treinado este cenário defensivo ao longo da semana. Definimos que os movimentos do meia-atacante e dos dois centroavantes deveriam ser controlados pelos nossos médios e defesas, sendo que no momento do facão eles teriam de comunicar para acompanhar o movimento ou passar a marcação. Em caso de dúvida ou falta de comunicação, acompanhar o jogador era a "bóia" à qual tínhamos de nos agarrar.

Essa comunicação resultou muito bem. Fruto das constantes passagens de marcação, estivemos mais vezes 3x3 na defesa do que 3x2. Apesar de termos perdido a vantagem numérica e ficarmos em igualdade, quase sempre estivemos com vantagem posicional e cinética, pois estávamos já bem colocados para defender os movimentos e com os apoios preparados para tirar profundidade, respectivamente.

O adversário teve um lance perigoso, resultante de uma bola em profundidade, que o Weverton acabou por intervir. (É para isso que jogamos com goleiro!).

A partida estava muito equilibrada, com ligeiro ascendente para o São Paulo. Ao contrário de outros jogos contra eles, sentimos nossa equipa muito competitiva e confortável com a estratégia delineada. Perto do final da primeira etapa, como consequência de uma boa organização defensiva, criamos as duas melhores oportunidades do jogo até então: duas transições em que exploramos muito bem o espaço no corredor lateral. Não conseguimos finalizar da melhor maneira, apesar da vantagem que tínhamos.

No intervalo, percebemos que coletivamente estávamos bem no jogo, e que individualmente poderíamos melhorar em alguns detalhes – sendo um deles a troca do Breno pelo Wesley.

Num segundo tempo que estava a ser muito parecido com o primeiro, a entrada do Wesley deu-nos energia e mais capacidade de desequilíbrio. Momentos antes do golo sofrido, conseguimos criar uma oportunidade, numa jogada individual do Wesley, mas de novo não concluímos bem. Pouco tempo depois desse lance, a partir de um arremesso de linha lateral rápido, o São Paulo abriu o marcador. Não conseguimos afastar a bola do interior da área, e após duas grandes defesas do Weverton, nosso adversário ganhou o rebote e (de primeira) fez um bom golo. Mais uma vez, um jogador que raramente marcava golos voltava a fazê-lo na nossa equipa.

Tivemos, contudo, uma reação muito positiva ao golo sofrido. Nossa equipa começou a ter um maior caudal ofensivo. E, numa tentativa de dar ainda mais capacidade de ataque, mexemos no sistema tático, com a entrada do Patrick de Paula. Nesse momento, passamos a estar num 1:3:1:5:1, em que deixamos o Danilo como elemento de ligação entre defesa e ataque e pedimos ao Patrick para jogar nas costas do seu médio de marcação. Era nosso objetivo que os 5 elementos da zona média nos dessem aquilo que pretendíamos: ter mais jogadores capazes de fazer movimentos nos corredores laterais/alas, isto é, nas costas dos laterais/alas.

Essa alteração deu-nos maior volume ofensivo e capacidade de chegada ao último terço. No entanto, foi através de uma bola parada que chegamos ao 1x1.

Mesmo após o golo marcado, a equipa não baixou as linhas e continuou a criar, através dos movimentos facão que tínhamos pedido. Conseguimos incomodar o São Paulo neste tipo de situação, e nos mantivemos próximos do golo adversário.

O jogo de ida das quartas de final da Copa Libertadores terminou empatado em 1x1, na casa do nosso rival. Nada perdido, nada ganho. Estava tudo em aberto.

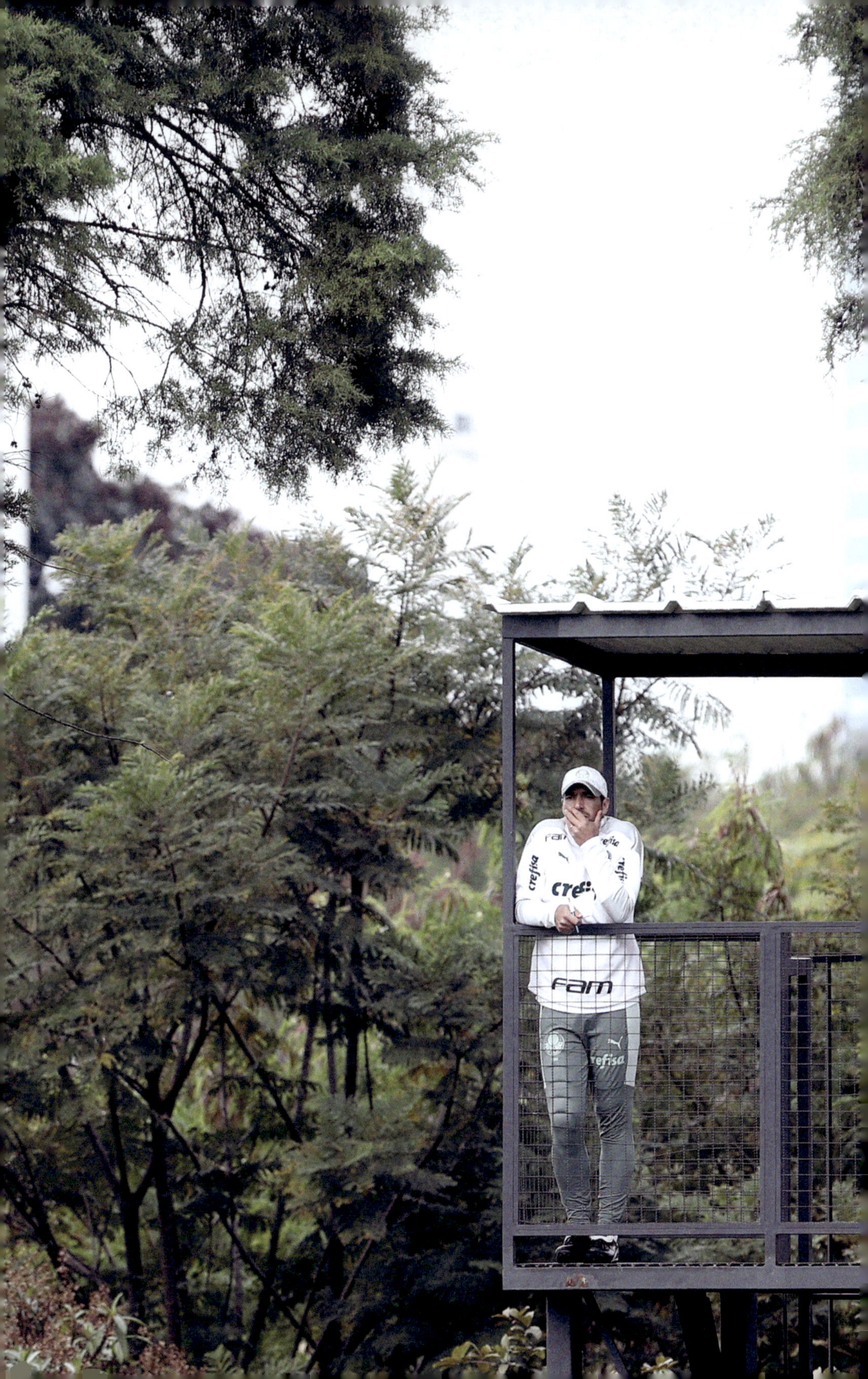
crefisa
FAM

Jogo: Palmeiras 3x0 São Paulo
(Libertadores - quartas - volta)

VOLTA **64**

"Nós damos algumas pistas, mas quem faz realmente a diferença são os jogadores. Os verdadeiros protagonistas do jogo."
Abel Ferreira

São Paulo, 17 de agosto de 2021

Faltava disputar a segunda parte da eliminatória. Faltavam 90 minutos para escrevermos nossa própria história.

Por mais que o empate em 1x1 no jogo de ida nos possibilitasse outras combinações para avançar à próxima fase, encaramos a partida de volta em nossa casa com somente um resultado na mente: a vitória.

No primeiro duelo, percebemos que a estratégia delineada por nós e executada com eficiência e confiança pelos jogadores criara dificuldades ao adversário; por isso, decidimos repeti-la no segundo jogo. Por mais que a parte tática fosse importante, o essencial era continuarmos competitivos, com base em um dos lemas do Abel: "competir é a base de tudo na nossa ideia de jogo". Quer sem bola, quer com bola, tínhamos de ser altamente competitivos, como tínhamos sido na ida. Só assim passaríamos pela eliminatória.

Sabíamos que o adversário poderia arriscar um pouco mais, o que seria até bom para nós, mas em linhas gerais deveria manter a base de comportamentos e sistemas dos jogos anteriores que disputamos. Por mais que tivéssemos essa dúvida do esquema que o adversário viria para o segundo jogo, estávamos preparados para enfrentar qualquer um deles. E os jogadores também.

Assim que saiu a equipa inicial, percebemos que o adversário iria jogar em 1:3:5:2. Entre todos os sistemas que o São Paulo apresentou, este era o que considerávamos ser aquele que melhor poderíamos contrariar.

Um dos fatores mais decisivos do futebol é marcar o primeiro golo. Em todos os jogos contra o São Paulo, nunca tínhamos saído em vantagem. Mas neste jogo aconteceu.

No lance em que marcamos o 1x0, aos 9'56'', ocorreu exatamente o que havíamos treinado: encaminhar a 1ª fase de pressão para zonas de pressão no corredor, deixar o zagueiro conduzir e progredir com a bola, recuperá-la no corredor lateral com nosso volante ou lateral e depois atacar pelo mesmo corredor, no espaço liberado pelo zagueiro. Depois, poderíamos ir (ou não) à procura do meia-atacante do lado contrário. Conseguimos uma transição perfeita: o Zé Rafael teve a capacidade de perceber o espaço para conduzir a bola e transitar através de progressão. Entregou ao Raphael Veiga, meia-atacante que se colocou em posição estratégica e marcou o golo. O timing do passe foi impecável, assim como a finalização.

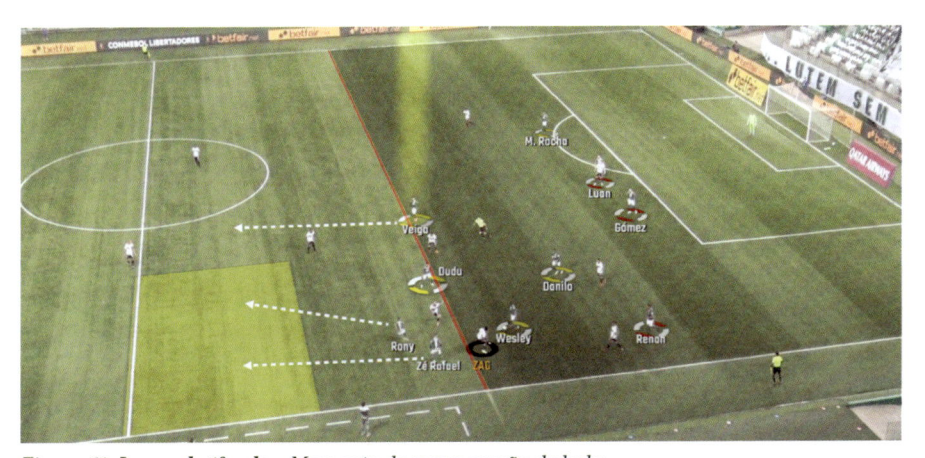

Figura 61: **Lance do 1º golo** – Momento de recuperação de bola

Figura 62: **Lance do 1º golo** – Momento da transição indireta em progressão do volante e do posicionamento estratégico do nosso meia-atacante/ponta do lado contrário

Esse golo nos deu muita confiança – não só por ter nos colocado por cima na eliminatória, mas também por ter acontecido da forma que aconteceu: em uma situação que havíamos treinado e que os jogadores executaram à perfeição.

Apesar do maior volume ofensivo do São Paulo, sentimos que a equipa estava confiante e segura. Continuamos rigorosos a cumprir o plano estratégico, com uma grande intensidade e foco nas ações.

Esta foi uma partida na qual conseguimos impor nosso jogo sempre que tivemos a bola. Os meia-atacantes envolveram-se bastante nas ações e foram capazes de desequilibrar individualmente dentro da ideia coletiva que tínhamos. Fruto de sua capacidade intrínseca de entender o jogo, o Veiga esteve muito ativo e ajudou a garantir o controlo da bola. O Dudu era o homem mais livre de nossa equipa; ele conseguiu encontrar os espaços longe do zagueiro que o acompanhava para receber sem marcação e depois encarar o adversário de frente e com bola dominada. Mérito deles, e mérito também de todos os jogadores que lhes faziam a bola chegar em condições ótimas.

Figura 63: Exemplo da movimentação do Dudu, que criava muitos problemas ao São Paulo: quanto mais ele recuasse no terreno para receber a bola, mais dificuldades o zagueiro que o marcava teria para acompanhá-lo

No início do segundo tempo, o adversário fez uma substituição: colocou um extremo e tirou um volante. Com essa mudança, o São Paulo alterou o sistema tático, deixando o Daniel Alves (lateral-direito) a construir em zonas interiores e um ponta-direita totalmente aberto no corredor para potenciar ações individuais.

Figura 64: Alteração tática do São Paulo no segundo tempo

Esta alteração criou-nos algum desconforto até nos encaixarmos a ela. Antes disso acontecer, porém, o adversário teve a melhor oportunidade para empatar a eliminatória.

Após esse lance, seguimos bem no jogo. A parte mental de estarmos preparados para tudo ajudou a superar este susto. Pouco tempo depois, numa pressão alta agressiva e coletiva da nossa equipa, ganhamos a bola e conseguimos ser objetivos e finalizar um lance numa bela execução técnica do Dudu.

O momento chave na partida foi o golo do 2x0. O jogo estava "vivo" e muito disputado; sentíamos que a equipa que marcasse um golo teria uma vantagem emocional muito grande em relação à outra. Se fosse o São Paulo, igualaria a eliminatória e talvez animicamente ficasse por cima de nós. Se fôssemos nós a marcar, muito provavelmente abalaria emocionalmente o adversário, pois dificilmente a vitória nos iria escapar.

Tal veio a se confirmar. O São Paulo arriscou tudo até o final do jogo e passou a estar menos equilibrado nos momentos da perda de bola, o que nos dava espaço para as transições ofensivas. Poderíamos ter feito o 3º golo assim, mas o golo veio de um outro momento que também valorizamos muito: a transição defensiva, ou pressão pós-perda.

Enquanto equipa técnica, consideramos muito importante que, em zonas altas do campo e em caso de perda de bola, tenhamos uma reação de forte pressão pós-perda para voltarmos a ter a posse. Somente se não conseguirmos recuperar a bola em 5 segundos devemos retornar à posição defensiva. Nesse lance de transição defensiva, o Patrick de Paula fez uma pressão pós-perda da bola, conseguiu recuperá-la e fez o último golo do jogo em um forte remate de fora de área.

O jogo terminou 3x0 a nosso favor. A eliminatória estava decidida. A história tinha sido escrita. (Mas desta vez, de forma diferente!) Para alguns, esta vitória quebrou tabus do passado. Para nós, enquanto equipa técnica, ela representou duas coisas importantes: ganharmos de um São Paulo muito competente e bem orientado e continuarmos a escalada para proteger um título que era nosso.

P.S. 1: O Abel e o Hernán Crespo foram vizinhos durante o período em que o Crespo treinou o São Paulo, uma vez que moravam no mesmo condomínio. Mas o "vizinho" chato não é ele nem ninguém do condomínio (que fique claro que as pazes com o "vizinho" já foram feitas!). Aliás, algum tempo após a eliminatória da Libertadores, o Abel convidou o Crespo para jantar em sua casa. Nesse encontro, trocaram muitas ideias e partilharam muitas experiências, sendo que o Abel se refere sempre a esse jantar como um bom momento de aprendizagem com alguém que fez um percurso profissional extraordinário. No final, ainda houve tempo para uma troca de prendas...

P.S. 2: Ao longo da nossa estadia no Brasil, a relação do Abel com os treinadores adversários tem sido sempre boa. E falando em particular dos treinadores brasileiros, excelente. Exemplos disso foram as vezes que recebemos, no nosso gabinete, treinadores brasileiros ou que atuam no futebol brasileiro para partilharmos ideias e experiências. A partilha de experiências é uma das melhores formas de aprendizagem que existe. Assim como os livros que lemos e os documentários a que assistimos em busca de informação, consideramos que uma forma de aprendizagem é também indagar alguém: "o que fazes, como fazes e porque fazes?", "por que tomaste esta decisão?", "por que seguiste este caminho" ou "o que te levou a jogar assim e não de outra forma?".

JOGO: PALMEIRAS 3X0 SÃO PAULO (LIBERTADORES – QUARTAS – VOLTA)

A preparação mental para uma semifinal com entorno de final

VOLTA **65**

"Sabemos o que queremos, sabemos onde queremos chegar, sabemos o que temos de defender e vamos defender o que é nosso com unhas e dentes."
Abel Ferreira

São Paulo, 18 de setembro de 2021

Após a histórica façanha contra o São Paulo (relembrando: nunca o Palmeiras havia vencido o rival em uma partida da Libertadores), tínhamos pela frente o Clube Atlético Mineiro. O CAM era tido, por muita gente, como o favorito a passar a eliminatória e a vencer a Libertadores, não só pelo alto investimento feito na qualificação do elenco para temporada 2021 como também pelo fato de ter eliminado o Boca Juniors e o River Plate nas fases anteriores da competição. Por isso, e pelo nosso desejo de estar novamente na decisão continental, encaramos a semifinal contra o Atlético Mineiro como se fosse a própria final da Libertadores.

Desde logo, esta partida assinalou o início da criação e utilização do lema "Vamos proteger o que é NOSSO!". Este lema começou a ser transmitido verbalmente pelo Abel, nos treinos e nas preleções, e visualmente através da presença da réplica da taça da Libertadores que fizemos questão que nos acompanhasse em diferentes momentos.

No jogo de ida, no Allianz Parque, utilizamos estrategicamente a taça na sala de preleção para dar um significado real ao "nosso". Colocamo-la bem no centro do recinto para que os jogadores vissem-na a todo o momento, enquanto olhavam para a tela. A ideia era a de que eles recordassem os momentos que tinham tocado naquela taça pela última vez. Também utilizamos um lema que pretendia reforçar o espírito com que encarávamos este jogo: "Contra tudo e contra todos". Esse lema tinha como objetivo recordar os jogadores de que não éramos apontados como favoritos, e de que muitos duvidavam de nossas capacidades; entretanto, estávamos bem conscientes delas e disputaríamos essa eliminatória contra todos que desacreditavam de nós.

Proteger o que é nosso: a taça da Libertadores na sala de preleção do Allianz Parque

No jogo de volta, utilizamos várias estratégias motivacionais. Antes de tudo, e novamente, a réplica da taça. Desta vez, colocamo-la no meio do vestiário do Mineirão; o grito de guerra "1,2,3, Palmeiras", antes de ir para o gramado, aconteceu com o grupo unido com as mãos sobre a taça Libertadores. Momento arrepiante esse!

Em segundo lugar, colocamos uma moldura no quarto de cada um dos atletas e integrantes da comissão com uma mensagem. "O que significa conquistar a Copa Libertadores novamente?" foi a frase que utilizamos para os que já haviam ganho o torneio; para os que não faziam parte do elenco na conquista anterior, perguntamos: "O que significa conquistar a Copa Libertadores?".

294 CABEÇA FRIA, CORAÇÃO QUENTE

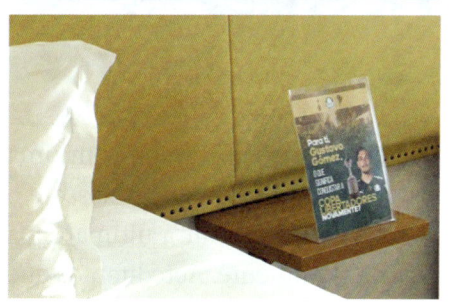

Em terceiro e por último, fizemos um vídeo motivacional. Semanas antes, havíamos pedido à assessoria de imprensa que gravasse as respostas de todos os jogadores do elenco às seguintes perguntas:
- Para ti, o que significou conquistar a última Libertadores?
- Para ti, o que significaria conquistar a Libertadores novamente?
- Para ti, o que significaria conquistar a Libertadores pela primeira vez?

Com as respostas gravadas dos 29 jogadores, fizemos um vídeo motivacional. O Abel lançou esse vídeo no grupo de WhatsApp imediatamente após a preleção, para que os jogadores o assistissem a ele no ônibus a caminho do estádio. Apesar das respostas serem dadas por 29 atletas, que são

29 "mundos diferentes", denotamos grande similaridade em suas réplicas. Sentimos que vencer a Libertadores novamente tinha um significado em comum a todos eles: alcançar uma façanha que nenhum elenco do Palmeiras conseguira antes – e entrar para a eternidade do futebol sul-americano.

Assim, conseguimos que os jogadores entrassem em campo com uma clara missão e um claro *mindset*. A missão de proteger o que é nosso e o *mindset* de saber o que para eles tinha custado conquistar a última Copa Libertadores e o que significaria conquistá-la novamente. Acreditamos que nos momentos de adversidade existentes dentro do próprio jogo, esse sentido de missão e este *mindset* ajudam os jogadores a dar 1% a mais de si. E esse 1% pode fazer a diferença entre uma derrota e uma vitória, entre uma eliminação e uma classificação...

Jogo: Palmeiras 0x0 Atlético Mineiro (Libertadores – semi – ida)

VOLTA **66**

"Precisamos dar tudo para proteger o nosso sonho.
Dar o máximo de cada um de nós."
Abel Ferreira

São Paulo, 21 de setembro de 2021

O jogo de ida da semifinal da Libertadores, contra a experiente equipa do Atlético Mineiro, aconteceu numa altura da temporada em que vivíamos um momento de grande oscilação de resultados no Campeonato Brasileiro, com muita alternância entre vitórias e derrotas. A derrota em casa contra o Flamengo, em especial, tinha-nos abalado emocionalmente; assim, na preparação para o duelo contra o Atlético Mineiro, sabíamos que precisávamos recuperar os jogadores no aspecto anímico.

Utilizamos a partida contra a Chapecoense, que precedeu a estreia na semifinal da Libertadores, para preparar o grupo mentalmente para a eliminatória. E fizemo-lo através de uma atitude: cobramos muito dos jogadores para o foco defensivo. Vínhamos de uma sequência de três jogos a sofrer golos. E os últimos 3 golos que sofremos em casa eram um claro sinal de que precisávamos melhorar a esse nível. Esta cobrança já tinha o Atlético Mineiro em mente, pois sabíamos da força de seu setor ofensivo.

Ao longo da semana, começamos a preparar o grupo para aquilo que era mais importante na eliminatória: a solidez defensiva. Sabíamos que marcávamos golos contra praticamente todas as equipas; assim, caso não sofrêssemos tentos, estaríamos muito próximos de ganhar o jogo. Tínhamos convicção, portanto, de que a força na defesa era a chave para o sucesso na eliminatória – e que esta seria disputada até o último segundo do jogo da volta.

Na reunião de estratégia para este jogo, acreditamos que o melhor plano seria manter a nossa base do 1:4:3:3. Com bola, manteríamos nossa base de ataque; sem bola, deveríamos ter uma grande solidariedade defensiva por parte dos pontas. Defender muito bem os corredores laterais do adversário, em especial o esquerdo, era um aspecto importante a ter em conta. Apesar da qualidade ofensiva desse corredor, era também o setor que poderíamos aproveitar nas transições ofensivas, mais ainda do que no corredor direito. Esse é o dano colateral de ser extremamente ofensivo.

Tínhamos a dúvida se o adversário se apresentaria com 2 centroavantes ou 1 centroavante e 1 meia-atacante. No momento da recepção da ficha de jogo, vimos que o adversário entraria com 2 centroavantes – mas isso não alterou em nada o plano, pois estávamos preparados para ambos os cenários. Nós e os jogadores.

Tendo em conta a análise do adversário e os comportamentos inerentes à nossa ideia de jogo, definimos as seguintes ideias-chave no plano de jogo (na página seguinte).

A partida no Allianz Parque começou com ambas as equipas muito cautelosas, a estudarem-se uma à outra, sem grandes ações de desequilíbrio. Com o avançar do jogo, nosso adversário passou a ter maior posse de bola e estar mais presente em nosso meio-campo defensivo. Durante esse período de tempo, conseguimos sair duas vezes em transição e encontrar o espaço que desejávamos (nosso corredor direito, corredor esquerdo do adversário); no entanto, por más decisões ou más execuções, não chegamos a criar verdadeiro perigo.

Por não termos demonstrado capacidade e coragem para ter a bola e assumir o jogo, o Atlético cresceu e passou a contar com ainda mais volume de jogo ofensivo.

De forma geral, o adversário foi melhor que nós. Chegou mais próximo da nossa área em vários momentos; foram deles as duas melhores oportunidades do primeiro tempo. A grande chance surgiu em um lance de penalidade máxima, oriundo de uma situação de muito mérito individual do centroavante do Atlético, que oportunamente conseguiu antecipar nosso zagueiro e conquistou o pênalti. Mas eles acabaram por falhar. Felicidade ou estrelinha de campeão...

O jogo na etapa inicial não foi bom. No intervalo, o Abel disse aos jogadores:

– Tenho uma boa notícia para vocês. Fazer pior que essa 1ª parte é impossível. Portanto, tenho a certeza de que vamos melhorar muito no 2º tempo e cada um de vocês vai estar melhor na etapa final.

Ideias-chave: SE Palmeiras x Atlético Mineiro

Momento do Jogo	Problema (Adversário)	Solução (Equipa)	Estratégia
Organização Ofensiva #1	Fruto de nossa dinâmica com bola, o Atlético faria linha de 5 (muitas vezes) com o ponta-direita Ponta-direita iria acompanhar o nosso lateral-esquerdo e o ponta-esquerda pressionaria o nosso lateral-direito baixo na construção a 3	Nuance estratégica dentro da nossa ideia	Ponta não defende tão bem como um lateral, por isso deviamos tentar forçar mais pelo corredor direito do adversário (nosso corredor esquerdo) Ponta-esquerda e lateral-esquerdo deveriam fazer movimentos complementares: ponta com movimentos interiores para atrair o lateral adversário e lateral com movimentos fação nas costas do lateral-esquerdo
Organização Ofensiva #2	Equipa que alternava entre momentos de alta pressão com momentos de baixar o bloco para puxar contraataque Os 3 homens que iniciavam a pressão não eram pressionantes	**Manter a base/identidade** Equipa eficaz na construção mesmo quando pressionados Zagueiros teriam de jogar ainda mais abertos e com rápida circulação ("passe de fogo")	
Organização Ofensiva #3	Marcações mano a mano dos 2 médios e dos defesas com uma "sobra" defensiva	**Manter a base/identidade** Teríamos de criar o nosso espaço através de mobilidade para sair da marcação + Criação de estrutura fixa e móvel em nossa equipa + Os jogadores móveis de nossa equipa tinham liberdade para sair da posição e encontrar o espaço	
Organização Defensiva #1	Muita mobilidade dos jogadores (volantes, pontas, centroavantes) Troca de posições no corredor lateral esquerdo (lateral-volante-ponta) O corredor esquerdo do adversário era o corredor com maior volume ofensivo e que criava mais perigo, fruto do envolvimento ofensivo do adversário	Nuance estratégica dentro da nossa ideia	Reforçar esse corredor com um ponta solidário defensivamente Colocamos o Rony no corredor por ser um jogador responsável na parte defensiva e com capacidade para depois transitar
Organização Defensiva #2	Equipa forte no ataque à profundidade e com grande amplitude em seu jogo	**Manter a base/identidade** Tínhamos de ser eficazes a controlar estes movimentos e não abrir espaço entrelinhas. Por esse motivo, optamos por defender em bloco baixo para garantir que os adversários tivessem pouco espaço nas costas da nossa linha defensiva	

Tabela 12: Ideias-chave: SE Palmeiras x Atlético Mineiro

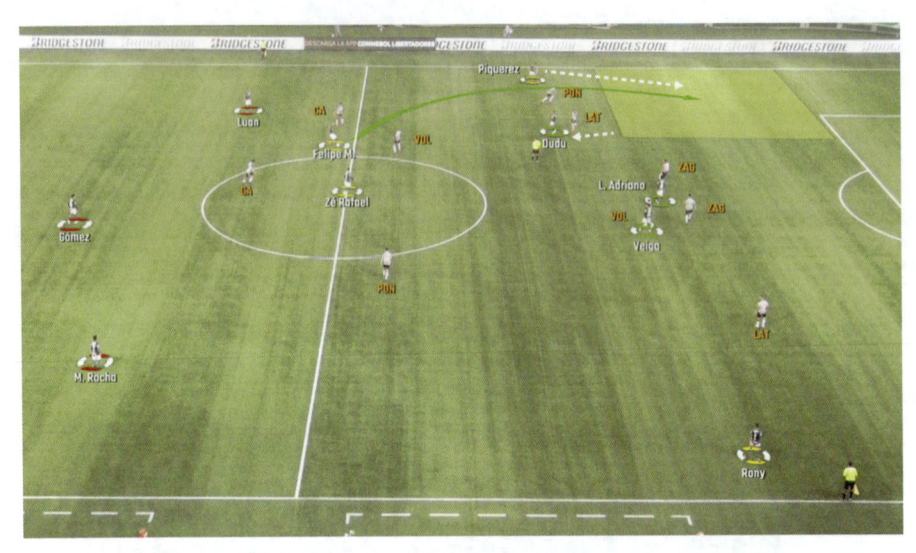

*Figura 65: Organização Ofensiva #1 – Problema: Fruto da nossa dinâmica com bola, o Atlético faria linha de 5 (muitas vezes) com o ponta-direita, isto porque o ponta-direita iria acompanhar o nosso lateral-esquerdo e o ponta-esquerda pressionaria o nosso lateral-direito baixo na construção a 3 | **Solução:** Forçar mais pelo corredor direito do adversário (nosso corredor esquerdo) pois o ponta não defende tão bem como um lateral + Nosso ponta-esquerda e lateral-esquerdo deveriam fazer movimentos complementares (ponta com movimentos interiores para atrair o lateral adversário e lateral com movimentos facão nas costas do lateral-esquerdo)*

*Figura 66: Organização Defensiva #2 – Problema: Troca de posições no corredor lateral-esquerdo (lateral-volante-ponta) + O corredor esquerdo do adversário era o corredor com maior volume ofensivo e que criava mais perigo, fruto do envolvimento ofensivo do adversário | **Solução:** Reforçar esse corredor com um ponta solidário defensivamente + Colocamos o Rony no corredor por ser um jogador responsável na parte defensiva e com capacidade para depois transitar*

Os atletas entenderam a mensagem. Houve uma ligeira diferença na equipa durante o segundo tempo. Ofensivamente, não perdemos tantas bolas, mas mesmo assim não conseguimos impor nosso futebol e agredir o adversário. Defensivamente, melhoramos, fomos mais eficazes e não concedemos nenhuma oportunidade ao Atlético Mineiro. Ambas as equipes correram poucos riscos.

No final do jogo, apesar da frustração de não termos feito um jogo dos mais competentes, conseguimos cumprir uma parte importante do nosso plano: a solidez defensiva. E era ela que nos permitia estar totalmente vivos na eliminatória.

Jogo: Atlético Mineiro 1x1 Palmeiras
(Libertadores – semi – volta)

VOLTA **67**

"A principal característica da nossa equipa é defender e atacar todos juntos, não importa o placar."
Gabriel Veron

Belo Horizonte, 28 de setembro de 2021

Tivemos (novamente) um Derby contra o Corinthians no meio de uma decisão. E perdemos o jogo com um golo sofrido perto do apito final. Uma derrota como essa deixa sempre marcas, independentemente do contexto em que a partida foi disputada. Restava-nos agora canalizar essa frustração e vontade de reagir para focar no duelo da Libertadores.

Após a análise do jogo de ida, percebemos que a estratégia defensiva usada tinha sido simultaneamente positiva e negativa. Positiva porque o adversário não tinha criado praticamente nada e conseguimos defender bem; negativa porque esta forma de defender provocou alguns danos colaterais nos restantes momentos do jogo, notadamente na organização ofensiva e na transição ofensiva.

O primeiro dano aconteceu porque, no segundo tempo, deixamos de ser rigorosos no posicionamento (do ponta do lado contrário); por falta desse rigor, acabamos por defender com linha de 4+2 (em alguns momentos). Fruto desse posicionamento errado, quando ganhávamos a bola não tínhamos jogadores posicionados e preparados para atacar e/ou transitar.

Além disso, a mobilidade dos volantes e pontas do Atlético Mineiro criou-nos dificuldades que não conseguimos combater com este sistema. Os pontas muitas vezes viravam médios, em organização ofensiva, e criavam situações de superioridade numérica de 4x2 ou 4x3 contra nossos jogadores do meio-campo.

Por esse motivo, e porque os comportamentos por si só não resolveram os problemas colocados pelo adversário, decidimos alterar a estrutura tática para o jogo de volta da semifinal da Copa Libertadores. Esta é nossa filosofia: quando consideramos que os comportamentos de determinado sistema são insuficientes para combater um outro sistema, devemos alterar a estrutura tática. Para isso serve o "confronto de sistemas": compreender as vantagens ou desvantagens de um sistema em relação a outro.

Figura 67: Situação do jogo de ida a evitar no jogo de volta: erro de posicionamento no segundo tempo do jogo (defesa com linha de 6)

Figura 68: Situação do jogo de ida a evitar no jogo de volta: inferioridade numérica (3x4 ou 2x4) no meio-campo, fruto da mobilidade dos volantes e pontas adversários

Mas afinal que sistema poderia resolver os problemas colocados pelo Atlético Mineiro? O sistema com que tínhamos jogado a maior parte da Copa Libertadores: o 1:3:5:2. Por quê? Pela mobilidade dos médios e pontas adversários que tinham consequência na quantidade de jogadores entrelinhas; pela amplitude dada pelos laterais do Atlético Mineiro (principalmente o lateral-esquerdo); pela solidez defensiva que acreditávamos continuar a ser a chave para vencer a eliminatória.

Tínhamos dúvida entre o uso de 3 médios (e jogar em 1:3:5:2) ou 2 médios (e jogar em 1:3:4:3). Devido aos movimentos do Hulk, que procurava receber a bola entrelinhas e depois encarava de frente os adversários, sabíamos a importância de ter um médio que controlasse essa zona central e não desse os espaços que o Hulk procurava. O médio ideal para essa função seria o Felipe Melo – e para ele seria mais vantajoso jogarmos com 3 do que com 2 médios. Também no âmbito da disputa na subestrutura intermédia do meio-campo, era mais vantajoso ter um médio extra que nos garantisse maior segurança e equilíbrio nessa zona do terreno.

Ainda defensivamente, teríamos uma linha de 5 jogadores por trás dos 3 médios e 2 jogadores da frente, com instruções para defender até uma determinada zona; a partir dessa zona, deveriam apenas fechar espaço e preparar o momento de ganho da bola – isto é, o momento da transição ofensiva.

Figura 69: Aquilo que denominamos de "defender atacando", isto é, ter a preocupação de preparar o ataque ainda quando estamos a defender. Neste caso, colocamos 2 jogadores em posições estratégicas para antecipar o momento de ganho da bola e com a missão de fazerem movimentos complementares. O Dudu com a preocupação de oferecer apoio frontal e o Rony com missão de fazer movimentos facão nas costas da linha defensiva adversária

Figura 70: Aquilo que denominamos de "defender atacando", isto é, ter a preocupação de preparar o ataque ainda quando estamos a defender. Neste caso, colocamos 2 jogadores em posições estratégicas para antecipar o momento de ganho da bola e com a missão de fazerem movimentos complementares. O Dudu com a preocupação de oferecer apoio frontal e o Rony com missão de fazer movimentos facão nas costas da linha defensiva adversária

Ofensivamente, a construção com 3 jogadores dava-nos segurança e linhas de passe na 1ª fase de construção para circular com qualidade a partir de trás – ainda mais contra uma equipa que não colocava pressão intensa em nossa primeira fase de construção, por mais que fizessem 3x3. Além disso, teríamos superioridade numérica de 5x3 ou 6x4 em zona 2, devido à liberdade total que os jogadores Danilo, Dudu e Raphael Veiga tinham para encontrar os espaços livres e se liberarem da marcação individual.

Os laterais tinham missões diferentes: o Piquerez deveria "espetar-se" na linha defensiva do adversário, algo que arrastaria o posicionamento do ponta adversário para trás; e o Marcos Rocha devia posicionar-se à largura, mas ligeiramente baixo para ganhar espaço de progressão (caso o lateral não saltasse na pressão) ou abrir espaço entre zagueiro-lateral (caso o lateral saltasse na pressão).

Visto que sofreriam uma forte marcação individual, os meias Danilo e Veiga tinham liberdade para se movimentar para os espaços livres e progredir no terreno através de tabelas curtas. O volante, Felipe Melo, tinha a missão de garantir os equilíbrios da equipa e dar linhas de passe sem sair do corredor central.

Nossos dois jogadores da frente, Rony e Dudu, tinham missões diferentes. O Dudu seria mais um 4º médio a jogar nas costas do Rony e não próximo da linha de defesas. Com isto, pretendíamos criar superioridade numérica no meio-campo, ou ainda que ele arrastasse a marcação dos zagueiros adversários e assim liberasse espaço na defesa, a ser posteriormente aproveitado pelo Rony. Este, por sua vez, deveria estar sempre no limite do impedimento, tentando ganhar os espaços livres na profundidade através daquele que é o seu ponto forte: os movimentos facão.

Figura 71: A superioridade numérica que conseguimos ter em zona 2, fruto da mobilidade e liberdade de movimentos do Danilo, Veiga e Dudu

A preparação mental para este jogo, abordada na volta 65, foi um ponto crucial para encararmos esta "semifinal com entorno de final".

Ela teve por base alguns gatilhos mentais: teríamos de competir nos limites e ser nossa melhor versão, pois tínhamos a responsabilidade – para com nós próprios – de fazer muito melhor do que no jogo anterior.

Além disso, na preleção pré-jogo, o Abel lembrou os atletas de que não estávamos ali por acaso. Havíamos chegado por mérito próprio e com muita competência.

E mais: das quatro equipas que estiveram na semifinal da Copa Libertadores de 2020, nós eramos a única que voltava a estar presente na mesma fase na edição de 2021.

Por fim, mas não menos importante: éramos os detentores do título da competição. E tínhamos de proteger o que era nosso!

Sabíamos o que fazer taticamente. O "depósito de combustível" da mente também estava cheio. Agora, como sempre nos diz um dos seguranças do Palmeiras em dia de jogo, estava na "hora de fazer acontecer"!

A partida de volta contra o Atlético Mineiro começou com uma postura completamente diferente da nossa parte em relação ao primeiro jogo. Tivemos a primeira grande oportunidade de golo da partida, com uma finalização do Piquerez.

Apresentamos muito mais capacidade e coragem para ter a bola neste jogo do que no primeiro. Foi numa perda de bola, quando de uma construção a partir de trás, que permitimos uma grande oportunidade para o adversário. Conseguimos, aos poucos, construir situações de ataque pelo bom posicionamento e pela amplitude dada pelos nossos 3 jogadores de trás. Além disso, a mobilidade dos nossos médios nos possibilitava ficar mais confortáveis na fase de construção, pois contávamos com vantagem numérica e espacial.

Defensivamente, o plano estava a funcionar. Com linhas compactas, tivemos a capacidade de parar o adversário a meio do nosso meio-campo, tendo depois Dudu e Rony preparados para o ataque. Isso foi algo que sentimos que estava a incomodar muito o Atlético Mineiro. Era com essas transições que empurrávamos o oponente para o seu próprio meio-campo, algo que nos tinha faltado no jogo anterior.

No segundo tempo, mantivemos os nossos comportamentos de reduzir tempo e espaço ao adversário. O jogo começou muito próximo do que foi na etapa inicial. As ações individuais eram os momentos em que ambas as equipas conseguiam criar alguns lances de perigo. Pouco depois do início da 2ª parte, tivemos mais uma oportunidade de marcar, em uma jogada na qual conseguimos explorar os movimentos facão do Rony e sua velocidade.

Após este lance, o adversário começou a ser mais perigoso no nosso último terço, principalmente através de movimentos facão nas costas do nosso lateral. E foi dessa forma que chegaram ao golo. Através de um movimento facão do volante nas costas do Piquerez – que já tinha feito exatamente o mesmo movimento uns segundos antes –, não acompanhamos devidamente o movimento nem conseguimos bloquear o cruzamento. Mérito do adversário e mérito também do ponta, que ganhou bem a posição para finalizar e fazer o gol.

Figura 72: **Lance do 1x0**: *Golo sofrido que foi precedido de um movimento facão nas costas do nosso lateral*

Esse momento foi um duro golpe. Tal como em um combate de boxe, este foi um golpe que nos fez "balançar" e quase "cair no chão". No entanto, com cabeça fria e foco no que tínhamos de continuar a fazer, partimos em busca do golo que nos daria o empate e a consequente passagem à final da Libertadores. Afinal, tínhamos um plano; a ganhar tínhamos de seguir com ele; a perder também.

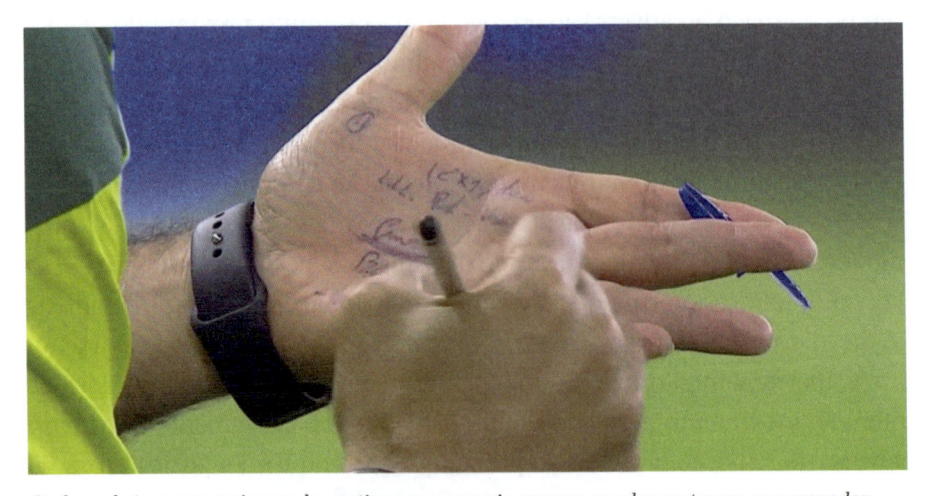

O plano de jogo que teríamos de continuar a cumprir, mesmo em desvantagem no marcador

Os gestos do Abel para os jogadores após o golo sofrido

Após o golo sofrido aos 51'18'', ambas as equipas tiveram a oportunidade de marcar.

O adversário teve a chance de chegar ao 2x0 num comportamento individual para o qual estávamos avisados: movimento facão do ponta Vargas. E esse poderia teria sido o golpe do KO, mas novamente só nos fez "tremer".

Nós tivemos uma oportunidade para fazer o 1x1 com o Rony. Em um lance no qual demonstrou sua velocidade e capacidade de antecipação, ele finalizou com o pé esquerdo e o goleiro adversário fez uma boa defesa.

Eis que surgiu o momento do jogo.

Precisávamos refrescar a frente de ataque para continuarmos a ser agressivos ofensivamente. O Rony já estava muito desgastado; era necessário ter alguém descansado e com velocidade na frente de ataque, porque percebíamos que era através de movimentos facão que estávamos a criar dificuldades. Por isso, optamos pela entrada do Veron para a posição de centroavante. Como é que um jogador pode entrar para uma posição que não é a sua? Porque, no momento de fazer uma substituição, além de verificarmos o plano de jogo elaborado no dia anterior, procuramos entender o que o jogo está a pedir – ou quais as caraterísticas do jogador que o jogo está a pedir. A verdade é que o jogo pedia alguém como o Rony, mas mais descansado. Ou seja, o Veron.

Um minuto após o Veron entrar em campo, iniciamos um tiro de meta a partir de trás e com a construção a 3 jogadores. O Renan passou no Piquerez e este, ao ver o movimento facão do Veron, colocou a bola no espaço. O Veron acabou por ganhar a bola na persistência e, com um cruzamento no chão, entregou para o Dudu fazer o golo.

Nesse momento e após o passe do Veron, temos 4 jogadores do Palmeiras dentro da área para marcar o golo – e somente 3 jogadores do adversário para o impedir.

Podemos falar da felicidade do golo – essa, que nos faltou em outros momentos da temporada! – ou de competência. Podemos falar de mérito de um jogador ou demérito de outro. No entanto, este é um lance que retrata exatamente os princípios do que pedimos: como ser agressivo e explorar o espaço na profundidade através do movimento facão. Além disso, podemos analisar que temos exatamente os movimentos complementares que pedimos aos nossos centroavantes: o movimento de apoio do Dudu e o movimento de profundidade do Veron. Este movimento do Dudu arrastou a marcação do zagueiro, que originou posteriormente mais espaço dentro da área (porque o zagueiro ficou para trás).

Algo que importa também realçar neste lance é a força do "acreditar". Este é um dos nossos lemas enquanto equipa técnica: "Mesmo sem ver, acreditar!". Tudo começa por acreditar que vamos conseguir alcançar aquilo a que nos propomos. E foi exatamente isso que aconteceu no golo. Acabamos por fazer golo porque vários jogadores acreditaram que o Gabriel Veron iria ganhar aquela bola no duelo individual. Prova disso foi a chegada à área com 4 jogadores; se por acaso o Dudu não marcasse o golo, o Marcos Rocha o faria.

Se o primeiro passo é acreditar, o segundo é fazer acontecer. (E o terceiro é conquistar.)

Figura 73: **Lance do 1x1** - *Movimentos complementares dos centroavantes: Dudu em apoio (para criar superioridade numérica no meio-campo e arrastar marcação do zagueiro adversário) e Veron em profundidade (para explorar o espaço nas costas da linha defensiva adversária e, obviamente, explorar um dos seus pontos fortes)*

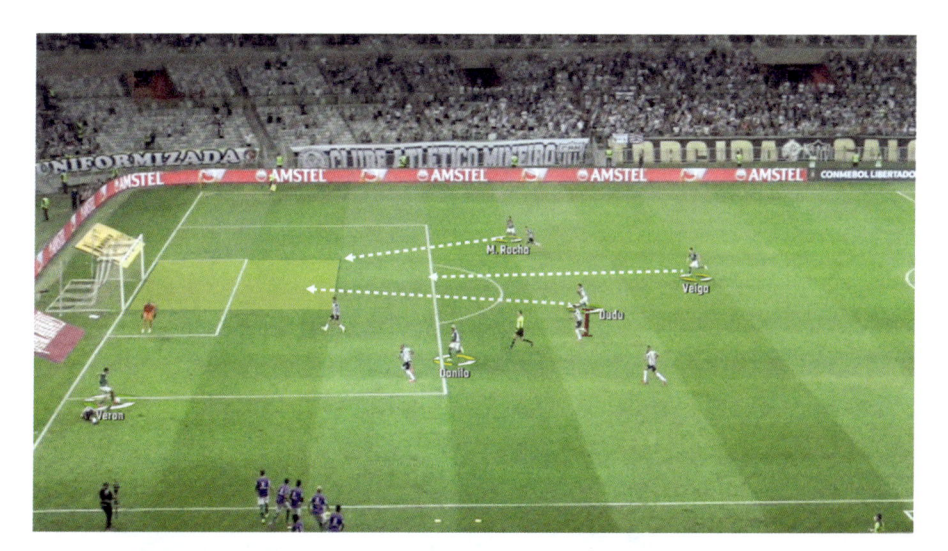

Figura 74: **Lance do 1x1** – *Chegada à área com 4 jogadores nossos e 3 jogadores adversários*

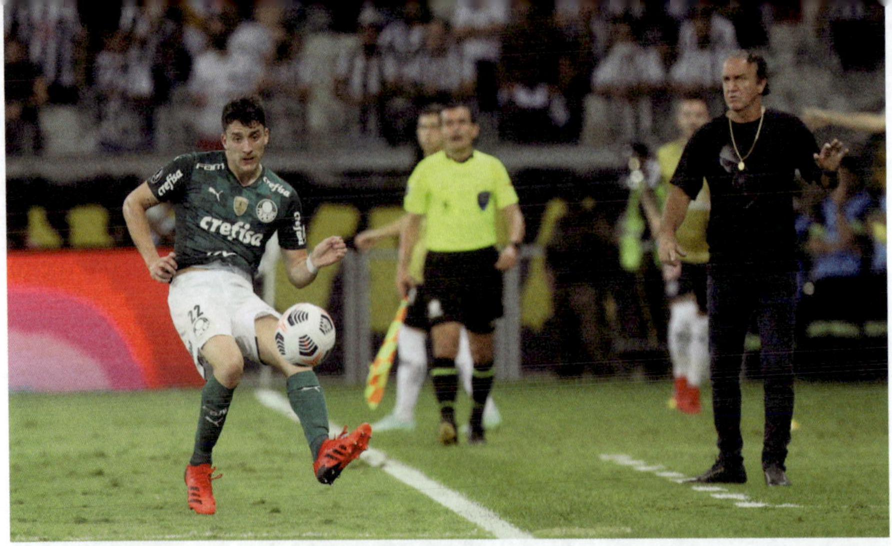
crefisa

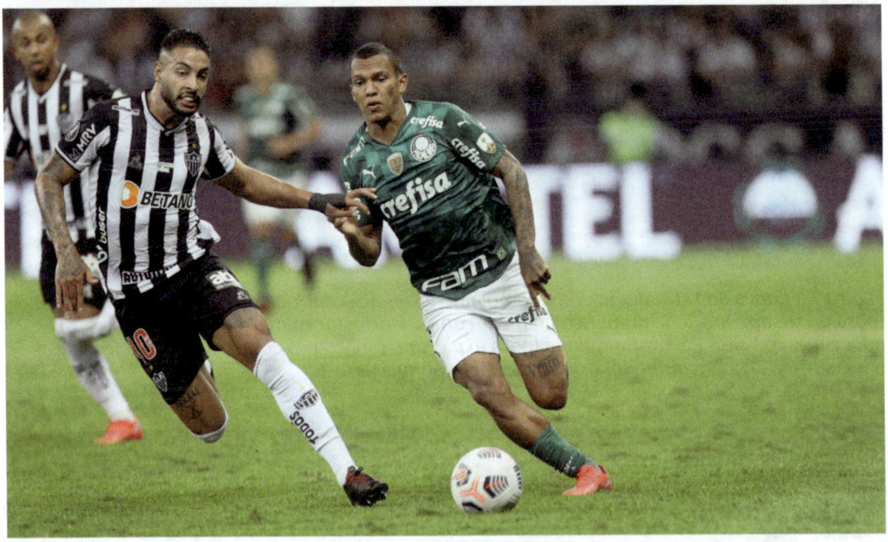
BETANO
crefisa
FAM
TEL

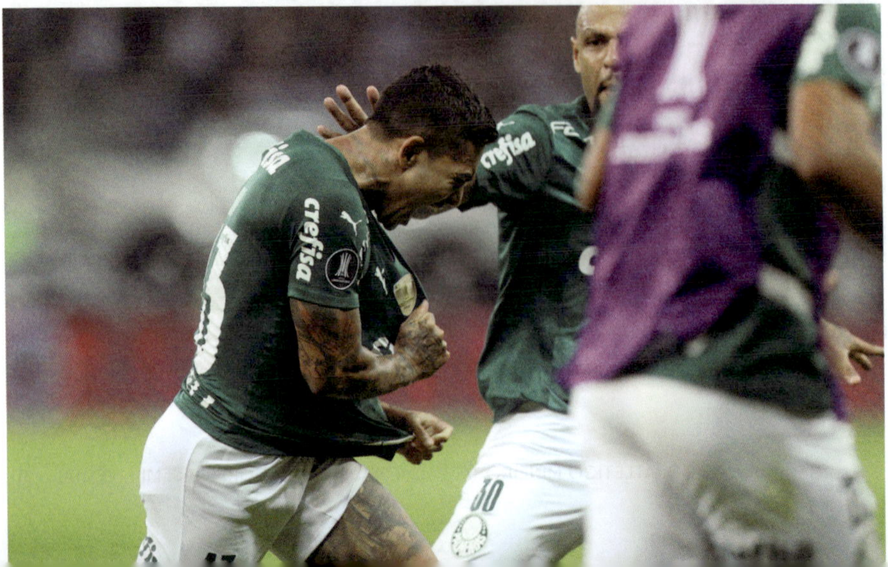
crefisa

Após o golo, houve uma resposta do adversário. Nós refrescamos a equipa com a entrada de um médio e um ponta mais descansado, para aumentar a nossa capacidade de pressão em zonas médias do campo e conseguirmos ter jogadores com maior vigor físico para as transições. Nos últimos minutos, agarráramo-nos ao lema "proteger o que é nosso" – neste caso, o gol do Weverton, que defendemos com toda a nossa capacidade, sabedoria e competitividade. Foi à custa disso que fomos eficazes nos duelos e conseguimos segurar o resultado até o final do jogo.

O que sentimos quando o árbitro apitou? As imagens da transmissão falam por si...

P.S.: Nós fomos a única equipa presente na semifinal da Libertadores de 2021 que não pôde jogar com torcida no jogo em sua casa. A única torcida que encontramos foi a adversária, no jogo de volta. Encaramos esse desafio extra como sempre fazemos: focados no que controlamos e dando o nosso melhor. E assim, contra tudo e contra todos, garantimos mais uma presença na final da Copa Libertadores.

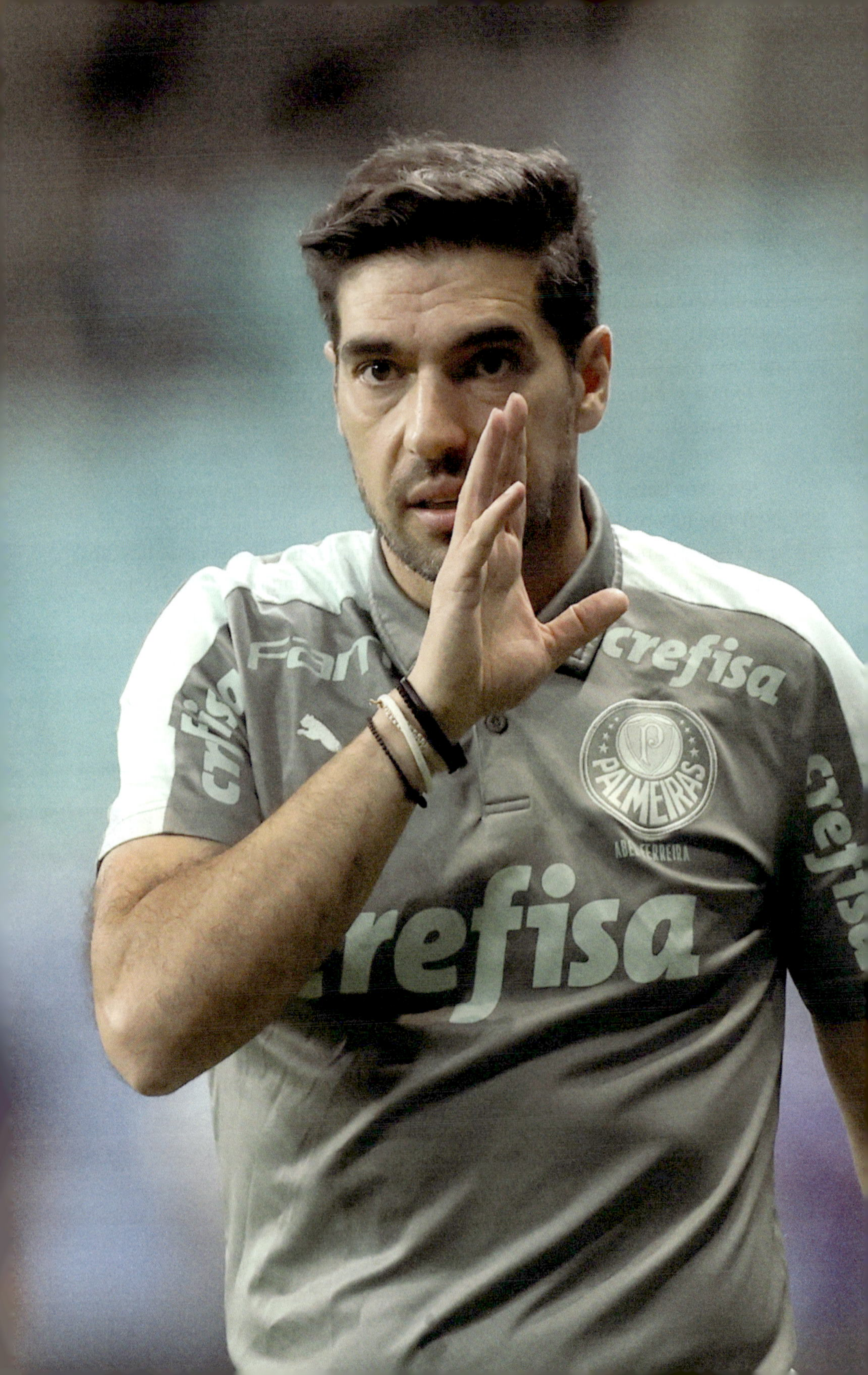
crefisa
PALMEIRAS

"Se não ganharmos nenhum título, vou embora"

VOLTA **68**

"Tenho um vizinho no prédio que é um chato! Para o meu vizinho de casa, xiu!"
Abel Ferreira

São Paulo, 12 de outubro de 2021

Enquanto na Libertadores estávamos a ter sucesso com a classificação para a final e com a obtenção de resultados consistentes, no Campeonato Brasileiro os desfechos não estavam a ser os esperados e o momento não era o melhor.

Depois de apresentarmos o estudo sobre o torneio aos jogadores, em meados de junho, havíamos feito 29 em 36 pontos possíveis, somando 9 vitórias, 2 empates e 1 derrota em 12 jogos. Cumprimos também uma sequência de 7 vitórias seguidas! No final do mês de julho, estávamos no 1º lugar do campeonato, com 32 pontos.

No entanto, nos meses de agosto, setembro e início de outubro, perdemos não só a liderança como também o 2º lugar do campeonato, tendo o Atlético Mineiro conquistado uma vantagem muito grande. No espaço temporal de 7 de agosto a 12 de outubro, fizemos um total de 11 jogos a contar somente para o Brasileirão. Nesta sequência, obtivemos 7 derrotas, 2 empates e 2 vitórias – ou seja, fizemos somente 8 pontos em 33 possíveis.

O que por si só já seria ruim torna-se pior quando contextualizamos esses resultados: 4 das 7 derrotas aconteceram no Allianz Parque, isto é, em nossa casa, algo que não pode acontecer numa equipa com pretensões de vencer um campeonato. Com nosso estudo do Brasileiro, havíamos compreendido a importância de um aproveitamento de pelo menos 85% nos jogos em nosso estádio para a conquista do título. Assim, nosso sentimento é que foi nessas quatro derrotas em casa – para Fortaleza, Cuiabá, Flamengo e Red Bull Bragantino – que perdemos o título. A situação torna-se ainda mais grave quando percebemos a quantidade de gols que sofremos. Muitos apontavam o ataque como o ponto mais problemático do Palmeiras, mas os números mostravam que nosso setor ofensivo estava relativamente bem (2º melhor ataque do Brasileirão e da Libertadores, à data de 14 de setembro). Nosso ponto a melhorar drasticamente eram os números defensivos: à data de 14 de setembro, éramos a 4ª equipa com mais golos sofridos do Brasileirão. Para uma equipa que pretende lutar por títulos isso não pode acontecer... Como sempre ouvimos, "os ataques ganham jogos e as defesas ganham campeonatos". É importante ressaltar que todos os jogadores têm responsabilidades nesse aspecto a melhorar, não apenas a linha defensiva. Como o Abel sempre diz: "o nosso centroavante é o nosso primeiro defesa, e o nosso goleiro é o nosso primeiro atacante". Então, se defensivamente a equipa não estava a ter o rendimento esperado, a responsabilidade era de todos os jogadores (independentemente da posição) e de todos nós da comissão.

Aqui destacamos duas conversas que o Abel teve com o grupo em momentos diferentes. A primeira aconteceu justamente no dia 14 de setembro, uma terça-feira, dois dias após a derrota por 3x1 contra o Flamengo, no Allianz Parque. Nesse momento, o Abel disse aos jogadores:

"Sobre a derrota de domingo, podíamos fazer a análise hoje, mas como o treino é à tarde, eu não gosto. Porque vocês já ouviram muita coisa de manhã e a capacidade de reter informação é menor. Por isso, amanhã de manhã, vamos 30' ao auditório e vamos fazer a análise do último jogo.

Ainda sobre o último jogo, a minha sensação foi que fizemos um bom jogo, mas que não fomos consistentes. Vocês sabem quando estamos de terno e depois vamos beber um café e entornamos o café na roupa? Foi o que senti ao ver o jogo de ontem.

Mas, mais do que falar-vos sobre isso, amanhã vou mostrar-vos.

Amanhã posso contar convosco com mente e coração abertos para vermos o que há para melhorar e para ouvir a crítica? E quando virmos as imagens, não é por ser o jogador X, Y ou Z. Porque vou corrigir e alguns não gostam...

Mas vamos corrigir para todos melhorarmos e para não sofrermos golos como estamos a sofrer. Temos que analisar encontrar os "porquês". Estamos combinados?

E para terminar... Eu acredito que vamos ganhar mais coisas juntos. Mas digo-vos já: se nesta temporada não ganharmos nenhum título, eu vou-me embora. Se não ganharmos nada, eu vou-me embora. Não vou ficar aqui em 2022 se não ganharmos um título nesta temporada."

Essa conversa serviu não só para apelar aos jogadores que era necessário ter a mente aberta para analisar e corrigir os erros da derrota para o Flamengo, mas também para esclarecer a eles as convicções do Abel. Nas nossas cabeças, era impensável continuarmos no Palmeiras sem conquistar pelo menos um título na temporada 2021.

A segunda conversa aconteceu em 12 de outubro, após o empate contra o Bahia, 0x0 na Fonte Nova. Com a vaga na final da Libertadores já garantida, era essencial que ninguém no clube cedesse à tentação de não pensar mais no Campeonato Brasileiro. Em respeito à história do Palmeiras, precisávamos completar algumas metas. E foram elas que procuramos redefinir com os jogadores. O Abel disse:

"Galera, o Luiz Adriano falou muito bem no treino após o jogo do América Mineiro e como não estavam todos os jogadores, quero agora falar com vocês sobre isso.

Não podemos simplesmente largar o Campeonato Brasileiro. A grandeza do Palmeiras exige-nos cumprir os objetivos mínimos.

Temos de redefinir os nossos objetivos do campeonato e torná-los mais realistas. Quais são para vocês os objetivos que temos que ter no Campeonato Brasileiro?"

E continuou depois de ouvir as respostas de vários atletas.

"Estamos fechados? Vamos lutar pelo G4? E tudo o que vier acima disso é acréscimo? E a Libertadores vamos ganhá-la de novo, mas até lá temos tempo para pensar nela. Agora vamos focar no Campeonato. Fico feliz por estarmos em sintonia. Vamos lá trabalhar!"

A partir deste momento, o objetivo que ficou na mente de todos foi terminar no G4. Não era por estarmos na final da Libertadores e acreditarmos que iríamos ganhá-la que poderíamos descuidar do Campeonato Brasileiro. Por isso, definimos com os jogadores um objetivo mínimo de G4 – terminar abaixo do G4 não era uma opção nem passava pela nossa mente.

O novo colega de gabinete: o peixe Libertadores

VOLTA **69**

"Há pessoas que confundem arrogância com competência. Confundem inteligência com sorte. Porque a 'sorte' dá muito trabalho."
Abel Ferreira

São Paulo, 13 de outubro de 2021

Em um intervalo de semanas, tocamos o céu na Libertadores e descemos ao inferno no Campeonato Brasileiro. A histórica presença em mais uma final continental foi, em alguns momentos, abafada pelos maus resultados no torneio nacional.

Entre os altos e baixos que estávamos vivendo, fomos lembrados novamente do quão efêmero e de memória curta é o futebol. Após a Recopa e a Supercopa, havíamos percebido que a conquista da Libertadores pouco tinha significado. Os muros pichados demonstraram-nos, mais uma vez, que por mais países em que trabalhemos, o futebol vai ser sempre futebol e um elenco nunca tem créditos.

Por esse motivo, compramos um peixe dourado e demos-lhe o nome de Libertadores. E colocamo-lo bem ao lado da réplica da taça Libertadores no centro da mesa do nosso gabinete. Ouvimos desde a nossa infância que o peixe não tem memória ou tem memória curta (um mito já contradito por estudos recentes), no entanto esse foi um mito que mantivemos vivo: cada vez que olhamos para o peixe Libertadores, lembramo-nos de que devemos ter memória curta. Todos os bons e os maus momentos passam. Feliz ou infelizmente, nem os maus nem os bons momentos duram para sempre!

O segundo objetivo do peixe – e foi por isso que escolhemos um reluzente peixe dourado e lhe chamamos justamente Libertadores – era diariamente alimentar o nosso subconsciente: queremos conquistar mais uma Libertadores e fazer algo inédito no clube e histórico no futebol brasileiro. Foi também por isso que o colocamos ali. Para que, todos os dias e nos momentos em que o nosso olhar se desviasse, víssemos o peixe dourado e nos lembrássemos do nosso principal objetivo até o final da temporada.

O peixe Libertadores passou a ser, a partir daquele momento, mais um elemento integrante do nosso gabinete de trabalho. E mesmo sem falar, lembrou-nos, nos bons e maus momentos, de que todas as nossas decisões, fossem mais ou menos difíceis, seriam em prol de um só objetivo: conquistar mais uma Copa Libertadores.

30 de outubro de 2021: os funcionários do CT repetiram a "reunião mágica", agora para homenagear o Abel por seu primeiro ano no clube. Eles o presentearam com uma camisa autografada por todos

O NOVO COLEGA DE GABINETE: O PEIXE LIBERTADORES 321

(Novamente) seis vitórias consecutivas

VOLTA **70**

"Temos de encarar cada treino e cada jogo como se fosse o último. Cada minuto do jogo tentar fazer o nosso melhor para que os torcedores sintam orgulho, que é o que eu sinto hoje no nosso elenco."
Abel Ferreira

São Paulo, 11 de novembro de 2021

(Novamente) após uma péssima fase no Campeonato Brasileiro, veio uma fase muito positiva.

(Novamente) após um momento negativo, demos a volta por cima.

(Novamente) tivemos uma série de vitórias consecutivas, com um futebol dinâmico e fluido, performances bastante consistentes e com os jogadores a demonstrar seu melhor futebol.

Foram 6 vitórias consecutivas (Internacional-casa, Ceará-fora, Sport-casa, Grêmio-fora, Santos-fora, Atlético Goianiense-casa). Estes jogos nos trouxeram uma confiança que não adveio somente dos resultados e das exibições, mas também de nossa capacidade de se impor sobre o adversário. Em todos eles, fomos claramente superiores ofensivamente e defensivamente, e em dois deles, apesar de sairmos atrás no placar, conseguimos vencer a partida de virada sem nunca perdermos o controlo emocional.

Estas vitórias surgiram após o Abel ter utilizado diversas estratégias para refocar os atletas nos jogos do Brasileirão. Alguns exemplos:

• Na maioria dos jogos, o Abel potenciou um *mindset* bastante forte nos jogadores, com o seguinte discurso: "É com estes jogos que preparamos a final da Libertadores. Nestes jogos, podemos começar a ganhar ou a perder a final da Libertadores";

• No jogo contra o Grêmio, o Abel utilizou um marcador somático que teve bastante efeito: "Galera, e se a final da Libertadores fosse hoje? Como é que vocês iam jogar? O quanto de vocês iriam entregar no jogo?".

Além disso, e antes do início desta série, o Abel começou a repetir aos atletas algumas perguntas: "Por que são jogadores de futebol?", "Por que jogam futebol?" e "Vocês se lembram de onde vieram?". Decidimos colocar cartazes com a frase "Lembre-se sempre de onde você veio" na portaria e no vestiário, dois locais estratégicos para que os jogadores vissem a mensagem todos os dias. A semente estava plantada na mente dos jogadores. Era nossa missão regá-la diariamente...

Cartazes com nossa mensagem foram colocados em locais estratégicos da Academia de Futebol

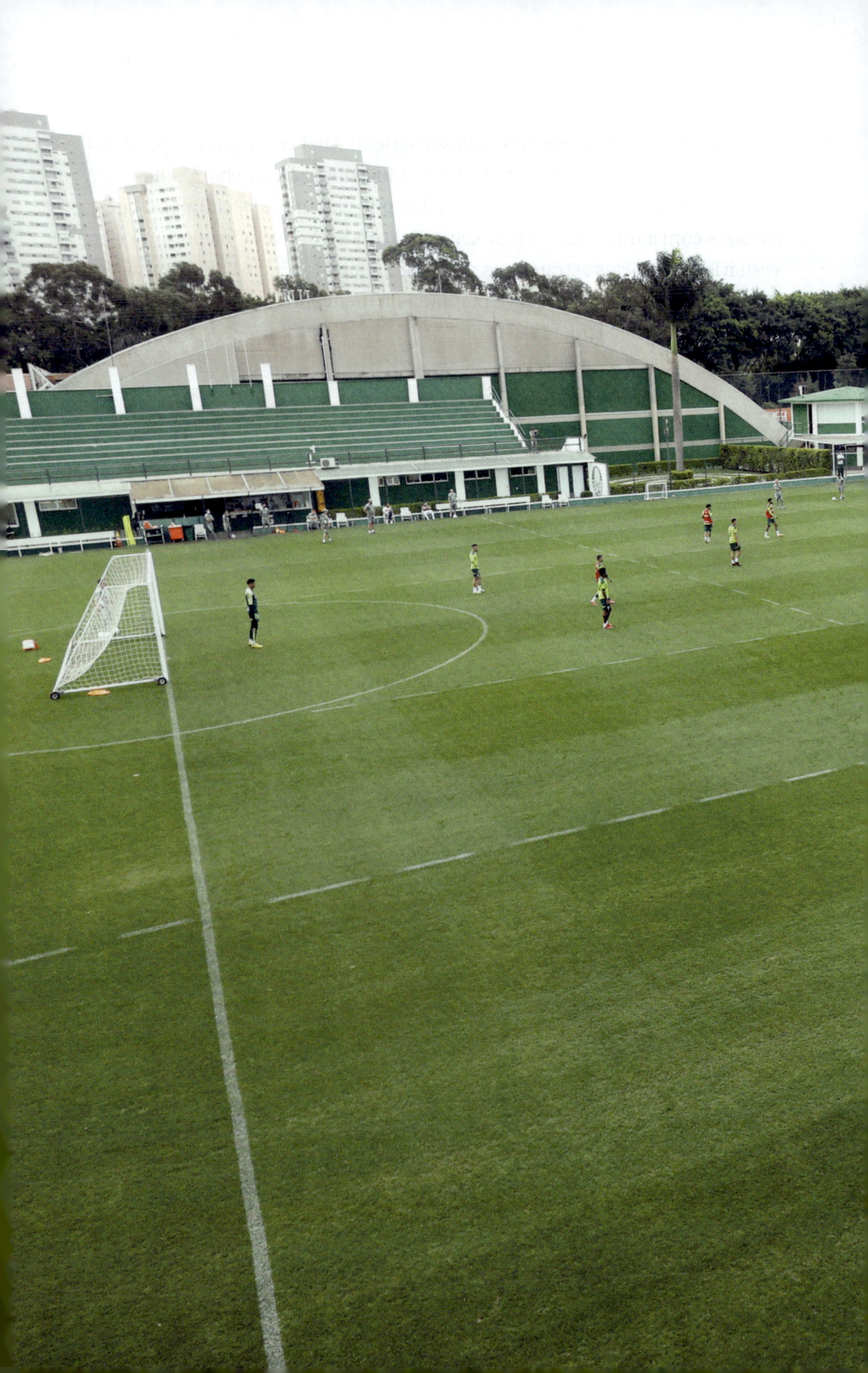

fam
CENTRO UNIVERSITÁRIO
PUMA
ÁGUA ALCALINA
crefisa
AVANTI

Reunião com a nova presidente, o relatório final e o recrutamento

VOLTA **71**

"Quando cheguei, me mostraram tudo e depois encontrei o Abel. Fiquei surpreso porque ele sabia tudo de mim."
Joaquín Piquerez

"A estrutura eu já esperava, todos falavam muito bem. Não é à toa que briga sempre por títulos, todos os anos chegando a finais."
Jorge

São Paulo, 18 de novembro de 2021

A nova presidente Leila Pereira, que seria formalmente eleita dois dias depois, convocou o Abel para uma reunião. Nesse encontro, ela lhe transmitiu que contava com o Abel para ser o treinador do projeto dela para o Palmeiras, acontecesse o que acontecesse na final da Libertadores.

Além desta mensagem que recebeu da presidente, o Abel teve oportunidade de lhe entregar o relatório final da temporada 2021 e a projeção da temporada de 2022 – a exemplo do que já tinha feito em fevereiro último, com o relatório que analisou a temporada de 2020 e projetou a de 2021.

Reforçamos o que dissemos anteriormente: como é que um relatório de balanço de temporada é entregue antes do término da mesma? Para nós, a avaliação deve ser feita primeiro com base no processo, e depois no resultado. Então, mais uma vez, não seria o resultado da final da Libertadores que iria alterar a nossa visão das necessidades do elenco.

Como projeção da temporada 2022, o Abel apresentou-lhe alguns aspectos de melhoria no clube em termos organizacionais e os ajustes que teríamos a fazer no plantel. Sobre esse assunto, o Abel explicou-lhe sua visão sobre o plano de recrutamento de novos jogadores. Isto porque não havia tempo a perder: o Mundial de Clubes aconteceria já em fevereiro e o prazo de inscrição de novos jogadores era imediato. O processo de recrutamento de novos jogadores tem, no nosso entender, importância extrema no planejamento de uma temporada desportiva. Na visão do Abel, enquanto líder, temporadas vitoriosas começam a criar-se com três passos fundamentais:

1. Uma profunda e imparcial avaliação das necessidades do plantel;
2. Uma assertiva análise de mercado;
3. Um efetivo processo de recrutamento.

Qualquer falha em algum destes passos pode ter implicações negativas a curto/médio prazo no rendimento desportivo da equipa.

O Abel tem um princípio básico que serve como linha orientadora para este processo de recrutamento: a direção deve contratar jogadores para o clube, e não para o treinador. As tarefas do treinador são:

1. Indicar as caraterísticas que mais valoriza nos atletas de cada posição;
2. Quando o clube propõe jogadores, dizer se aprova ou não;
3. Se necessário, conversar por telefone com o jogador para entender suas motivações.

É convicção do Abel de que o treinador não deve ter a responsabilidade de escolher jogadores sozinho. A responsabilidade pela escolha dos jogadores deve ser tripartida pelo treinador, diretor de futebol e presidente.

Sobre a composição dos nossos plantéis, preconizamos um número ideal de jogadores ajustado à realidade onde estamos inseridos. No contexto do futebol brasileiro, idealizamos um número total de 28 atletas, dos quais: 22 jogadores de campo, 3 guarda-redes e 3 jogadores-bolsa. Porém, somos muito criteriosos na escolha das caraterísticas dos jogadores que compõem o plantel. Assim, pretendemos:

• Homogeneidade em termos de qualidade dos jogadores, isto é, dois jogadores por posição com qualidade para serem primeira opção;

• Heterogeneidade em termos de caraterísticas dos jogadores, isto é, jogadores que façam as mesmas posições, mas que acrescentem coisas diferentes ao jogo devido às suas caraterísticas específicas. Deste modo, quer de jogo para jogo, quer dentro do próprio jogo, temos a capacidade de alterar as caraterísticas da equipa substituindo apenas um ou dois jogadores e alterando (ou não) o sistema tático.

Outro princípio elementar que o Abel tem como orientador de todo o processo de recrutamento é: quando contratamos um atleta, não recrutamos apenas o jogador de futebol. Contratamos também o homem. Por isso, é essencial fazer uma avaliação do jogador além do talento nas dimensões visíveis dentro de campo (técnico-tático-físico-mental). Precisamos também procurar entender seu talento invisível, isto é, o caráter do homem e as suas capacidades volitivas – que, de acordo com nossa experiência, têm um efeito catalisador das próprias capacidades técnicas, táticas, físicas e mentais.

Acreditamos que, em qualquer área de atividade profissional, os ambientes de trabalho qualificados e competitivos, nos quais imperam o respeito e a alegria, proporcionam mais condições para a obtenção de sucesso. A parte humana do jogador e as suas capacidades volitivas têm influência no ambiente (de competição interna, de amizade e de respeito) que tentamos criar nas nossas equipas.

É por valorizamos bastante a competição interna, e por a experiência nos dizer que nem todos os atletas têm a capacidade para lidar com esse ambiente, que procuramos conhecer o lado humano dos jogadores antes de os contratar. Para tal, quando observamos jogadores, levamos em consideração seu comportamento em momentos de adversidade: isto é, quando não jogam, quando jogam pouco tempo, quando estão a perder, entre muitos outros fatores. Tentamos obter essa informação das seguintes formas:

• Análise de jogos com fraca performance coletiva e/ou individual;

• Observação de momentos de jogo em que existam erros do próprio jogador e/ou erros dos colegas e análise das suas reações (verbais e não verbais, nomeadamente linguagem corporal);

• Interação com os adversários e com os árbitros em situações adversas;

• Observação do aquecimento quando é feita análise *in loco* do jogador;

• Análise das suas redes sociais para avaliação da personalidade;

• Conversas com profissionais que já tenham trabalhado com esses jogadores e que consideramos ser fontes de credibilidade (podem ser ex-colegas de equipa, ex-treinadores, ex-diretores, entre outros);

• Muito importante: conversa do Abel com o jogador para compreender suas expectativas e motivações intrínsecas à mudança de clube.

A tentativa de traçar um perfil do lado humano quando observamos novos jogadores nem sempre corre como esperamos. Mas a experiência nos provou que foram mais as vezes em que o perfil traçado correspondeu à realidade.

De forma a ajudarmos os atletas a ter uma rápida adaptação ao clube e uma integração imediata no grupo de trabalho, elaboramos um contrato entre jogador-treinador que é assinado por ambos após o atleta ser oficialmente apresentado. Este contrato (Figura 75), que tivemos a ideia de implementar primeiramente no Palmeiras, consiste num acordo de compromisso mútuo e tem como objetivo elucidar o jogador de três fatores importantíssimos:

1. Quais os valores da sua nova equipa;
2. O que esperamos e vamos exigir dele;
3. O que ele pode esperar da comissão técnica.

Além deste contrato jogador-treinador, é enviado ao atleta um vídeo com o modelo de jogo da equipa/equipa técnica organizado nos diferentes momentos, para oferecer ao jogador mais informação sobre nossa forma de atuar.

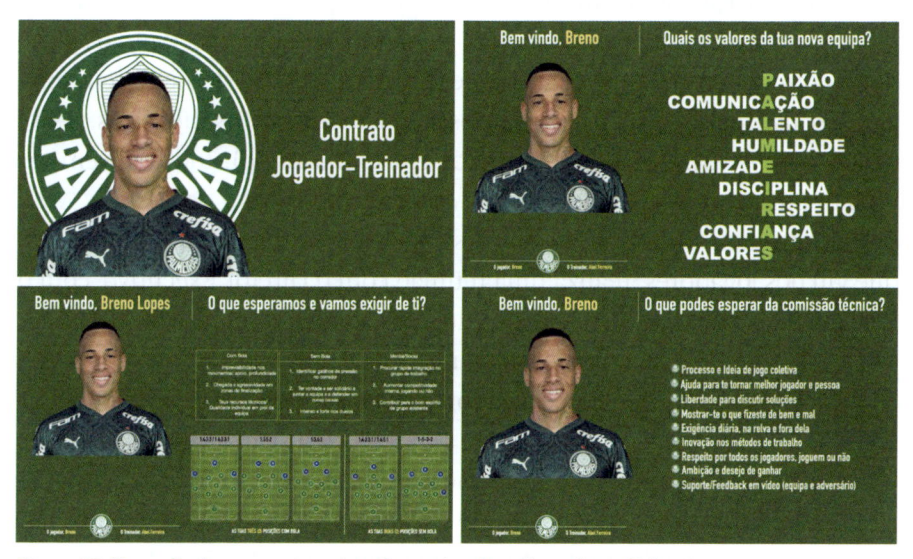

Figura 75: Exemplo de um contrato jogador-treinador adaptado ao Palmeiras

No que diz respeito ao processo de recrutamento, recebemos indicações mensais dos jogadores de destaque nos diversos campeonatos-alvo. Também existem conversas frequentes entre os assistentes responsáveis e o analista de mercado para aferir atletas a retirar/manter/acrescentar a uma lista que chamamos de "equipa sombra"[1]. A relação da equipa técnica com o departamento de Análise de Mercado é de total cooperação e comunicação para que os jogadores escolhidos pelo clube estejam de acordo com o perfil idealizado pelo treinador.

---

[1] Equipa sombra é uma lista de 3/4 jogadores por posição que já foram identificados, analisados e avaliados para caso surja a urgência ou necessidade de contratar alguém no imediato. É uma lista monitorada de forma frequente e sistemática para manter atualizada com as necessidades do elenco.

Nosso processo de recrutamento, adaptado à realidade do Palmeiras, é baseado em 4 etapas (Gráfico 1). Nomeadamente:

1. Identificação: avaliação de jogadores com base em filtros como "quais as caraterísticas que o treinador valoriza?", "encaixam na nossa forma de jogar?" e "têm rendimento suficiente?". Nesta etapa, também são utilizados dados estatísticos (enquadrados nesses filtros) para procurar novas hipóteses de jogadores, validados *a posteriori* ainda nesta etapa.

2. Acompanhamento: análise dos jogadores-alvo, elaboração de relatórios e visualização do máximo número de jogos possível de cada atleta.

3. Pré-decisão: todos os elementos da equipa técnica observam os jogadores com uma função específica. Apesar dos quatro assistentes terem uma variável na qual devem focar sua observação (1-aspectos ofensivos, 2-aspectos defensivos, 3-dados estatísticos e 4-extracampo), todos devem ter uma opinião fundamentada sobre os aspectos ofensivos e defensivos. Após o Abel recolher a informação dos assistentes, e com a própria opinião do que viu dos jogadores, realiza uma reunião com o Diretor Executivo, com o analista de Análise de Mercado e os dois assistentes responsáveis pela ligação. O resultado dessa reunião é a equipa sombra final.

4. Decisão: decide-se qual o jogador-alvo que se pretende contratar e iniciam-se os processos de abordagem ao atleta. Confirmado o interesse de todas as partes, dá-se início à negociação de contrato.

O processo de recrutamento envolve diversos profissionais, de vários departamentos, e com diferentes responsabilidades. Diante disso, a relação de confiança tem de ser tremenda entre as partes. A filosofia do Abel enquanto treinador é de total autonomia e liberdade, para que quem o rodeia possa expressar suas capacidades e competências. Essa independência acarreta responsabilidades que, se não forem cumpridas, colocam em risco a relação de confiança, com consequências negativas para o desenvolvimento do trabalho.

A elaboração do traço da personalidade do jogador antes de o contratar e a assinatura do contrato entre jogador-treinador têm um objetivo secundário naquilo a que chamamos de "prevenção de azias negativas"[2] /gestão de expectativas. A azia pode ser positiva ou negativa, dependendo do efeito

---

[2] Inspirado no trabalho de "prevenção de lesões", a "prevenção de azias negativas" tem como objetivo acautelar eventuais comportamentos desagradáveis por não satisfação das expectativas do próprio jogador.

ETAPAS

IDENTIFICAÇÃO
- Avaliação de jogadores
- Rastreio de resumos de vídeo e estatística
- Filtragem com base no Perfil de Jogador por posição

ACOMPANHAMENTO
- Comunicação frequente com Staff da Equipa Técnica
- Elaboração de Relatórios de Jogadores
- Visualização de diferentes contextos de Jogos

PRÉ-DECISÃO
- Análise dos jogadores pré-selecionados
- Recolha de informação extra-futebol
- Reunião para elaboração da lista sombra final

DECISÃO
- Decisão do jogador alvo
- Processo de negociação
- Contratação

DEPARTAMENTOS ENVOLVIDOS

- Dep. de Análise de Mercado
- Dep. de Análise de Mercado / Staff da Equipa Técnica
- Treinador / Diretores / Dep. de Análise de Mercado / Equipa Técnica
- Presidente / Treinador / Diretores

Gráfico 1: Relação das etapas do processo de recrutamento com os departamentos envolvidos e consequente interação entre o departamento de análise de mercado e a equipa técnica

que ela tem nas ações dos próprios atletas. Nunca o Abel disse a um jogador que vinha para uma equipa nossa para ser titularíssimo. Muito menos disse a um atleta que vinha para atuar em todos os jogos. As garantias que normalmente transmite são de trabalho qualificado, com o objetivo de melhorar as capacidades do atleta e de o tornar melhor jogador. Se o profissional tem expectativas divergentes da mensagem que o Abel lhe passa e, mesmo assim, acaba por integrar a nossa equipa, pode dar-se o caso de "azias negativas". A única forma que temos de as prevenir é sendo verdadeiros, claros e coerentes em nosso discurso com eles desde o primeiro contato, que ocorre normalmente na etapa de decisão do processo de recrutamento, ou após o atleta assinar o contrato.

A reunião com a nova presidente foi muito boa para alinharmos o pensamento em termos das necessidades do elenco e das caraterísticas dos jogadores que precisamos recrutar, dentro da filosofia do clube. Nosso método de processo de recrutamento foi adaptado ao contexto do Palmeiras, mas os traços gerais têm sido os mesmos ao longo de todos os anos de trabalho: recrutar bons jogadores que sejam bons homens e que aceitem a integração num ambiente de competição interna.

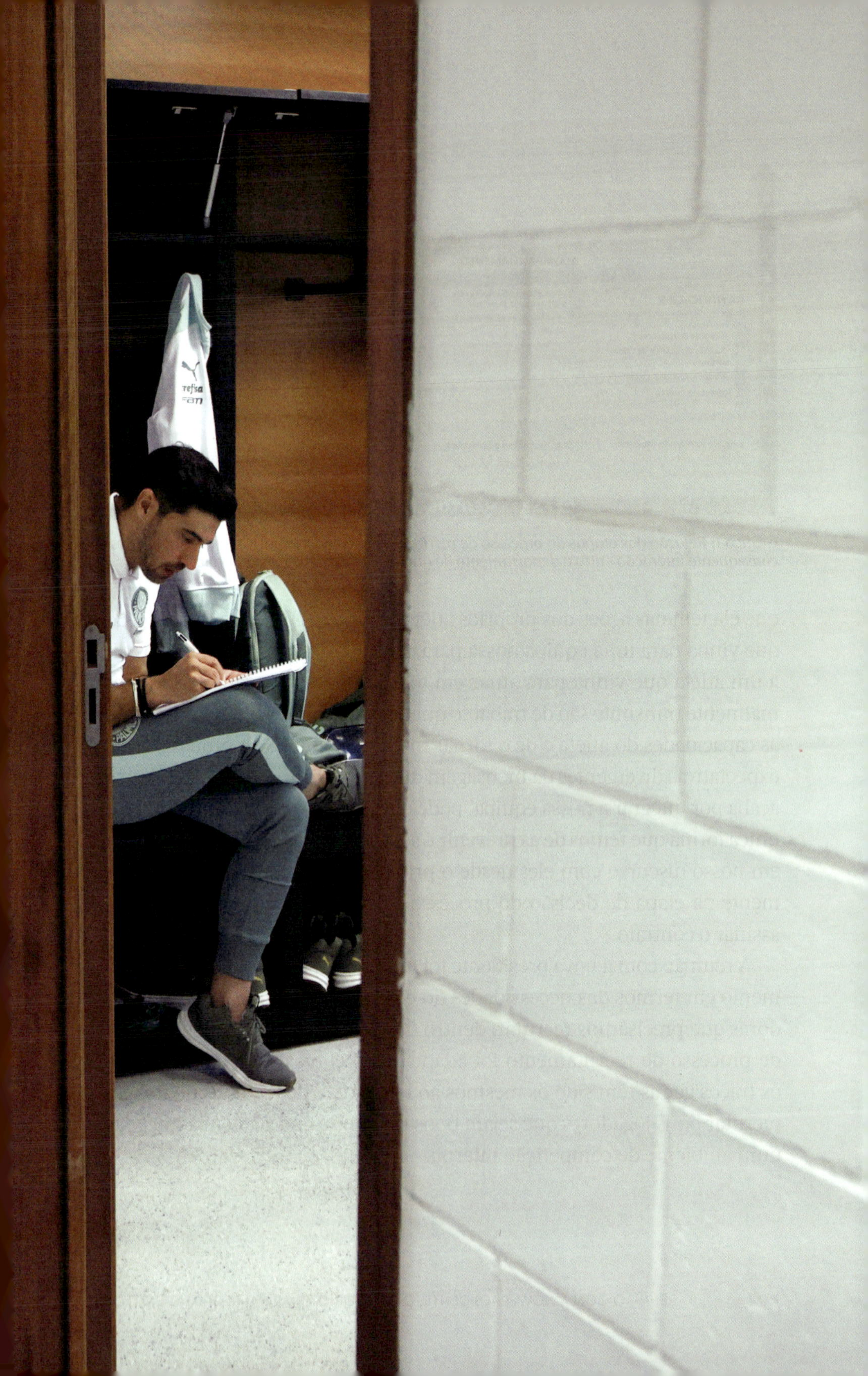

"O Plano"

VOLTA **72**

"Abel fez a estratégia de rodar bastante a equipe. Estão todos aptos para jogar a final."
Marcos Rocha

"Pagam-me para tomar decisões, e é uma coisa que eu faço. Sei há quanto tempo estou aqui, sei o que me trouxe até aqui e sei o elenco que temos. Nós temos um plano e vamos segui-lo até o fim, aconteça o que acontecer!"
Abel Ferreira

São Paulo, 23 de novembro de 2021

Após as 6 vitórias consecutivas, ainda estávamos bem distantes da liderança do Brasileirão. Apesar de termos feito 18 pontos em 18 possíveis nesta sequência de jogos, somente conseguimos tirar 3 pontos de diferença para o primeiro colocado, reduzindo a distância de 13 para 10 pontos. O Clube Atlético Mineiro manteve uma consistência tremenda durante todo campeonato, não dando qualquer chance aos restantes. Foi esta consistência, principalmente nos jogos em casa, que nos faltou para podermos estar nas mesmas condições de disputar o título do Brasileirão até o fim. Ainda assim, perguntamo-nos: "É possível conquistar o título?"

Talvez sim, talvez não. A verdade é que só uma hecatombe faria o Atlético perder 10 pontos – e o calendário que lhes restava não nos fazia acreditar que isso pudesse acontecer. Assim, decidimos que nossa aposta seria claramente na Copa Libertadores, o título mais importante do continente.

A 15 dias da final da Libertadores, restavam 4 jogos para disputar pelo Brasileiro. Em reunião, o Abel havia pedido aos elementos da equipa técnica que cada um de nós desse a sua opinião sobre como deveríamos abordar estas 4 partidas. A nossa visão foi de total sintonia, coincidindo com a opinião do Abel. Todos acreditamos que o melhor seria que a equipa a iniciar a final pudesse jogar 15 dias antes e 7 dias antes da decisão, criando assim semanas limpas de trabalho nas quais poderíamos trabalhar alguns conceitos específicos para o jogo e, mais importante, criar mais rotinas entre os atletas. Desse modo, fizemos 2 equipas que iriam jogar de forma alternada; assim, todos os jogadores iriam estar preparados para dia 27 dar uma resposta positiva, caso fossem chamados. A única dúvida que nos restava era o Felipe Melo, que estava com problemas físicos.

Assim, a duas semanas da final, iniciamos a preparação para a mesma. Essa preparação, envolta por alguma polêmica extra-Academia de futebol, implicou a criação de um plano estratégico de gestão de cargas físicas e de preparação mental, porque queríamos que todos os jogadores se sentissem preparados, independentemente se fossem opção de início ou não. Infelizmente, os resultados dos jogos não foram os desejados. Nestas 4 partidas, tivemos 3 derrotas e 1 empate (curiosamente, antes da final da Libertadores de 2020 tínhamos obtido 2 derrotas, 1 empate e 1 vitória, ou seja, também uma sequência negativa de resultados).

14/11/2021. Fluminense (fora). A equipa que iniciou esse jogo foi uma equipa muito próxima da que idealizamos que começasse a final. Tivemos no Maracanã uma partida de 2 metades completamente distintas – um jogo de dois jogos. A primeira parte foi muito consistente; na segunda parte, houve uma quebra muito grande, principalmente mental, devido à vantagem no marcador. Acabamos tomando a virada e perdendo o jogo. Este foi um dos jogos que utilizamos para tirar as dúvidas em relação ao lateral-direito da final, visto que o Marcos Rocha, suspenso, não estava disponível para atuar. Assim, demos 45' de jogo ao Mayke e 45' ao Gabriel Menino. No final do jogo, dissipamos as dúvidas.

17/11/2021. São Paulo (casa). Tínhamos e temos a plena noção da importância de um clássico, ainda mais de um clássico no contexto que foi: o nosso rival estava a disputar contra o rebaixamento. No entanto, em nosso entender, um objetivo maior se sobrepunha ao resultado desta partida: os jogadores estarem bem física e mentalmente no dia 27. De acordo com nosso plano, independentemente do adversário que fosse e da posição na tabela que ele estivesse, montaríamos uma outra equipa para disputar este jogo – para que a equipa que iniciou contra o Fluminense, e que provavelmente começaria a final, não corresse riscos em níveis físico e mental e tivesse tempo para se recuperar. Apesar da derrota, os primeiros 25 minutos deixaram-nos muito satisfeitos com a performance dos atletas que atuaram.

O resultado negativo pode ter abalado a confiança e estado de espírito do torcedor, mas, em momento algum, abalou a nossa confiança e as nossas convicções.

20/11/2021. Fortaleza (fora). Para nós, este era o jogo que melhor se enquadraria como prévia da final: viagem longa de avião, relvado diferente do nosso, clima adverso, jogo de alta dificuldade contra um adversário competente. Fazia parte do plano ter um jogo neste contexto exatamente 7 dias antes da final, possibilitando depois uma recuperação completa dos nossos jogadores e uma preparação para a final com 4 dias de treino efetivo de estratégia. Além disso, este jogo ainda teve um componente extra excelente, que nos permitiu simular a final: foi um jogo que nos levou aos limites físicos e mentais até o último minuto, como a final da Libertadores nos poderia levar.

23/11/2021. Atlético Mineiro (casa). Colocamos em campo, como titulares, os jogadores que considerávamos que precisaríamos na final – quer em caso de ter de fazer substituições para arriscar, quer em caso de ter de segurar o resultado. E a resposta dos jogadores foi fantástica: fizeram um ótimo jogo contra o líder do campeonato. Uma partida muito consistente e muito competente da nossa parte. O empate acabou por ser injusto, face às incidências do jogo. Mais importante do que tudo isso: todos os jogadores mostraram-nos estar prontos para a final da Libertadores e para jogar o tempo que fosse preciso. Ficamos muito satisfeitos com a performance individual e coletiva da equipa!

Quando decidimos por este plano e por segui-lo até o fim, tínhamos a plena noção dos riscos que corríamos, principalmente no jogo contra o São Paulo, mas estávamos dispostos a corrê-los em prol de um propósito maior: conquistar a Copa Libertadores. E se fosse hoje... faríamos exatamente o mesmo, com a mesma convicção. Porque as nossas ideias e convicções são baseadas em experiências, estudo e conhecimento, não andando a sabor do vento ou de estados de espírito. Para o Abel, estas decisões difíceis devem basear-se na razão e não na emoção.

Apesar de querermos ganhar todos os jogos, nosso foco nestas 4 partidas foi outro: a preparação física, a preparação mental e o fato de querermos ter todo o elenco a 100% das suas capacidades no dia 27 de novembro.

Esse era "O Plano".

O convencimento dos jogadores da estratégia defensiva

VOLTA **73**

"Nós, jogadores, brincamos que foi ali que começamos a ganhar do Flamengo. Foi dois ou três dias antes de viajar. O Abel chamou-nos à sala dele, montou e mostrou o plano que tinha. Perguntou o que achávamos, começou a fazer perguntas sobre o que tinha de mudar. Tudo aberto e transparente. Acho que ali ele ganhou a nossa confiança, a cem por cento, para esse jogo e passou uma segurança muito grande mentalmente."

Raphael Veiga

São Paulo, 23 de novembro de 2021

4 dias para a final.

A preparação da estratégia para o jogo começou como habitualmente começa, isto é, numa reunião entre os elementos da equipa técnica em que, partindo da análise do adversário e da proposta de estratégia inicial feita pelo responsável por essa tarefa, definimos o plano estratégico para o jogo: como vamos atacar o adversário e como vamos encaixar defensivamente. Como referido anteriormente, nossa filosofia é a de que quem tem a bola é que manda. Por isso, com bola temos de impor nosso jogo e subjugar os adversários às nossas ideias, explorando seus pontos fracos; sem bola temos de nos adaptar àquilo que o adversário faz, neutralizando seus pontos fortes. Em ambos os casos, devemos respeitar o mais importante: as nossas ideias e as caraterísticas dos jogadores. Pois, para nós, um plano estratégico não deve divergir destes dois pontos.

A partir da análise que fizemos ao Flamengo e da proposta inicial de estratégia, percebemos que, não alterando a nossa identidade, era fundamental fazer algumas mudanças no posicionamento de alguns jogadores para tornar a nossa equipa mais forte ofensivamente e mais equilibrada defensivamente. Na nossa cabeça, essa alteração funcionaria muito bem; no entanto, como a experiência nos foi ensinando, a ideia, mais do que fazer todo o sentido para nós e no papel, precisa ser aceita (ou "comprada") pelos jogadores. Afinal, são eles que a vão executar e são eles os verdadeiros protagonistas. Não estando confortáveis em executar algo em que não acreditam (ou que não "compram"), ficamos mais longe de ganhar. E, se perdermos, perdemos duas vezes: o jogo e nossa identidade.

Além disso, no dia de recuperação pós-Fortaleza, havíamos notado alguma ansiedade em alguns jogadores. Na cabeça dos atletas, pairava a dúvida sobre como iríamos decidir abordar estrategicamente o jogo contra o Flamengo – e, mais importante, qual seria a equipa a iniciar a decisão da Libertadores.

A primeira grande decisão foi sobre o Felipe Melo: joga ou não joga? Embora possa parecer um paradoxo, a decisão foi (simultaneamente) difícil e fácil. Difícil porque sabíamos o que perdíamos em não ter o Felipe dentro de campo. Sua liderança, qualidade técnico-tática e bravura contagiam todos os colegas. Mas também foi fácil pois, para tomar essa decisão, o Abel recorreu aos seus princípios morais enquanto treinador. Em momento algum, e muito menos em finais de competição, o Abel colocou a jogar um atleta que não estivesse a 100% fisicamente para iniciar o jogo. E o Felipe estava condicionado fisicamente devido a um problema no joelho. Além disso, seu último jogo tinha sido contra o Fluminense, 13 dias antes da final, quando teve de sair no início da 2ª parte por problemas físicos.

Outro fator crucial para a tomada de decisão foi: o Felipe voltou a treinar com bola e integrado ao elenco somente 1 dia antes da final. Até aí, tinha feito somente a parte inicial dos 2 treinos anteriores, não participando da totalidade do treino de forma integrada à equipa. Por esses motivos, seguindo seus princípios como treinador, foi uma decisão fácil de tomar. Nos dias anteriores ao jogo, o Abel se reuniu com o Felipe e explicou-lhe exatamente o que iria acontecer. Disse-lhe que contava com ele para ajudar a equipa no vestiário e no banco e que, quando precisássemos segurar o resultado, entraria para ajudar dentro do relvado.

Dito e feito. Aconteceu exatamente como previsto, e o Felipe cumpriu a sua missão na perfeição: ajudou a equipa no vestiário, ajudou os colegas enquanto estava no banco de reservas e ajudou a segurar o resultado quando entrou no jogo. Lembramos que, na coletiva pré-jogo, o Abel disse que o Felipe Melo ia jogar. Só não disse se jogaria de início ou não... Se internamente já todos sabiam, externamente a dúvida continuava a pairar no ar.

Depois dessa primeira decisão tomada pelo Abel, veio a decisão seguinte. Ao perceber a ansiedade que existia entre os atletas, o Abel decidiu fazer uma reunião com os 11 jogadores que iriam iniciar a partida para terminar com os 2 assuntos de uma vez só: a estratégia para o jogo e a equipa inicial. Após o banho, o Abel enviou uma mensagem:

– Tiago, prepara a análise do Flamengo para mostrar aos jogadores para amanhã de manhã. Vamos só fazer-lhes perguntas. Eles vão chegar à mesma conclusão que nós, mas, em vez de sermos nós a dizer-lhes a estratégia, vão ser eles a pensar nela.

No dia a seguir, chamamos para uma sala de reuniões os seguintes jogadores: Weverton, Mayke, Gómez, Luan, Piquerez, Zé Rafael, Danilo, Scarpa, Veiga, Dudu e Rony.

– Vamos ganhar! Bom dia! Galera, se tudo correr bem até o jogo, serão vocês os 11 que vão começar a final. Ok? Não gosto de dizer a equipa com esta antecedência, mas compreendo que possa haver dúvidas e ficam já dissipadas. O que vamos fazer aqui é muito simples. Nós temos um plano estratégico, mas não somos nós que jogamos. Só o faremos se vocês concordarem com ele. Caso contrário, não fazemos. Vou mostrar-vos algumas ideias do Flamengo e vou fazer-vos perguntas. Ok? – Foi desta forma que o Abel iniciou a conversa com os jogadores.

Quando o Abel transmitiu a informação de que eram aqueles 11 que iam começar o jogo, observamos que alguns jogadores deixaram de olhar para o Abel e trocaram olhares entre si. Um deles ainda olhou à volta para confirmar quem estava na sala. Nesse momento, sentimos algum alívio da parte dos atletas. Não é comum o Abel revelar 4 dias antes de uma partida quem vai jogar, mas sentimos que ele ter dito a equipa inicial com essa antecedência possibilitou que os jogadores se mentalizassem dentro da final – e que retirassem alguma eventual ansiedade que pudesse existir. Além disso, dizer a equipa algum tempo antes já tinha sido a estratégia que tínhamos utilizado na final da Copa Libertadores de 2020, e que concluímos ter sido positiva.

O outro objetivo da reunião foi discutir a parte estratégica com os jogadores. Nós, comissão técnica, havíamos definido uma estratégia final a partir da análise do adversário, e como tínhamos a consciência de que ela implicava algumas alterações posicionais, decidimos partilhá-la com os atletas. Não o fizemos de forma direta, e sim por meio de perguntas cujas respostas fossem ao encontro daquilo que nós definíramos antes.

O Abel iniciou a apresentação com um slide-resumo dos sistemas em que o Flamengo poderia jogar (1:4:4:2 ou 1:4:2:3:1). Nota: nem sempre falamos de dois esquemas do adversário para não criar confusão aos jogadores, mas optamos por partilhar ambas as situações pois, independentemente de os rivais iniciarem em um sistema, sabíamos que durante o jogo poderiam trocar para o outro e assim estávamos já preparados para essa alteração.

Depois desse slide inicial e de um vídeo-resumo de 2' com ações coletivas ofensivas do Flamengo, apresentamos um slide contendo um resumo das ações individuais dos atletas do adversário e mais 5 perguntas. Após falar sobre as dinâmicas de cada jogador do Flamengo, o Abel começou a fazer as perguntas.

De forma tímida, os jogadores foram respondendo. Eis as respostas:

– Galera, então como vamos defender contra o Flamengo?- disse o Abel à procura de respostas para resumir a conversa.

– Temos de fazer linha de 4+1 com o Scarpa do lado esquerdo, pois o lateral mais ofensivo do Flamengo é o lateral-direito – disse um jogador.

– Temos de defender juntos, com linhas compactas e em função da bola – respondeu outro jogador.

– Temos de lhes tirar o espaço entrelinhas e na profundidade – finalizou outro.

– Estamos fechados? Vamos lá fora treinar isto que falamos aqui hoje e se vocês não se sentirem confortáveis eu quero que me digam, ok? Não guardem nada para vocês, digam-me. Hoje falamos sem bola e amanhã falaremos com bola. Vamos treinar! – resumiu o Abel.

Assim, a conclusão da reunião foi feita pelos próprios jogadores. Por meio das informações que lhes passamos, eles chegaram às respostas que queríamos ouvir. A reunião correu extraordinariamente bem, melhor do que esperávamos. As conclusões foram totalmente coincidentes com as nossas, confirmando nossas ideias, algo que nos alegrou. Além disso, a atitude positiva dos jogadores deixou-nos muito satisfeitos, tendo a reunião terminado com palavras elogiosas e de motivação do Weverton para o grupo.

Após a reunião com os jogadores que iriam iniciar a final, fizemos uma outra reunião com 10 jovens atletas da base. Mais uma vez, servimo-nos da base para preparar uma final de Libertadores. Nessa reunião, apresentamos aos atletas do sub-20 um vídeo com ações coletivas e depois um slide-resumo com algumas dinâmicas individuais do Flamengo. Dissemos a cada um dos jovens jogadores qual atleta do Flamengo ele deveria simular e as dinâmicas que cada um teria de provocar. O ambiente de resenha quando dissemos "Fabinho, tens de fazer de Arão com este movimento X e Y" ou "Kevin, tens de fazer de Bruno Henrique com este movimento W e Z" foi um momento de descontração numa semana bem tensa para todos nós.

Assim, a 4 dias da final, decidimos fazer 2 treinos para treinar as 2 equipas. A equipa que iria jogar contra o Flamengo teve treino às 10h; já a equipa que iria cumprir o último jogo d'"O Plano" neste mesmo dia (contra o Atlético Mineiro) treinou às 11h.

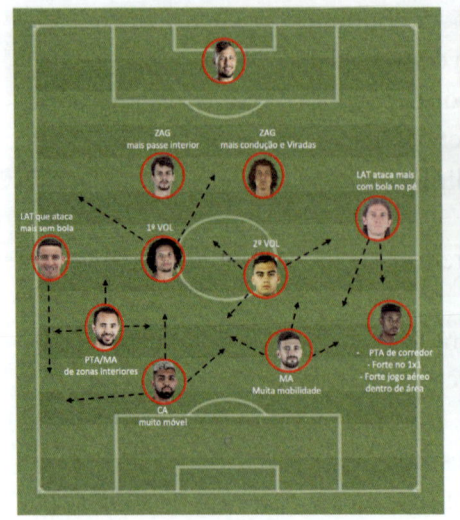

No treino das 10h, a equipa que iria jogar a final iniciou a exercitar a estratégia defensiva com a oposição dos sub-20 a fazer de Flamengo. E, no treino das 11h, a equipa que atuaria contra o Atlético Mineiro fez um exercício explicativo de "filme do jogo" e de bolas paradas.

O convencimento dos jogadores da estratégia ofensiva

VOLTA 74

"O mais legal foi o comprometimento de todos. Na hora o Scarpa falou que sim, que deixaria de jogar um pouco para se sacrificar pela equipe; o Dudu também; e logo no primeiro tempo a gente conseguiu um gol ali pelo lado direito. (...) A construção do gol foi na região em que sabíamos que haveria espaço. (...) Todo mundo comprou a ideia dele: 'Professor, o que o senhor quiser fazer, vamos fazer. Se tiver que correr 45 minutos só para ajudar, vamos fazer, depois entrar outro com gás renovado'. Ele tinha um plano, sentou, passou para gente e deu tudo certo."
Weverton

São Paulo, 24 de novembro de 2021

3 dias para a final.

No dia seguinte à primeira reunião, fizemos outra, desta vez para discutir a estratégia ofensiva. Afinal, também vamos ter a bola: como atacaremos o Flamengo?

Ao contrário do último encontro, que contou apenas com a presença dos titulares da final, nesta reunião estavam presentes, além dos 11 que começariam a decisão, os demais atletas que não haviam atuado no dia anterior contra o Atlético Mineiro. Aqueles que jogaram no dia anterior ficaram na academia a fazer recuperação.

Iniciamos a reunião com um vídeo de 2' com imagens coletivas defensivas do Flamengo. Quando terminou, o Abel resumiu o vídeo em 3 ideias-chave (quadro na página seguinte).

Depois disso, chegou o momento de fazer perguntas aos atletas. Afinal, queríamos que eles chegassem à estratégia pretendida por nós, novamente sem que impuséssemos nada – que fossem eles mesmos a compreender o porquê. Desta vez, o Abel fez 6 perguntas (quadro também na página seguinte).

Grandes Ideias

1. Equipa pressionante com um bloco médio/médio-alto (saltam pressão no passe atrasado)
2. Podem fazer 3x3 na construção (com escaladas frontais e laterais)
3. Médios com Médios e Ponta com Laterais

- Como foi a nossa construção contra equipas que pressionam com 2 jogadores?
  Construção a 3
- De acordo como vamos jogar, que jogador vai fazer essa construção a 3?
  Lateral Esquerdo
- O que temos que fazer contra uma equipa pressionante e que salta a pressionar no passe atrasado?
  Usar o Goleiro
- Como podemos explorar uma linha defensiva alta, um pouco lenta e condicionada fisicamente?
  Explorar espaço nas costas com movimentos facão
  (De quem? CA+MAs+LD+PE)
- Como explorar o fato do ADV ter só 2 Médios?
  4 contra 2 no meio (2VOLs + 2MAs contra 2ADVs)
- Como forçar uma linha de 4?
  Viradas + Bolas nas costas dos Laterais/Pontas

Os jogadores chegaram novamente às conclusões que queríamos:
• Construção a 3 contra a pressão a 2 do Flamengo;
• Criar situações de 4x2 no meio com os nossos volantes e meias contra os 2 médios do Flamengo;
• Explorar o jogo exterior, através de viradas e bolas na profundidade nas costas dos laterais/pontas.

Após esta reunião com a equipa profissional, reunimos novamente jovens jogadores da base e pedimos que fizessem o mesmo que o Flamengo: defender em 1:4:4:2 com um bloco médio ou médio-alto pressionante saltando na pressão nos passes atrasados, criar situações de 3x3 na nossa primeira fase de construção com escaladas frontais do ponta-direita e com as referências individuais dos médios (com médios) e dos pontas (com laterais).

Terminada a reunião, fomos novamente para o campo, desta vez para exercitar a estratégia ofensiva. O fato de trabalharmos com estes jogadores há 13 meses possibilitou que eles chegassem exatamente às conclusões que queríamos – uma satisfação enorme para nós.

Sentimos que foi nessas duas reuniões, em particular na primeira, que começamos a denotar a confiança e segurança dos jogadores no que iríamos fazer. Não fomos nós que lhes vendemos ou impusemos a estratégia: foram os jogadores que chegaram às mesmas conclusões que nós, por meio das perguntas que lhes fizemos. E quando o atleta compreende o que faz e por que faz, é um passo para se sentir confortável e seguro no momento do jogo, multiplicando a probabilidade de um resultado positivo.

Depois da preparação... restava-nos acreditar e fazer para conquistar!

Figura 76: Programação de treinos e jogos pré-final da Libertadores de 2021

Preparação mental para a final da Libertadores de 2021

VOLTA **75**

"O Abel fez algo que foi impressionante para todos nós, porque acho que tudo que envolve família tem um sentimento muito bom pra gente. Chegamos ao quarto e ele levou coisas importantes, algo que fosse marcante pra gente; ele tinha pedido para nossas esposas escreverem uma carta para nos dar. Vi muita gente no jantar comentando o quanto foi gratificante, te faz lembrar de tantas coisas importantes. Depois, preparou um vídeo dos familiares com o lema 'proteger o que era nosso', que é a Libertadores. O Abel faz isso de uma forma sensacional e isso traz muita motivação pra gente."

Weverton

São Paulo, 24 de novembro de 2021

Iniciamos a preparação mental para a decisão da Copa Libertadores com muita antecedência. Como referimos anteriormente, o lema da final – "Vamos proteger o que é NOSSO" – começou a ser utilizado pelo Abel ainda na semifinal contra o Clube Atlético Mineiro.

Além disso, o Abel procurou, semanas antes da final, reforçar junto dos diferentes departamentos do clube a necessidade de refocar e de exigir um esforço especial de todos os jogadores e de todas as pessoas que se relacionam com eles. Pedimos que os funcionários cumprimentassem os jogadores com um "Vamos ganhar! Bom dia!" e que passassem a mensagem de que "É o momento de fazer renúncias". Não porque eles não quisessem ganhar ou não estivessem dispostos a fazer renúncias – mas porque o nível de saturação de todas as pessoas era muito elevado, devido a uma temporada extremamente desgastante e densa competitivamente.

Ademais, um mês antes, todos os treinos começaram a ser uma preparação para a final, mesmo sem os jogadores saberem. Procuramos que todos os exercícios tivessem um componente emocional muito elevado, à semelhança do que iria acontecer na final da Copa Libertadores. Fizemo-lo através de:

• Jogos competitivos em situação de vantagem e desvantagem no marcador, ou seja, a necessidade de lidar com o resultado (ter de arriscar ou ter de segurar);

• Uma vez que já tínhamos perdido 4 decisões nos pênaltis durante a temporada, fizemos de propósito que os exercícios terminassem empatados e que o vencedor fosse decidido na marcação de pênaltis – tentando quebrar algum receio existente desse momento de desempate do jogo;

• No dia -1 da semana (dia antes do jogo) e após o treino de bola parada ofensiva e defensiva, cada jogador não podia sair do treino sem bater 2 pênaltis em 2 balizas diferentes (contra 2 goleiros diferentes). Com isto, pretendíamos que eles se sentissem cada vez mais confortáveis e confiantes neste momento de maior tensão/pressão, ainda que no jogo essa tensão/pressão seja diferente. Mas o treino é a única forma de melhorar.

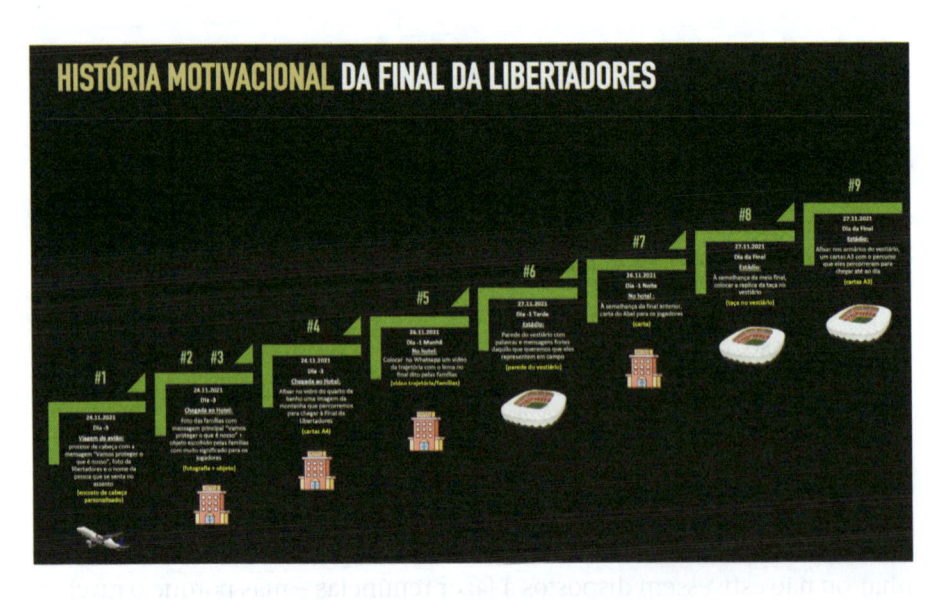

Além do referido anteriormente, construímos ainda uma história motivacional de 9 passos para proporcionar aos jogadores uma força extra nos momentos de maior adversidade. Uma espécie de marcador somático nos momentos de dificuldade. Essa história motivacional consistiu em 9 passos realizados em 3 locais diferentes: no avião, no hotel e no estádio.

O 1º passo consistiu na elaboração de encostos de cabeça personalizados com o nome de cada pessoa que embarcava no avião. Era nosso objetivo que o lema da final estivesse presente na mente dos jogadores desde o momento em que saíam de São Paulo até o momento do jogo. Então, começamos a plantar essa semente na cabeça dos jogadores já no embarque para Montevidéu.

#1 – AVIÃO – ENCOSTO DE CABEÇA PERSONALIZADO COM O LEMA

Os 2º e 3º passos da história motivacional consistiram em colocar no quarto do hotel dois objetos. O primeiro foi uma moldura com a fotografia da conquista da Copa Libertadores de 2020, na qual pudessem ser vistos a taça, a família e o lema "Vamos proteger o que é NOSSO". Com isto, pretendíamos associar o "NOSSO" a uma imagem visual da família e da taça. O segundo foi a inclusão de um objeto que pedimos às famílias que nos enviassem e que tivesse um especial significado para os atletas. Podia ser o que as famílias quisessem, desde que este objeto fizesse os jogadores se recordarem de algum momento especial. Houve jogadores que receberam as primeiras chuteiras da infância, a primeira camisa de um clube federado, um álbum de fotografias com fotos de toda a carreira, um teste de gravidez (!), um par de luvas de boxe, bíblias com história na família, entre muitos outros objetos especiais.

À semelhança da final anterior, os funcionários do clube também receberam a moldura.

O 4º passo consistiu em colocar no espelho do banheiro de cada quarto do hotel uma imagem da montanha que percorremos desde o 1º jogo até a final da Libertadores. Pretendíamos que, cada vez que os jogadores se olhassem ao espelho do banheiro, vissem, no fundo, o caminho árduo que percorreram para chegar àquele momento da final. Era como um "lembrete" diário dos sacrifícios que fizeram durante meses/anos para poder disputar uma final da Copa Libertadores.

O 5º passo consistiu em um vídeo que o Abel colocou no grupo do WhatsApp dos jogadores no dia -1 (véspera de jogo) de manhã. Esse vídeo começa com imagens de cada um dos 29 atletas a se preparar para o jogo e segue com imagens das 12 partidas da edição 2021 da Libertadores. Como áudio de fundo, no momento das imagens dos 12 jogos, colocamos um texto que apelasse ao mesmo trajeto árduo que a montanha demonstra:

"Bom dia, família.

Graças a Deus e ao nosso trabalho, estamos outra vez na final da Libertadores. Uau! Quantas elencos conseguiram esse feito?

A conquista de 2020. Depois de escalar a montanha, tocamos no céu. Fomos coroados os reis da América.

E depois, começamos a escalar uma nova montanha...

1. Ganhamos ao Universitario no último minuto de jogo, porque acreditamos até o fim.

2. E a vitória por 5x0 ao Del Valle? Vocês cumpriram o plano de jogo à perfeição.

3. 2x1 contra o Defensa. Ganhamos com paciência, sabedoria e eficácia.

4. 1x0 na altitude contra o Del Valle... Putz... Só uma equipa inteligente e em unidade conseguiria ganhar esse jogo.

5. A derrota para o Defensa? Ah... Obstáculos fazem parte do processo.

6. O histórico 6x0 contra o Universitario? Maior goleada do Allianz Parque... Jogamos concentrados e competimos com alegria.

7. Universidad Católica... Passamos a eliminatória porque competimos, competimos e competimos. Fomos consistentes na defesa e fortes no ataque.

8. São Paulo... Nunca na história do Palmeiras um elenco tinha ganho ao São Paulo num jogo da Libertadores. Ahhh... Com fé, fizemos história! Aqui e agora!

9. Atlético Mineiro... Contra tudo e contra todos, cumprimos o plano e ganhamos com controlo emocional, coração quente e cabeça fria.

E agora... Ahhh, a tão esperada final. O que vos posso dizer? Vocês sabem o que fazer. E a nossa missão é clara. Vamos ouvi-la?"

Após este áudio com as imagens de fundo, o clipe terminava com vídeos de cada uma das famílias dos 29 atletas a dizer "Vamos proteger o que é NOSSO".

#5 – HOTEL – VÍDEO COM A TRAJETÓRIA E MENSAGEM DAS FAMÍLIAS

Vozes de fundo:
"Bom dia família.
Graças a Deus e ao nosso trabalho, estamos outra vez na Final da Libertadores. Uau. Quantas elencos conseguiram esse feito?
A conquista de 2020. Depois de escalar a montanha, tocamos no céu. Fomos coroados os reis da América.
E depois, começamos a escalar uma nova montanha...
➢ Ganhamos ao Universitario no último minuto de jogo, porque acreditamos até ao fim.
➢ E vitória por 5-0 ao Del Valle? Vocês cumpriram o plano de jogo na perfeição.
➢ 2-1 contra o Defensa... Ganhamos com paciência, sabedoria e eficácia.
➢ 1-0 na altitude contra o Del Valle... Putz... Só uma equipa inteligente e em unidade conseguiria ganhar esse jogo.
➢ A derrota contra o Defensa? Ahhh... Obstáculos fazem parte do processo.
➢ O histórico 6-0 contra o Universitario? Maior goleada do Allianz Parque... Jogamos concentrados e competimos com alegria.
➢ Universidade Católica... Passamos a eliminatória porque competimos, competimos e competimos. Fomos consistentes na defesa e fortes no ataque.
➢ São Paulo... Nunca na história do Palmeiras um elenco tinha ganho ao São Paulo num jogo da Libertadores. Ahhh... Com fé, fizemos história! Aqui e agora!
➢ Atlético Mineiro... Contra tudo e contra todos, cumprimos o plano e ganhamos com controlo emocional, coração quente e cabeça fria.
➢ E agora... Ahhh a tão esperada final. O que vos posso dizer? Vocês sabem o que fazer. E a nossa missão é clara. Vamos ouvi-la?"

O 6º passo, que os jogadores puderam ver no reconhecimento feito do estádio na véspera do jogo, consistiu na produção de uma tela colocada na entrada do vestiário. Essa tela continha uma mensagem principal ("Para a ETERNIDADE"), 17 palavras/expressões e citações dos 29 jogadores.

#6 – PAREDE VESTIÁRIO – PALAVRAS CHAVE + MENSAGENS DOS JOGADORES

As 17 palavras/expressões que utilizamos foram: fé, talento, foco na tarefa, trabalho, gratidão, competir é tudo, família, paixão, todos atacam, todos defendem, coragem, disciplina, espírito de equipe, mentalidade vencedora, coração quente e cabeça fria, todos somos um e o melhor de nós. No fundo, elas representavam tudo aquilo que nos tinha feito alcançar mais uma final da Copa Libertadores.

As citações dos 29 jogadores foram retiradas do vídeo realizado na semifinal contra o Atlético Mineiro, tendo sido as respostas às perguntas: "Para ti, o que significou conquistar a última Copa Libertadores?", "O que significa conquistar a Copa Libertadores novamente?" e "O que significa conquistar a Copa Libertadores pela primeira vez?".

O 7º passo consistiu em o Abel escrever uma carta para cada jogador, mantendo a tradição da final da Copa Libertadores de 2020. Esta carta foi colocada por baixo da porta dos quartos na noite da véspera do jogo; os atletas somente a leram quando acordaram pela manhã. Ela continha um reforço da mensagem que o Abel vinha transmitindo ao longo dos dias anteriores ao jogo.

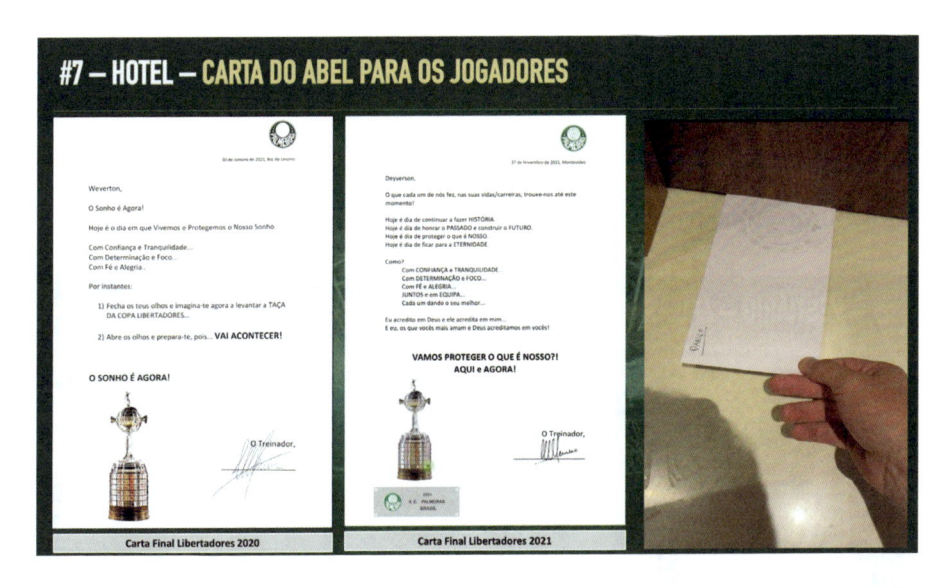

#7 – HOTEL – CARTA DO ABEL PARA OS JOGADORES

Carta Final Libertadores 2020 | Carta Final Libertadores 2021

O 8º passo, à semelhança da semifinal, consistiu em ter presente no vestiário a réplica da Copa Libertadores de 2020, dando assim mais significado ao lema "vamos reforçar o que é nosso". Novamente, o reforço visual daquilo que era o "NOSSO" e que tínhamos que proteger: o troféu da Copa Libertadores.

#8 – VESTIÁRIO – RÉPLICA DA TAÇA DA LIBERTADORES NO DIA DE JOGO

O 9º passo consistiu no último ato. Elaboramos um cartaz A3 com 5 fotografias do percurso de cada atleta, desde bebê/criança até a data do jogo. Essa linha do tempo terminava com 1, 2 ou 3 taças Libertadores, de acordo com o número de conquistas que cada jogador teria no currículo com a vitória da Copa de Libertadores de 2021. Esses cartazes foram colocados no armário de cada jogador. Eles continham uma frase que ouvimos num documentário e que para nós fez muito sentido:

#9 – VESTIÁRIO – AFIXAR NO ARMÁRIO O PERCURSO DAS CARREIRAS DELES

"Quantos jogos disputamos ao longo das nossas vidas? Centenas... Mas este jogo, um só jogo de 90 minutos, pode mudar a história. A história das nossas vidas... Aqui e agora!"

Após a nossa história, ainda houve um clímax muito forte antes do jogo. Depois de vários jogadores falarem, foi a vez de o Weverton e o Felipe Melo transmitirem as suas mensagens finais antes de o Abel tomar a palavra. Seus discursos foram arrepiantes e verdadeiramente emocionantes, ao ponto de muitas pessoas no vestiário (jogadores e comissão) estarem com lágrimas nos olhos, levando a que o Abel tivesse necessidade de acalmar os ânimos com o seu discurso final.

Ainda sobre o plano motivacional, embora a maioria das ideias tenha sido da equipa técnica, seria impossível executá-las sem o trabalho e a colaboração de várias pessoas de diferentes departamentos da estrutura do Palmeiras, que nos ajudaram quer na fase de produção/desenvolvimento destes materiais, quer na fase de transporte/colocação dos mesmos no Uruguai. Desde logo: ao departamento de logística do clube; ao departamento de marketing e respectivo designer do clube; à TV Palmeiras; à assessoria de imprensa do clube; à psicóloga do clube; à auxiliar de nutrição do clube; à rouparia do clube; e por último, mas não menos importante, ao Centro de Inteligência do Palmeiras. A todos os envolvidos, nosso agradecimento pela ajuda e colaboração neste processo.

Jogo: Palmeiras 2x1 Flamengo (Libertadores - final)

VOLTA **76**

"O gol não foi do Deyverson, foi do grupo, foi de todos."
Deyverson

Montevidéu, 27 de novembro de 2021

Dia da final.

Como o Abel sempre disse aos jogadores: "os caminhos difíceis preparam-nos para o futuro; entre um caminho fácil e outro difícil, escolham sempre o mais difícil". Não foi por escolha nossa, mas enfrentamos o caminho mais difícil para chegar novamente à final da Copa Libertadores. A verdade é que ter fé e acreditar pode superar qualquer obstáculo e adversário.

Figura 77: Percurso do mata-mata até a final da Copa Libertadores de 2021

Tal como a preparação mental, a preparação tática para esta final começou muito antes da semana do jogo. Desde o momento em que se definiu que enfrentaríamos o Flamengo na decisão, passamos a acompanhar todos os seus jogos. Além disso, para a elaboração do relatório de adversário, analisamos também a totalidade dos jogos prévios do Flamengo sob a orientação do Renato Gaúcho. Isso resultou em uma soma final de 36 jogos integralmente analisados; dentre estes, consideramos 9 como os jogos-referência para a definição de estratégia.

Quanto da informação retirada dos 36 jogos chega ao treinador? Pouco, isto é, o essencial para ele conhecer o adversário e o defrontar sem surpresas ao longo do jogo. E dessa informação, quanto chega aos jogadores? Muito menos do que aquela que chega ao treinador – somente a informação necessária para os atletas terem o "mapa" e as "coordenadas do jogo" na mente. Um conhecimento completo e exaustivo do nosso adversário permite-nos ser mais assertivos e específicos na transmissão de informação ao treinador e aos jogadores.

Qual é a necessidade de analisar 36 jogos de um time com um padrão de comportamentos táticos sem grandes alterações ao longo do tempo? São muitas as informações relevantes que podemos depreender dessa observação alongada. Por exemplo, compreender as substituições feitas no momento de ir atrás de um resultado (assim como para defender um placar) ou identificar as jogadas utilizadas pelo treinador em bolas paradas (como atacava uma equipa que defendia escanteios com marcação zonal). No caso específico do Flamengo, estender a amostra foi também importante porque nosso adversário, durante muito tempo, não utilizou a equipa que prevíamos que entraria como titular na final (Arrascaeta, Everton Ribeiro, Bruno Henrique e Gabriel Barbosa não entravam juntos em campo havia muito tempo); à certa altura da temporada, o time passou a jogar em 1:4:4:2 com 2 centroavantes e pontas assimétricos – e não em 1:4:2:3:1, como habitualmente jogava com o Renato Gaúcho. Ou seja, essa análise estendida nos permitiu compreender todas as nuances estratégicas que o Flamengo pudesse apresentar na final, tentando reduzir ao máximo as imprevisibilidades que pudessem surgir no jogo.

Semanas antes da partida, a estratégia já estava definida. Estávamos confiantes no plano de jogo que encontramos para atacar o adversário e de como o bloquear. Sabíamos a rota de ataque que devíamos aproveitar mais; defensivamente, sabíamos que espaços devíamos fechar e/ou condicionar. Faltava apenas definir situações específicas na equipa inicial – dúvidas dissipadas ao longo dessas mesmas semanas, em especial a do defesa direito e a do volante.

Da semifinal até a final havia um intervalo de aproximadamente 2 meses. No Campeonato Brasileiro, procuramos encontrar a melhor versão dos jogadores por meio do ajuste de algumas posições e da confiança de extrair o melhor de cada um deles. Por exemplo, na partida contra o Santos, 20 dias antes da decisão, tivemos uma excelente atuação – com o onze inicial que seria exatamente o mesmo da final.

Apesar de estarmos a competir pelo Brasileirão, a final da Libertadores estava no pensamento de todos. Por mais que procurássemos focar a atenção no torneio nacional, havia uma força maior que nos levava o pensamento para o dia 27 de novembro.

Após o jogo contra o Atlético Goianiense, foi comunicado aos atletas que seguiríamos um plano de gestão de cargas para todos eles, de modo a que estivessem no máximo das suas capacidades físicas e mentais no dia da final. Esse programa, suportado por uma base metodológica de gestão de cargas físicas, foi definido pela comissão técnica e apoiado pelo Núcleo de Saúde e Performance. Igualmente importante foi o fato de fazer os jogadores acreditarem nele.

"Acreditem em nós e confiem no plano" foi a mensagem do Abel para os jogadores e torcedores após o jogo contra o São Paulo, pelo Brasileirão. Nosso propósito era maior do que a importância daquele jogo. Ainda assim, é preciso ressaltar que a equipa que colocamos em campo naquela noite no Allianz Parque era qualificada para disputar o jogo e vencer o nosso rival. Essa é uma de nossas maiores forças: todos os jogadores são treinados da mesma forma, porque a nossa estrela é a equipa.

Antes da final da Libertadores, estávamos curiosos para saber se o adversário jogaria com 2 médios + 2 centroavantes (isto é, com o Michael como titular e o Arrascaeta no banco) ou 3 médios + 1 centroavante (Arrascaeta como titular e Michael no banco). Essa curiosidade da comissão estendia-se aos jogadores. Mas não estávamos preocupados, pois havíamos nos preparado para qualquer uma dessas situações durante a semana de treinos.

Tendo em conta a análise do adversário e os comportamentos inerentes à nossa ideia de jogo, definimos as seguintes ideias-chave no plano de jogo:

Ideias-chave: SE Palmeiras x Flamengo

Momento do Jogo	Problema (Adversário)	Solução (Equipa)	Estratégia
Organização Defensiva #1	Adversário forte no jogo interior com muita mobilidade dos jogadores (volantes, meia-atacante e centroavante criando desequilíbrios nos adversários quando conseguiam "furar" os blocos com combinações e tabelas curtas)	**Manter a base/identidade** Defender juntos, com bloco compacto e para isso tínhamos de respeitar a nossa linha de pressão + Ao contrário de outros jogos, defesa totalmente zonal + Gatilhos de pressão: pressões laterais e passes atrasados	Tínhamos de defender com linha de 4 defesas +1 ala para controlá melhor a linha atacante do adversário Optamos por 1:5:4:1, com o Scarpa como ala pelas características dos nossos pontas
Organização Defensiva #2	Lateral mais ofensivo é o lateral-direito (ataca sem bola), sendo que o lateral-esquerdo ataca mais em apoio e bola no pé + Ameaçam linha defensiva do adversário com 4/5 jogadores (LD, PD, CA, MA, PE)	Nuance estratégica dentro da nossa ideia	
Organização Defensiva #3	Não são uma equipa forte nos cruzamentos em geral, mas são fortíssimos em um cruzamento específico: Cruzamento largo para Bruno Henrique finalizar nas costas do 2º zagueiro ou em cima do lateral + Atacantes fortes em ações 1x1	**Manter a base/identidade** Marcar adversários dentro da área até ao fim + Mayke deveria estar constantemente a 2 metros do Bruno Henrique, para este não ter espaço e tempo para receber	
Organização Ofensiva #1	Mais dificuldades no encaixe defensivo do corredor esquerdo (nosso corredor direito) -> Devido ao fato desse corredor ser defendido por um ponta e não pelo lateral	Nuance estratégica dentro da nossa ideia	Forçar mais o nosso corredor direito de ataque Teríamos de ganhar as costas do Felipe Luís com movimentos complementares (Dudu em apoio atraindo o lateral, para ganhar o espaço nas costas pelo Mayke)
Organização Ofensiva #2	Equipa que defenderia com encaixe mano a mano do lado da bola, sendo que somente tinham 2 médios + Defendiam com a linha defensiva muito alta	Nuance estratégica dentro da nossa ideia	Criar superioridade 4x2 no meio-campo pelos nossos 2 volantes e 2 meia-atacantes + Forçar os espaços nas costas da defesa +
Transição Ofensiva #1	Equipa bastante exposta no momento da perda, em função do elevado número de jogadores envolvidos no ataque	**Manter a base/identidade** Em 1:5:4:1/1:5:2:3 teríamos sempre 3 jogadores preparados para transitar no momento de ganho de bola 1ª prioridade: atacar/ganhar o espaço nas costas 2ª prioridade: encontrar o ponta do lado contrário	

Tabela 13: Ideias-chave: SE Palmeiras x Flamengo

Na chegada ao estádio, no vestiário e no aquecimento, vivenciamos uma energia invisível: a segurança e confiança dos jogadores. Vimos em seus rostos e sentimos em suas palavras que eles estavam preparados para a final.

O evento musical terminou.

As equipas entraram em campo ao som do hino da Libertadores.

Os jogadores formaram-se em campo em frente à tribuna.

Ouvimos o Hino Nacional brasileiro.

Deram-se o cumprimento das equipas e a foto oficial da partida.

O onze inicial abraçou-se no centro do relvado.

Os atletas trocaram as últimas palavras.

Cumprimos o minuto de silêncio em memória de todas as vítimas da Covid-19.

Contagem regressiva. 10, 9, 8, 7, 6, 5, 4, 3, 2, 1...

O árbitro apitou.

O jogo começou.

E início não poderia ter sido melhor.

Aos 4'59", num lance trabalhado – e detalhadamente explicado nos treinos –, chegamos ao 1x0. Havíamos analisado que o ponta do Flamengo teria como preocupação defensiva o acompanhamento do Mayke, devido à defesa por referências. No entanto, pelo fato de esse jogador ser um ponta com claras características ofensivas (um centroavante em muitos jogos), sabíamos que não teria o rigor defensivo de acompanhar da melhor forma o movimento do Mayke, como o faria, por exemplo, um lateral ou um defesa na mesma função. E para liberar esse espaço nas costas da linha defensiva, cabia ao Dudu a responsabilidade de executar o movimento complementar: caso o Mayke atacasse o espaço, o Dudu deveria dar opção no jogo interior entrelinhas e assim atrair a marcação do lateral-esquerdo adversário, retirando a possibilidade de este poder interceptar a bola nas costas.

Este tipo de situação de jogo faz parte de uma variante do nosso modelo de jogo e das nossas 4 rotas de ataque (jogo interior, jogo exterior, jogo de profundidade e a qualidade individual dos jogadores). Esta jogada de jogo exterior, executada em partidas anteriores, foi reforçada para esta final, em função do adversário que íamos enfrentar. Não é possível criar para cada jogo novas dinâmicas ofensivas; por isso, temos 4 rotas de ataque, todas elas com dinâmicas diferentes, que são trabalhadas semanalmente pelos joga-

Figura 78: Organização Ofensiva #1 **Treino – Lance do 1º golo** – Posicionamento ofensivo e a rota de ataque exterior que teríamos que potenciar + Explorar o lado esquerdo do adversário (onde defenderiam com um ponta) + Importância do movimento complementar do Dudu/Mayke (caso o Mayke atacasse o espaço, o Dudu deveria dar opção no jogo interior entrelinhas e assim atrair a marcação do lateral-esquerdo adversário, retirando a possibilidade de este poder interceptar a bola nas costas)

Figura 79: Organização Ofensiva #1 **Jogo – Lance do 1º golo** – Posicionamento ofensivo e a rota de ataque exterior que teríamos que potenciar + Explorar o lado esquerdo do adversário (onde defenderiam com um ponta) + Importância do movimento complementar do Dudu/Mayke (caso o Mayke atacasse o espaço, o Dudu deveria dar opção no jogo interior entrelinhas e assim atrair a marcação do lateral-esquerdo adversário, retirando a possibilidade de este poder interceptar a bola nas costas)

JOGO: PALMEIRAS 2X1 FLAMENGO (LIBERTADORES – FINAL)

dores. Dessa forma, antes de cada jogo, é nossa missão dizer aos atletas: a melhor rota de ataque para explorar os pontos fracos do adversário é a rota X e a rota Y, ou a rota Z, ou a rota W.

Para enfrentar o Flamengo, estava claro para nós que a melhor rota de ataque seria o jogo exterior e o jogo de profundidade.

Nesse lance de organização ofensiva, que se iniciou aos 4'10", a bola passou por 9 jogadores: Weverton, Mayke, Luan, Gustavo Gómez, Piquerez, Gustavo Scarpa, Danilo, Zé Rafael, Raphael Veiga. Todos eles tocaram na bola e tiveram interferência direta no golo. E aqueles que não tocaram na bola (Rony e Dudu) exerceram também importância tremenda no golo marcado. Vejamos: o Dudu fez o movimento complementar do Mayke, dando apoio frontal entrelinhas, e arrastou a marcação do lateral adversário, abrindo o espaço nas costas para o Mayke atacar; já o Rony, no momento do cruzamento do Mayke, faz o movimento de ataque à área que pedimos ao centroavante (atacar no meio da baliza), arrastando assim a marcação dos zagueiros adversários e abrindo o espaço na zona do pênalti para o Veiga finalizar.

Se muitas vezes conseguimos acreditar num plano sem ver seu resultado, quando percebemos na prática os frutos desse plano passamos então de um estado de confiança para um estado de certeza de que estamos no caminho certo.

Com nossa vantagem na final e de forma tão rápida, era previsível que o adversário iria ter um maior volume ofensivo. Nós? Mantivemos o plano.

Apesar do aumento das ações no ataque por parte do Flamengo, eles não conseguiram criar muito perigo. Nosso lado direito anulou muito bem suas jogadas; sempre que o Bruno Henrique recebia a bola, a forte e rápida pressão do Mayke não permitia a sua progressão.

Já em nosso lado esquerdo, o adversário conseguia ter mais espaço quando conseguia colocar por ali vários homens – isto é, quando Arrascaeta e Everton se juntavam no mesmo corredor e criavam superioridade numérica. A maioria dos lances que o adversário conseguiu colocar a bola em nossa área surgiu a partir de situações de cruzamentos.

Por volta da metade do primeiro tempo, o adversário teve uma oportunidade de gol numa desatenção nossa – mas conseguimos compensar o lance com uma rápida recuperação de posição.

Figura 80: Organização Defensiva #1 – Missão específica do Mayke: não dar espaço para o ponta-esquerda Bruno Henrique receber

Aos poucos, fomos conseguindo transitar, empurrando o adversário a correr para trás, para depois organizar o nosso ataque já em zonas mais altas (em zona 2 e zona 3). Estávamos com dificuldades na ligação da zona 1 com a zona 2, sobretudo pela questão mental: é mais fácil correr riscos quando não se tem nada a perder do que quando se tem tudo a perder.

Deveríamos ter sido mais capazes de fazer as variações de jogo e o jogo de corredor, obrigando o adversário a ter de fazer basculações defensivas de grandes distâncias. Por demérito nosso e mérito da pressão do adversário, acabamos por não conseguir impor nosso jogo ofensivo.

Ao longo do jogo pedimos à equipa para não recuar tanto nossa primeira linha de pressão – já que esse recuo interferia no tipo de bloco com o qual defendíamos, produzindo a consequência negativa de permitir ao adversário ficar mais perto da nossa baliza.

Pouco antes do final da primeira etapa, o adversário ainda teve mais um lance em que criou algum desconforto, através de uma combinação no nosso corredor esquerdo (novamente) e de um cruzamento para a área.

Intervalo. 1x0. Faltavam 45' (pensávamos!) para alcançar o nosso propósito.

No vestiário, nossas correções foram majoritariamente ofensivas. Mostramos uma imagem em vídeo do espaço que o adversário oferecia no lado contrário no momento de sua pressão; por isso, tínhamos de procurar fazer mais variações do centro de jogo – em particular do nosso corredor direito para o esquerdo, onde o Scarpa estava muitas vezes sozinho. Para tanto, teríamos de melhorar nossa circulação de bola, a fim de ganhar o tempo e o espaço para fazer essa variação. Defensivamente, estávamos a cumprir o plano: somente tínhamos de ser mais eficazes na pressão e na comunicação no lado esquerdo. Os 4 jogadores responsáveis pela defesa do corredor esquerdo precisavam se comunicar mais para combater a mobilidade do adversário por ali.

No começo da etapa final, construímos um bom lance de ataque: em uma jogada de rápida circulação, encontramos o Rony entrelinhas e este fez um remate de meia distância, obrigando o goleiro adversário a uma defesa muito boa.

O Flamengo apareceu no segundo tempo com maior mobilidade. Por várias vezes, o Bruno Henrique saiu de sua zona para ocupar outros espaços no ataque. No entanto, os lances mais perigosos do adversário até então vinham de bolas paradas.

Por volta do minuto 70, sentimos que nossa equipa estava a dar alguns sinais de cansaço. Estávamos a ser obrigados a correr muito defensivamente, para fechar os espaços na direção da nossa baliza. O nosso "coração" (o meio-campo) precisava "bombear mais sangue" (ter mais energia para cumprir as tarefas que o jogo estava a pedir): por isso, decidimos trocar o Danilo pelo Patrick de Paula.

Aos 71'26", o nosso adversário conseguiu chegar ao golo do empate. Em um lance de troca de posições (Gabriel Barbosa como ponta e Bruno Henrique como centroavante), acabamos por não ser agressivos na pressão no corredor lateral; depois de uma boa combinação com o Arrascaeta, o Gabriel Barbosa ganhou espaço na área e finalizou em gol.

Como sempre ouvimos, "o importante não é o que nos acontece, mas como reagimos a isso". E, após o golo sofrido, os jogadores tiveram uma reação fantástica: passamos a ter mais tempo com a bola em nosso favor, a procurar construir desde trás e a tentar finalizar através de ataques organizados. Depois de marcar, o adversário sentiu que não era o momento de se expor e recuou as linhas.

Existem vários jogos dentro de um jogo. Um golo, seja de quem for, muitas vezes altera os comportamentos das equipas e seus respectivos planos.

Isto porque, inconscientemente, a vantagem ou desvantagem no placar tem interferência nos comportamentos e atitudes mentais dos jogadores. Este é o tipo de coisa que um treinador não pode controlar, por mais que tente – e que às vezes até consiga. Estes sentimentos, não induzidos pelo treinador, fazem parte do caráter e do lado humano do atleta que se é. Falamos das emoções. Que por vezes (ou muitas vezes!) também jogam.

A partida foi avançando e as nossas substituições foram trocas diretas, de modo a refrescar ainda mais a equipa (saída do Dudu e Zé, entrada do Wesley e Danilo Barbosa). Nos 20 minutos que faltavam, houve um maior equilíbrio no controlo de jogo, sem grandes lances de perigo de ambas as equipas – com exceção de um remate em zona perigosa por parte do Flamengo (através do Michael).

Aos 95', o árbitro apitou o final do tempo regulamentar.

Antes do início da prorrogação e depois de os jogadores descansarem e se hidratarem, houve uma reunião de todos os atletas em torno do Abel. Naquele momento, ele transmitiu aos jogadores o que tínhamos de continuar a fazer no prolongamento. Nesse tempo de paragem, decidimos trocar o Veiga e colocamos o Deyverson. Acreditávamos que esta substituição faria a equipa crescer em campo, além de ter um jogador com a capacidade física do Deyverson na frente – o que permitiria ficar com bola muita vezes em apoio frontal. Colocamos o Rony e o Wesley como pontas para dar mais velocidade e possibilidade de movimentos sem bola nos espaços liberados pelos movimentos de apoio frontal do Deyverson. Além disso e igualmente importante, acreditávamos que iríamos aumentar nossa agressividade na 1ª linha de pressão, algo que nos estava a faltar e que estava a empurrar-nos para trás; o Deyverson é o típico centroavante de muita capacidade de pressão na frente. Sua "raça" no momento de pressionar contagia a todos os restantes jogadores.

Por que substituímos o Veiga, nosso batedor de penalidades máximas, quando estávamos a um passo de entrar para uma disputa de pênaltis? Em primeiro lugar, porque acreditávamos que ganharíamos o jogo na prorrogação, sem precisar ir às cobranças de penalidades. Em segundo, porque o Veiga estava muito desgastado. Em terceiro, porque essa substituição estava no plano que fizemos no dia anterior.

Entre o fim do tempo normal e o início do prolongamento, foi notória a união do nosso elenco e grupo de trabalho. Apesar do cansaço dos jogadores, no momento de o Abel falar, foi formada uma roda e ninguém tirou os olhos do treinador e do quadro tático onde ele explicou as mudanças. Esse era mais um sinal de que os atletas estavam focados e acreditando no plano. Nesse momento, sentimos o pleno significado de uma equipa, representada pelo nosso lema: "Todos somos um".

O jogo recomeçou e, além de termos sido agressivos com bola no meio-campo adversário, fomos também mais agressivos na pressão. O adversário não conseguiu ter nenhum lance de ataque que passasse o nosso meio-campo.

E então, aos 4'14'' do primeiro tempo da prorrogação, fizemos o 2x1.

É verdade que fomos beneficiados pela infelicidade de um atleta adversário. Mas também é verdade que o golo surgiu de uma pressão coletiva treinada. Ao longo de toda a semana, havíamos treinado nossos gatilhos de pressão coletivos, que seriam: passe zagueiro-lateral (ou zagueiro-volante) e passes atrasados. O Deyverson fez exatamente o que foi pedido a ele e a toda a equipa: saltar na pressão após um passe atrasado do adversário.

Depois, a persistência, a qualidade de pressão individual numa pressão coletiva e a finalização... Tudo isso é mérito do próprio Deyverson. "Um sapo que beijamos e tornamos um príncipe", como disse o Abel na coletiva.

A maior preocupação agora era o estado emocional dos jogadores. Afinal, o adversário ia reagir. Aquele podia ser o golo do título, mas ainda faltava muito jogo e tínhamos de continuar a competir. Todas as mensagens de fora para dentro foram de equilíbrio emocional. Mensagens essas não somente do Abel e da comissão no banco, como também dos atletas. O gesto dos jogadores dentro de campo a apontar para a cabeça mostrou que estávamos todos em sintonia.

Devido ao golo sofrido, mais uma vez o Flamengo reagiu e procurou atacar com toda sua qualidade. No entanto, já não conseguiram ter a mesma capacidade de criar perigo. Estavam fatigados física e emocionalmente. E nós, apesar de também fatigados fisicamente, havíamos ganho muita energia anímica e emocional com aquele golo.

No restante do prolongamento, nossa preocupação foi defender o resultado. Por vezes conseguimos fazê-lo com a bola em nossa posse; em outras, não. Nesse caso, o mais importante é defender o resultado com linhas compactas e uma grande solidariedade individual em prol da equipa.

Figura 81: Organização Defensiva #2 **Treino – Lance do 2º golo** *– Pressões coletivas com gatilhos de pressão: passe zagueiro-lateral (ou zagueiro-volante) e passes atrasados*

Figura 82: Organização Defensiva #2 **Jogo – Lance do 2º golo** *– Pressões coletivas com gatilhos de pressão: passe zagueiro-lateral (ou zagueiro-volante) e passes atrasados*

Faltando 10 minutos para o término da partida, o adversário mandou a campo 2 jogadores ofensivos, passando a ter mais elementos na frente de ataque. Foi nesse momento que nós respondemos com a colocação do Felipe Melo em campo (quem diria! O que o Abel lhe tinha dito uns dias antes estava a acontecer!). O Felipe entrou para compor a linha defensiva e preencher a zona central, aumentando assim a capacidade e qualidade de nossa defesa da área. O adversário começou a fazer muitos cruzamentos e, com esta substituição por um jogador forte na bola aérea, ficávamos mais protegidos a esse nível.

    O tempo que decorreu desde o golo do Deyverson até ao apito final do árbitro pareceu uma eternidade. Não conseguimos defender com a bola em nossa posse, e por isso sofremos mais. Esse sofrimento se ia desvanecendo a cada duelo, porque os jogadores davam a vida para "somente" proteger a nossa baliza. Neste momento da partida, defendíamos com muita alma e coração, sem nunca descurar a tão importante organização.

Figura 83: Organização Defensiva #3 – Últimos minutos do jogo. Tivemos de defender sem bola porque não conseguimos fazê-lo com bola. Por isso, e num momento do jogo em que tínhamos que defender o resultado, defendemos: com alma, coração... e muita organização

    Quando o árbitro apitou o final? Novamente... as imagens falam por si!
    E se há algo que as imagens não mostram foi a felicidade que pudemos presenciar em nossos familiares, que estavam na bancada e que pela primeira vez festejavam um título presencialmente. Essas imagens ficarão para sempre gravadas na memória dos nossos corações e das nossas mentes.
    Com esta vitória, escrevemos (mais) uma nova página na história e entramos para a eternidade... Na história, por termos ganho duas Copas Li-

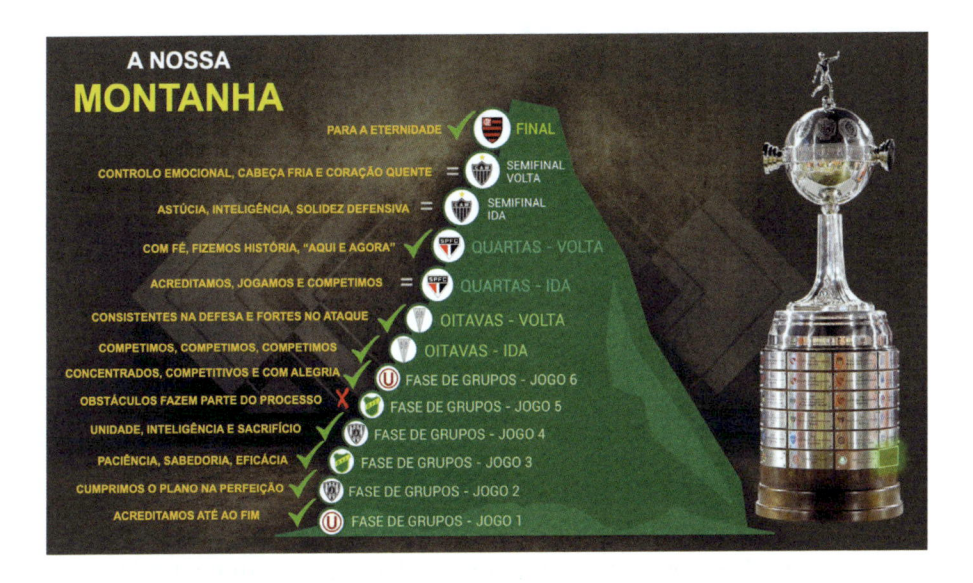

bertadores consecutivas, algo que somente duas equipas brasileiras haviam conseguido anteriormente. E entramos na eternidade como a única equipa a ganhar a Copa Libertadores duas vezes no mesmo ano civil. Algo, que muito honestamente, esperamos que não volte acontecer, porque não desejamos que a humanidade tenha de passar mais vezes por uma calamidade como tem sido a pandemia do Coronavírus.

P.S.: Uma história nunca contada. Aos 25'-30' do primeiro tempo da final, o Abel ficou sem voz. De repente, ao chamar por um jogador que estava do outro lado do campo, percebeu que estava afônico. Estranhou e ficou surpreendido, mas continuou à beira do gramado e a tentar orientar a equipa com gestos, apesar não conseguir falar com os jogadores ou com quem quer que fosse. Na hora do intervalo, com muito esforço, conseguiu dizer ao médico da equipa que não conseguia falar. Rapidamente, o doutor deu-lhe medicações injetáveis. Nossa equipa técnica continuou a discutir o que tínhamos de melhorar no segundo tempo, com o Abel só a ouvir e a apontar. Terminada essa discussão entre nós, fomos falar com os jogadores. "Galera, não consigo falar convosco. Estou sem voz. Ouçam o João e ele vai dizer-vos o que é que temos a continuar a fazer", disse o Abel numa voz muito baixa, que só era audível a quem estava a meio metro de distância dele. O intervalo terminou, o segundo tempo começou e o Abel continuava sem voz. De repente, aos 15'-20' do segundo tempo, a voz voltou. Mais uma vez, o Abel estranhou e foi apanhado de surpresa, tal foi a forma repentina como isso aconteceu. Depois, ficou tudo bem e ele conseguiu continuar a se comunicar com os atletas. Foram cerca de 45'-50' que o Abel esteve sem voz – um período em que ele se sentiu impotente, mas que serviu para nos unirmos ainda mais. Esta é uma história que, caso fosse uma "volta" deste livro, teria o título: "O milagre médico da voz".

Separadas por temas, seguem as principais ideias apresentadas pelo Abel na coletiva de imprensa após a conquista da Libertadores.

Agradecimentos e a recuperação de Deyverson

Em primeiro lugar, gostaria de agradecer a essas pessoas que estão atrás de mim. Um dos meus treinadores, o João, está comigo desde o primeiro dia. Ao Martinho, que se juntou à nossa equipe técnica, ao Castanheira, ao Tiago, Andrey, Rogério, Thales. E duas pessoas que para mim foram fundamentais nas nossas conquistas. O Cícero, que esteve comigo muitas vezes com minha azia, meu mau feitio. E o Barros, que é o diretor esportivo mais incrível com quem eu trabalhei. A Leila anda em dúvidas sobre qual é o melhor diretor esportivo que o Palmeiras deve ter, eu não tenho dúvidas de que este tem de ser o diretor esportivo. Muitas vezes o chateei a cabeça se quero esse ou aquele jogador, mas ele sabia que não poderia trazer. Mas também teve um trabalho extraordinário em manejar o grupo. Teve sempre o grupo conosco. Soube sempre ser sério, honesto e dizer aos jogadores o que ia se passar. É uma honra e um privilégio trabalhar com um grande homem e grande profissional que ele é. Esses que estão atrás de mim, que me guardam as costas, que vocês nem sempre veem, mas quando falo que todos somos um, é porque todos somos um mesmo. E para eles que estão atrás de mim, a gratidão eterna. O Deyverson? O Deyverson é um sapinho que nós beijamos e transformamos em príncipe. Entenderam?

Como buscar a segunda Libertadores em um mesmo ano

Não temos nenhum livro de treinadores brasileiros. Estou há um ano com minha equipe técnica a escrever um livro, para explicar tudo o que fizemos durante um ano. E esse livro vai sair em janeiro, e vão ter lá todas as histórias, todo nosso trabalho, nosso projeto, é a forma que tenho de agradecer ao futebol brasileiro. Ele está feito, falta ser publicado. Escrevo um livro onde vou responder minuciosamente a todas essas perguntas.

Estratégia para a final
Vou partilhar com vocês. Coloquei todos numa sala e disse: "Vou fazer isto, mas só o faço se todos se sentirem confortáveis em fazer". Um dos capitães nos respondeu: "Se é para ganhar, cada um aqui dentro vai fazer o que for preciso". Esta é a forma que eu encontro de derrotar um rival muito qualificado, e hoje pudemos ver isso aqui dentro. Tem para mim um dos melhores treinadores brasileiros, e que agora não comecem a falar mal do homem, a dar-lhe porrada, porque eu poderia perder também. Temos de começar a ter uma cultura diferente, não ter que achar um herói, um vilão.

Eu não sou herói, sou o mesmo que criticaram, e portanto o nosso adversário valorizou ainda mais nossa vitória. A qualidade dos seus jogadores, do seu treinador, reforçou ainda mais a montanha que tivemos de escalar. Para isso, precisava de uma coisa fundamental: os nossos jogadores acreditarem na estratégia. Como é que o treinador, de repente, troca o Scarpa do corredor, troca o Dudu de corredor, troca o Veiga de corredor e mete o Piquerez de terceiro zagueiro. Se eu ganho, como ganhamos, sou um gênio. Não sou um gênio, sou uma pessoa humilde e que trabalha para dar o melhor de si. Se perco, sou um babaca, como vocês dizem aqui. Porque trocou, porque fez isso ou aquilo. Não é assim. O futebol é um jogo. Precisamos de qualidade, competência e um bocadinho de sorte. Parabenizo nossos adversários pelo trajeto, pela grandeza de seu clube, o que engrandeceu ainda mais nossa vitória.

O que aprendeu e o que ensinou em um ano de Brasil?
Volto a dizer, vim para um país que tem a cultura do jogador de futebol. O jogador brasileiro é bom de bola, tem só de se comprometer mais os outros 50% que já falei. Aprendi que para ter o grupo na mão tem que ser verdadeiro com todos. Hoje deixei o Willian de fora, o que me custou muito. Aprendi que só sendo todos um é que podemos realmente ganhar

títulos. Ensinei algumas coisas, não muitas. Se calhar aprendi mais do que ensinei, mas disse ano passado que tenho muito tempo para dedicar ao futebol, aprender. Não tenho família em casa, empregada vai uma vez por mês, o resto sou eu que faço. Como disse, vou lançar um livro. Está feito. Ganhamos a Libertadores, perdemos a Recopa, perdemos a Supercopa, fomos eliminados da Copa, fomos metidos fora por um grande adversário no Brasileirão, o Atlético Mineiro, a equipe mais consistente, e vai ganhar, parabéns para eles. Reforçaram-se, investiram e vão ser campeões. Acima de tudo, é um campeonato supercompetitivo. E não conheço nenhum campeonato que possa ter tantos campeões quanto o do Brasil. E isso te torna melhor. Quanto melhor forem nossos adversários, melhor se torna tu também. Houve uma partilha muito grande, acho que aprendi mais do que ensinei, e acima de tudo é estar grato por essa estrutura toda, um clube que oferece todas as condições aos profissionais para triunfar. O destino me trouxe aqui, e com meus jogadores fizemos história, continuamos fazendo história, batemos recordes. Sei que nem sempre é suficiente para os torcedores, mas podem ter certeza de que todos nós dentro do CT damos o melhor de nós para poder proporcionar alegrias às nossas famílias e aos nossos torcedores.

Falta de reforços em 2021 e novas contratações

Não é a altura de falar nisso. Calei-me há uns meses atrás, porque cresci habituado a com menos sempre fazer mais. Foi assim na minha família, nos meus estudos. Sou professor de verdade, não sou professor de mentira, tenho uma licenciatura. Sempre me habituei nos clubes por onde passei a com menos, fazer mais. Não me agarro aos problemas, encontro soluções. Por isso me contrataram. Se sou bem pago, mal pago, não sei. Faço aquilo de que gosto com paixão e alegria, com orgulho tremendo, e muitas vezes muito cansado. Se me perguntarem, estou no meu limite mental, limite. Somos a equipe técnica que fez mais jogos neste ano. Ninguém quer saber. Tenho que tratar minha saúde física e mental, mas aqui ninguém quer saber disso. Quando falamos em reforços, há uma coisa que para mim... Se puder escolher entre um craque e um homem para fazer parte da minha equipe. Se o craque não souber que todos somos um, não sabe o que é o coletivo, não serve nem para mim e nem para meu Palmeiras. Por isso disse que sapos transformamos em príncipes. Deyverson não é o melhor avançado do mundo e nem eu sou o melhor treinador do mundo. Mas em conjunto formamos um elenco foda.

O que diria para o Deyverson se ele fosse seu filho?

Eu não tenho filhos, tenho filhas. Mas tenha certeza de que ele é o filho que todo pai gostaria de ter. Agora percebem porque trouxe todos os elementos que estavam aqui atrás. Não falo que não gosto de críticas. Uma coisa é a crítica construtiva, se substituí mal. Outra coisa é o insulto. É muito feio quando alguém se esconde atrás de uma televisão e insulta sem me conhecer.

No futebol, temos de criticar, está tudo bem nisso. Mas o insulto quando não te conhecem é feio. E nós podemos escolher o lado que queremos, ir para um lado construtivo positivo, qualquer jornalista que está aqui, ou ir para o lado da maldade. Infelizmente hoje, percebo o fenômeno, porque o estudo. O que vende são os títulos chamativos e normalmente depreciativos. Mas eu tenho responsabilidade, os jogadores, os presidentes, os árbitros e vocês de comunicação social também têm responsabilidade. Estamos todos no mesmo barco, vivemos todos no mundo do futebol. Temos de escolher que imagem queremos passar, o Brasil, para dentro e para fora. Porque nós não vendemos direitos televisivos fora? Deixamos de graça 3 meses e depois faça sua inscrição, como na Netflix. Se alguém entender que eu posso dar opiniões válidas para ajudar o futebol, pode me chamar. Se entendem que é suficiente ser treinador e ajudar minha equipe a ganhar troféus, vou entender.

Não vim ao Brasil por dinheiro, vim por amor ao futebol e agora tenho de pensar. Há um ano atrás disse que era melhor treinador, pior filho, pior pai, pior marido. Posso ter o maior dinheiro do mundo, mas há uma coisa que não compro: o tempo. O tempo não tem preço. Terei uma reflexão grande, como os padres quando se retiram. Vou me retirar e pensar com minha família o que é melhor para todos.

CONMEBOL LIBERTADORES
CONMEBOL
LIBERTADORES
A GLÓRIA ETERNA

JOGO: PALMEIRAS 2X1 FLAMENGO (LIBERTADORES – FINAL)

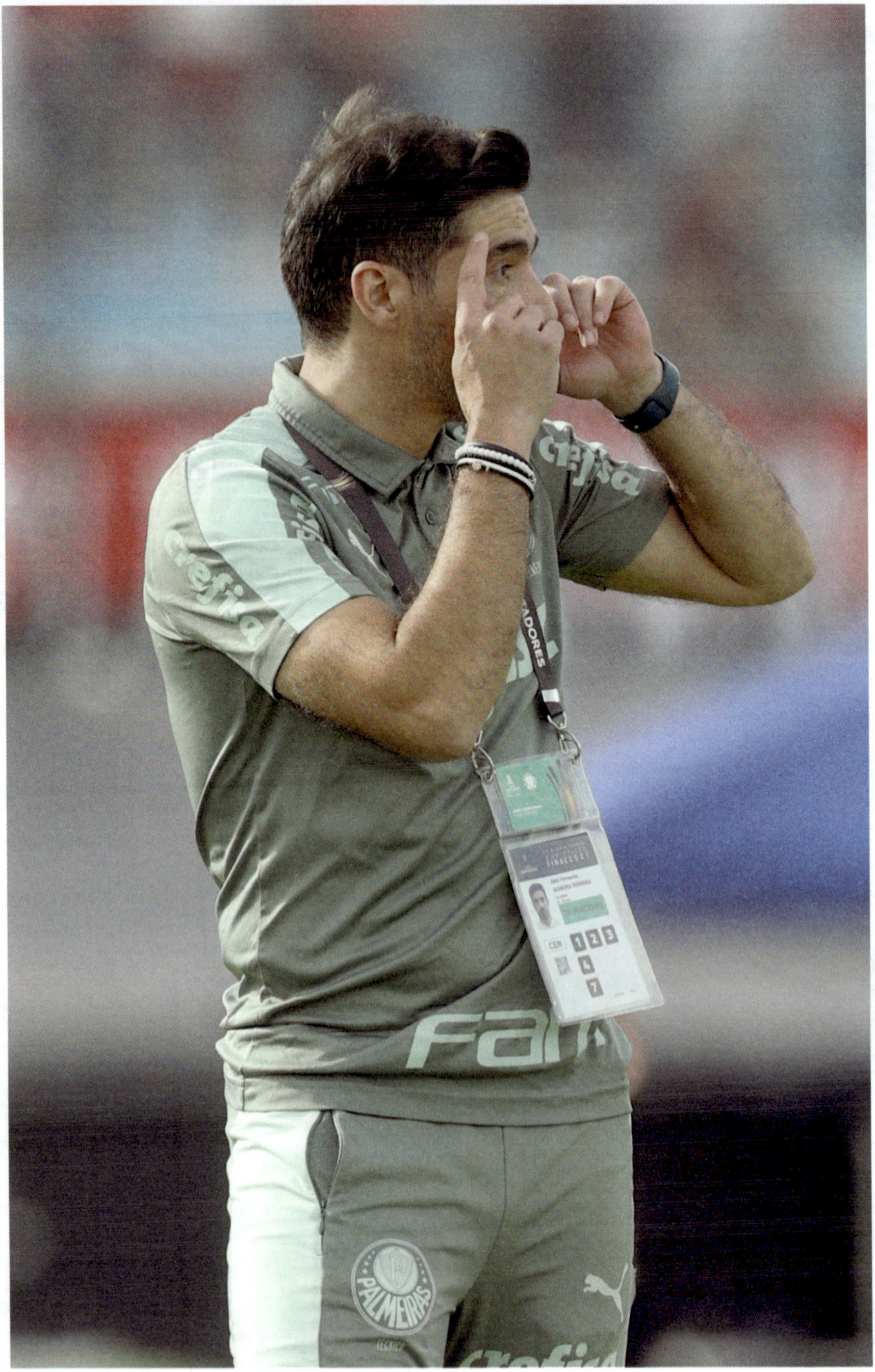

JOGO: PALMEIRAS 2X1 FLAMENGO (LIBERTADORES – FINAL)

Um término de Brasileirão sacrificado

VOLTA **77**

*"Foi um ano de muito trabalho e conquistas.
Toda a luta do dia a dia valeu a pena."*
Vinícius Silvestre

Cuiabá, 29 de novembro de 2021

Como a presidente Leila fez questão de transmitir ao Abel, o resultado da Libertadores não condicionaria nosso planejamento da próxima temporada. Assim, o Abel decidiu que iríamos cumprir as nossas obrigações morais e contratuais e traçar uma programação para 2022, independentemente do desfecho do jogo contra o Flamengo e do que poderia vir a ser o nosso futuro enquanto comissão técnica.

A preparação da próxima temporada começou por uma decisão simples, mas necessária. Desde o início do mês, fomos sentindo que existia algum "burburinho" sobre o tema das férias, mesmo que ainda estivéssemos a disputar um título tão importante como a Libertadores. Jogadores e staff já não tinham férias há algum tempo e percebemos que esse era um tema que preocupava toda a gente: poder marcar as férias com antecedência. Para resolver essa situação, o Abel e a diretoria decidiram que seria obrigatório que todos os jogadores e funcionários do clube usufruíssem de um período de férias de 32 dias, depois de um longo período sem descanso (praticamente 2 temporadas). As férias aconteceriam entre 11 de dezembro de 2021 e 12 de janeiro de 2022. Na mente de todos nós, estava inerente que estaríamos presentes no Mundial de Clubes, em fevereiro, mas este ainda estava sem data marcada – o que impossibilitava um planejamento mais eficaz.

Após a conquista da Libertadores, definiram-se as datas e o sorteio do Mundial de Clubes, e isso levou a que tivéssemos de reconsiderar a nossa decisão prévia. O Mundial aconteceria entre 2 e 12 de fevereiro, com nosso primeiro jogo no dia 8. Assim, o Abel decidiu que a melhor opção para podermos estar nas melhores condições nesse dia seria remarcar o período de férias, a fim de que todos saíssem para o descanso mais cedo e voltassem ao trabalho também mais cedo. Isso implicaria, porém, que não disputássemos os dois últimos jogos do Brasileirão. Assim, solicitamos à diretoria que se reunisse com os capitães e partilhasse o assunto com eles. Se eles aceitassem, faríamos isso; caso contrário, manteríamos o planejamento inicial. Foi de bom grado que quase todos os jogadores com mais minutagem concordaram em não jogar os últimos jogos, apesar dos interesses que alguns jogadores tinham em jogar para conquistar eventuais prêmios individuais. Também demos a opção aos jogadores com menos minutagem de jogar os dois jogos restantes, tendo o goleiro Vinícius Silvestre e o volante Matheus Fernandes optado por ficar e jogar esses dois últimos jogos.

O tempo ideal de uma pré-temporada é de 5 a 7 semanas, após um período de 4 semanas sem treino. Assim, o Abel decidiu por dar 33 dias de férias aos jogadores após um longo período sem descanso e de alta densidade competitiva. Desse modo, conseguiríamos um intervalo de tempo de 4 semanas, curto período de tempo mas o máximo possível dentro das condicionantes, entre o regresso aos treinos e o 1º jogo do Mundial.

Em suma, tivemos de sacrificar os últimos 2 jogos do Brasileirão em prol de um plano de estarmos em melhores condições físicas, mentais e técnico-táticas no dia 8 de fevereiro de 2022. No Mundial de Clubes de 2020 (disputado no início de 2021), não chegamos nas melhores condições físicas e mentais (sobrecarga de jogos, festejos da Libertadores dias antes, *jetlag* não controlado), o que afetou o nosso rendimento de forma significativa. Acreditamos também que essa seria uma fantástica oportunidade para os jogadores do sub-20 e respectiva comissão técnica demonstrarem a sua qualidade de trabalho e apresentarem o seu cartão de visita no futebol profissional! Além disso, alguns desses jogadores já tinham tido a oportunidade de estrear no elenco principal no "laboratório" do Paulista.

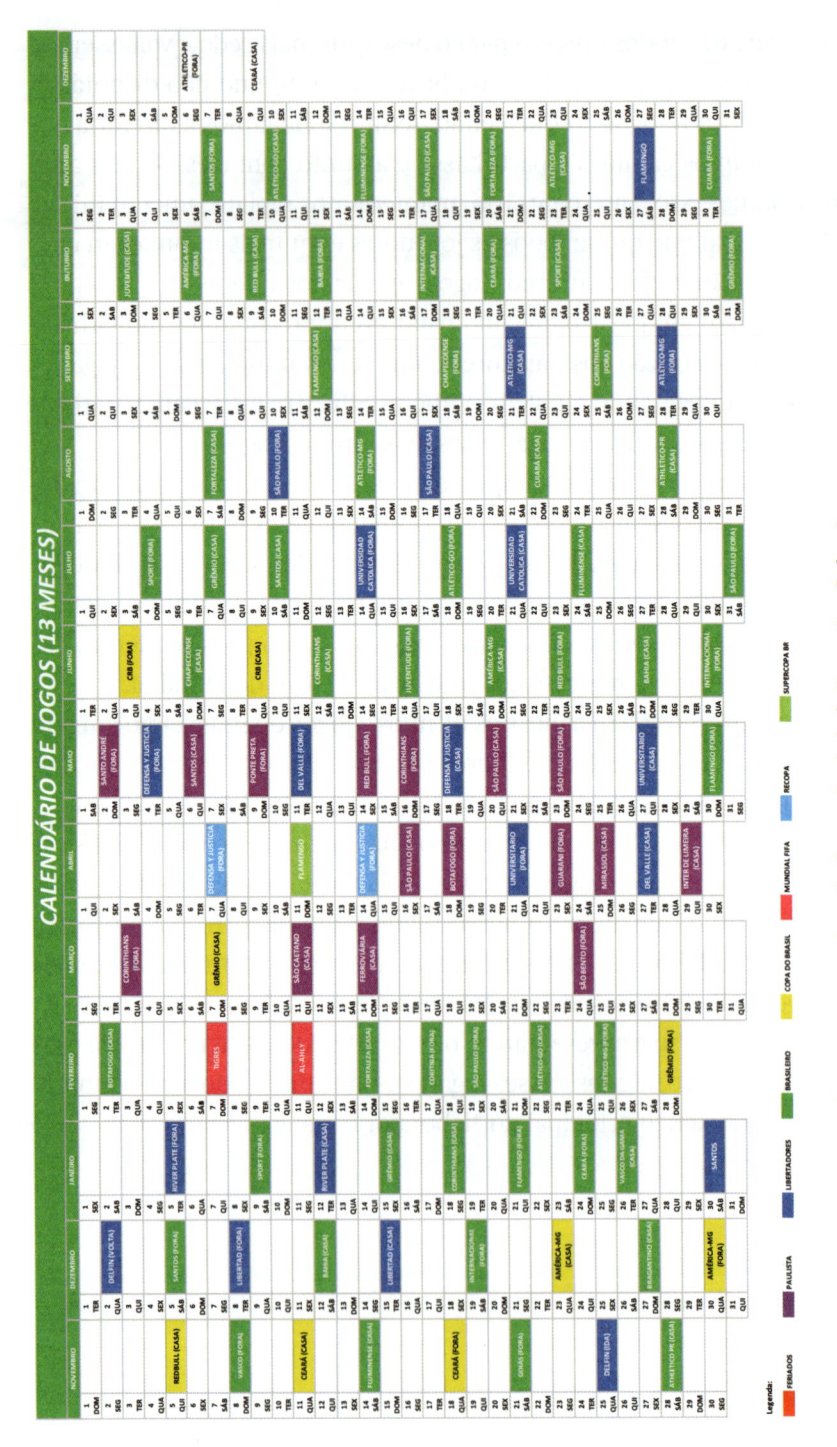

Figura 84: Os 106 jogos disputados em 13 meses de trabalho na Sociedade Esportiva Palmeiras

A Glória Eterna 2.0
com festejos ao quadrado

VOLTA **78** FINAL LAP

*"A nossa história no Palmeiras
tem sido fazer história."*
Abel Ferreira

São Paulo, 30 de novembro de 2021

A conquista de uma Copa Libertadores da América assinala um marco na vida e na história de um clube, seus jogadores, seus colaboradores e funcionários e seus torcedores. A conquista da Libertadores por duas vezes e de forma consecutiva é, por si só, uma façanha inacreditável. Consegui-lo no mesmo ano civil é uma proeza que, mais do que ficar na história do futebol, fica na eternidade. Esse feito foi reforçado pelo fato de alguns recordes, mitos e tabus terem sido quebrados; mesmo esse não sendo o nosso foco, termos contribuído para o Palmeiras alcançar essas marcas nos deixa muito felizes pelo conseguido. Nomeadamente:

• Em 107 anos de história, nunca tínhamos vencido uma competição oficial fora do Brasil. Havíamos disputado duas finais de Copa Libertadores da América no Uruguai (1961 e 1968), saindo como vice-campeões em ambas.

• O último time da América do Sul a vencer duas Copa Libertadores consecutivamente foi o Boca Juniors-ARG de Carlos Bianchi (temporadas 2000-2001). Um tabu que já durava, portanto, 20 anos.

• Nenhuma equipa na história do clube conseguiu o feito de conquistar a Libertadores por duas vezes. Comandada por Luiz Felipe Scolari, a equipa que venceu em 1999 chegou à final em 2000, mas, infelizmente, saiu derrotada.

• Entre os times brasileiros, somente o Santos de Pelé (1962/63) e o São Paulo de Telê Santana (1992/93) venceram duas finais de Libertadores consecutivas.

• Com três conquistas da competição, nos igualamos aos principais clubes brasileiros e nos tornamos o time do futebol nacional com os maiores recordes no torneio – sendo 4 dessas marcas consolidadas pelo elenco da temporada de 2021: maior número de títulos, maior número de jogos, maior número de vitórias e melhor equipe visitante da história do torneio.

• Estivemos presentes em duas das quatro finais da Libertadores disputadas entre equipes brasileiras, e nos tornamos o primeiro clube a conquistá-la por duas vezes nessas condições (Internacional e São Paulo, além do próprio Palmeiras, alcançaram o título nessas circunstâncias),

• Não havíamos vencido o Flamengo nas duas finais de competições oficiais disputadas até então (Copa Mercosul em 1999 e Supercopa do Brasil em 2021).

• A nossa comissão nunca tinha vencido o Flamengo (em quatro jogos foram 3 derrotas e 1 empate). O indesejável tabu do Palmeiras contra os cariocas já durava 9 jogos. Desde 2017 não vencíamos o nosso adversário.

• Abel Ferreira se tornou o técnico de clube brasileiro com maior número de títulos (ao lado de Lula, Telê Santana, Luiz Felipe Scolari e Paulo Autuori), com as conquistas de 2020 e 2021.

• Abel também se tornou o técnico do Palmeiras com melhor aproveitamento (77%) na história da Copa Libertadores da América.

• Das 10 maiores goleadas da história do Palmeiras na Copa Libertadores da América, três foram com Abel Ferreira no comando: Palmeiras 6x0 Universitario-PER (2021), Palmeiras 5x0 Independiente Del Valle-EQU (2021) e Palmeiras 5x0 Delfín-EQU (2020).

• Maior goleada da história do Allianz Parque: 27/5/2021 Palmeiras 6x0 Universitario-PER, Copa Libertadores da América.

• Maior vitória de um clube estrangeiro sobre o River Plate-ARG em competições oficiais, atuando na Argentina: Palmeiras 3x0 River Plate-ARG em 5/1/2021.

• Nunca havíamos vencido jogos oficiais na altitude de Quito (2.850m): Palmeiras 1x0 Independiente Del Valle-EQU em 11/5/2021.

• Primeiro clube brasileiro a ganhar a Copa Libertadores da América e a Copa do Brasil numa mesma temporada.

• Disputa de 6 finais num mesmo ano, em 2021. Recorde na história do clube: Copa do Brasil 2020, Libertadores 2020 e 2021, Paulista 2021, Supercopa do Brasil 2021 e Recopa Sul-Americana 2021.

• Pelas conquistas alcançadas no ano civil, fomos eleitos o melhor time do mundo em 2021, ficando em 1º lugar no ranking da Federação Internacional de História e Estatística do Futebol (IFFHS). Pela primeira vez na história, um clube brasileiro alcançou esse feito (em 2020, o Palmeiras já havia ficado na segunda colocação no mesmo ranking, atrás apenas do Bayern de Munique).

O jogo do título da Copa Libertadores de 2021 assinala também novos recordes na competição, a serem quebrados no futuro. Quando analisamos somente as equipes brasileiras, temos:

• Mais títulos na competição: 3 (como Santos, São Paulo e Grêmio)
• Mais finais disputados na competição: 6 (como São Paulo)
• Mais jogos na competição: 210 jogos
• Mais vitórias: 117 vitórias
• Mais vitórias fora de casa: 44 vitórias
• Mais gols marcados em casa: 233 gols
• Mais gols marcados fora de casa: 156 gols
• Maior recorde de invencibilidade: 15 jogos sem perder (dos quais 10 vitórias e 5 empates)
• Clube brasileiro com mais participações na competição: 22, contando a próxima em 2022
• Equipa brasileira com mais gols marcados na competição: 392 gols

Quando analisamos os dados estatísticos na competição da Copa Libertadores desde a nossa chegada, eles também são relevantes:

• Jogos: 20 jogos
• Vitórias: 14 vitórias
• Empates: 4 empates
• Derrotas: 2 derrotas
• Aproveitamento: 77%
• Gols marcados: 45 gols marcados
• Gols sofridos: 14 gols sofridos
• Mata-matas: 8/8
• 2 finais e 2 títulos da maior competição do continente

Quando analisamos o ano de 2021, percebemos que fizemos 89 jogos em uma só temporada. Quando vamos além, desde a nossa chegada, denotamos que fizemos 106 jogos em 392 dias. E nesse período foram 3 títulos conquistados!

Desde o momento da nossa chegada, há 13 meses, o valor de mercado do elenco aumentou em 80 milhões de euros! Isso quer dizer que os retornos não foram "somente" nos três títulos, mas também de valorização de jogadores, algo que para nossa equipa técnica é muito importante porque faz parte de um dos pilares de nossa filosofia de trabalho.

A conquista da Libertadores de 2021 também assinalou um outro momento inédito: pela primeira vez, tivemos tempo pra festejar e comemorar um título! Na Libertadores de 2020, dois dias depois estávamos a jogar e a viajar para o outro lado do mundo. Na Copa do Brasil de 2020, no dia seguinte estávamos de férias. Ou seja, em nenhum dos títulos anteriores tivemos tempo para comemorá-lo em harmonia com os jogadores e os torcedores. Desta vez, tivemos o estádio cheio de adeptos, o ônibus aberto na chegada ao CT e a festa da conquista pouco tempo depois da final.

Além disso, foi o primeiro título que festejamos com a presença das nossas famílias no estádio, tornando ainda mais especial e singular este momento de celebração.

Por todos estes motivos, foi uma conquista com festejos ao quadrado. Festejamos a conquista de um título absolutamente marcante e festejamos também o fato de termos também alguns daqueles que mais amamos ao nosso lado neste momento de felicidade tremenda.

A conquista da Glória Eterna 2.0 significou a quebra de alguns recordes, o estabelecimento de outros e momentos de celebração sem fim. Os sorrisos de felicidade que hoje vemos nas fotografias e vídeos desses dias escondem e abafam os momentos de trabalho, sacrifícios e renúncias que fizemos para alcançar estes momentos de glória. Tudo valeu a pena, pois nossa alma não foi pequena!

CONMEBOL LIBERTADORES
CONMEBOL LIBERTADORES
PALMEIRAS
ABEL FERREIRA

PARTE II

REFLEXÃO SOBRE O FUTEBOL BRASILEIRO

Antes de refletir sobre a realidade que nos envolve, o futebol brasileiro, é importante refletir sobre nós mesmos. Precisamos ter a plena consciência dos momentos em que erramos e daqueles em que acertamos; do que temos a melhorar e do que temos a manter; e, acima de tudo, do que precisamos evoluir para ser melhores treinadores e/ou profissionais de futebol. Isso é algo que procuramos fazer todos os dias, sempre com um sentido autocrítico e com uma permanente vontade de crescer e buscar a utópica excelência.

Nossa responsabilidade enquanto treinadores não se esgota em tentar ganhar jogos ou aprimorar nossos atletas nas dimensões técnica, tática, física e mental. Desde que o Abel formou nossa equipa técnica, um de nossos princípios de trabalho sempre foi ajudar a desenvolver o clube que servimos, buscando deixá-lo melhor do que quando lá chegamos – seja no nível financeiro, seja no nível de instalações, recursos (humanos e materiais) e condições de trabalho. No fundo, inovar permanentemente.

Também consideramos que outra de nossas responsabilidades é contribuir para a valorização do futebol, em particular do futebol do país em que trabalhamos. Em qualquer parte do mundo, o futebol é um reflexo da sociedade; e não podendo mudar a sociedade para tornar o futebol melhor, devemos melhorar o futebol para tentar melhorar a sociedade.

Nossa ideia, portanto, não é fazer uma crítica ao futebol brasileiro – que, assim como o futebol grego, o futebol português e o futebol inglês, entre muitos outros, tem suas particularidades. Pensamos, sim, em melhorar o espetáculo do futebol no Brasil para o consumidor (torcedores e público em geral) e também as condições para os profissionais que dele fazem parte, em particular os verdadeiros protagonistas do jogo: os jogadores.

Assim, o mote para a reflexão sobre o futebol brasileiro baseou-se em três perguntas muito simples e objetivas:
• Quais os aspectos atrativos no futebol brasileiro?
• Quais os aspectos que poderiam tornar o futebol brasileiro mais atrativo?
• Quais os exemplos a seguir?

Nas próximas páginas, estão as respostas que propomos a essas questões. O Abel já abordou alguns desses pontos nas várias coletivas de imprensa e entrevistas que deu ao longo do tempo. Sempre que ele apontou temas a melhorar, o objetivo nunca foi criticar o produto existente, e sim buscar alternativas para que este se tornasse cada vez mais forte. Afinal, o sentido de missão – ajudar e contribuir para a melhoria do futebol – está sempre presente em seu pensamento e em nosso como equipa técnica.

Exemplo disso aconteceu quando o Abel sugeriu a adoção de um limite para troca de técnicos em uma mesma edição do Brasileirão, com um máximo de dois treinadores por equipa, em entrevista realizada a 17 de março de 2021. A ideia foi apresentada após termos feito um estudo de que na Série A, nos últimos 5 anos, os clubes haviam trocado de treinador em média 2,7 vezes por ano. Ou seja, 3 treinadores por temporada. Não sabemos se essa medida estava a ser discutida anteriormente, mas sim que esta regra foi adotada posteriormente pela Confederação Brasileira de Futebol, algo que será importante para o futuro do futebol brasileiro.

Os oito aspectos que consideramos atrativos no futebol brasileiro são:

1. Competitividade do Campeonato Nacional
a. Quando fizemos um estudo da Série A do Brasileirão, a competitividade interna foi um dos aspectos que mais nos impressionou.
b. A quantidade de pontos perdidos pelo campeão do Brasileirão, na

comparação com as principais ligas europeias, é muito maior. Esse é um dado que demonstra a capacidade que várias equipas têm de disputar o título da Série A ou, pelo menos, de se intrometer nessa luta.

c. Por existirem muitas equipas que já foram campeãs brasileiras e que marcaram ciclos no futebol brasileiro, a quantidade de clássicos estaduais e interestaduais é elevadíssima. Isso é algo que promove ainda mais a emoção das partidas e as próprias expectativas do jogo de futebol.

d. Essa competitividade torna o futebol brasileiro empolgante, e é um dos fatores que mais pode promover o espetáculo em si. Quão emocionante é começar a ver um jogo de futebol e não esperar que a melhor equipa sempre vença? No Brasil é muito frequente!

2. Qualidade técnica dos jogadores brasileiros

a. Todas as equipas que enfrentamos no futebol brasileiro apresentaram jogadores com qualidade técnica acima da média. O simples toque na bola do jogador brasileiro é diferenciado. O jogador brasileiro é muitíssimo evoluído do ponto de vista técnico.

b. Nos campeonatos anteriores que acompanhamos ou disputamos, jamais havíamos presenciado tantos jogadores com esse nível de qualidade técnica, quer nas equipas que lutam para ser campeãs, quer nas equipas que lutam para não cair. Esse é um dos fatores que possibilita aos times da parte de baixo da tabela tirar muitos pontos das equipas que lutam pelo título: possuem jogadores de tamanha qualidade técnica que podem decidir qualquer jogo em um lance individual.

c. Além disso, nos vários clubes que se intrometem na luta pelo título, presenciamos jogadores de altíssima qualidade técnica e de relação com a bola. O fato de essas equipas terem um equilíbrio muito grande na quantidade de atletas desse quilate também explica o motivo de haver tantos times capazes de se intrometer na luta pelo título.

3. A aposta nos jogadores das categorias de base

a. Uma enorme parte das crianças brasileiras sonha em se tornar jogador de futebol profissional. Elas já crescem nesse contexto de expectativa e ambição. Não nos surpreende, portanto, que o futebol brasileiro seja um verdadeiro celeiro de talentos.

b. A qualidade técnica dos jogadores brasileiros está, muito provavelmente, relacionada com o contexto de futebol de rua. Apesar de agora acontecer com menos frequência, a maior parte dos jogadores brasileiros passa a infância e a adolescência em contextos que lhes permitem desenvolver uma fortíssima relação com a bola.

c. Os clubes de futebol são os espaços onde estes jovens atletas conseguem se afirmar, demonstrando seu potencial e garantindo oportunidades de carreira e de vida. É nossa responsabilidade enquanto treinadores, e dos clubes enquanto entidades esportivas, formar elencos onde possam coexistir, em uma mescla perfeita, os jogadores oriundos da base e os jogadores mais experientes.

d. As oportunidades para os jovens jogadores surgem com muita frequência nas equipas profissionais dos clubes brasileiros, seja por meritocracia, por cultura ou até por necessidade. Independentemente do motivo, em todas as temporadas muitos atletas da base dos clubes surgem nas equipas profissionais, chamando a atenção de grandes clubes europeus.

e. Essa aposta nos atletas da base torna o futebol brasileiro bastante atrativo, em especial para os clubes de futebol que cada vez mais valorizam os jovens jogadores no momento de escolha/seleção de potenciais negócios, fruto das vantagens econômicas que existem em contratar um jovem jogador com potencial desportivo.

4. Qualidade dos estádios

a. A qualidade dos estádios em que tivemos o prazer de jogar também foi um aspecto que nos impressionou no futebol brasileiro.

b. De fato, no Campeonato Brasileiro da Série A, a maioria dos estádios é de ótimo nível e tem capacidade para acomodar bastante público, tornando o futebol um produto relevante na sociedade de consumo de massa.

c. Desportivamente falando (como profissionais do futebol), acreditamos que mesmo os estádios mais antigos parecem ter condições razoáveis e estarem preparados para acomodar muito público.

5. Qualidade das instalações de treino/centro de treinamentos

a. Os centros de treinamento dos clubes brasileiros também são de bom nível. Alguns clubes têm instalações e infraestrutura ao nível dos melhores clubes europeus e mundiais! Uma surpresa bastante agradável.

b. Como regra geral, mesmo as equipas que não lutam pela primeira metade da tabela conseguem ter boas condições de treino, salvo algumas exceções de clubes com maiores dificuldades financeiras ou desportivas.

6. Desenvolvimento elevado dos departamentos da área da saúde

a. Talvez como consequência das necessidades do contexto, uma das áreas que mais encontramos desenvolvida foi a área da saúde e da performance física – não apenas no tocante à performance do jogador de futebol, como também da saúde do atleta em geral.

b. No que diz respeito ao futebol, a inclusão de áreas de saúde multidisciplinares a serviço de uma equipa de futebol surpreendeu-nos positivamente, bem como a boa comunicação/interligação entre elas.

c. Pelas informações que recebemos, essa prática é cada vez mais frequente nos clubes brasileiros, que entendem a importância da inclusão de profissionais de saúde de todos os tipos em seus quadros de funcionários – para promover assim melhores condições de trabalho a seus profissionais.

7. Quantidade de público apaixonado

a. A paixão do povo brasileiro pelo futebol é singular e verdadeiramente genuína. "Eles podem trocar de cônjuge, de casa e de trabalho, mas o amor do torcedor por seu clube de futebol permanece intacto." Essa foi uma das primeiras frases que ouvimos quando de nossa chegada ao Brasil, e que pudemos confirmar diariamente ao longo da nossa estadia.

b. Em cada canto que percorremos no nosso dia a dia, assistimos a uma bola de futebol a rolar no solo. O filho/a filha que brinca com o pai/a mãe no jardim, as crianças que jogam na rua, os 3x3/5x5/6x6 nas quadras, a bola e a representação do futebol em seu estado mais puro estão sempre lá.

c. Essa paixão é global na população brasileira. A quantidade de habitantes do país influencia diretamente a quantidade dos torcedores de cada clube. A título de curiosidade, a Sociedade Esportiva Palmeiras tem mais torcedores do que Portugal tem de habitantes!

d. Além disso, essa paixão, tida por muitos como uma "paixão nacional", é transversal a todas as idades e classes sociais. Aliás, como fenômeno planetário, essa paixão se reflete nas emoções com que o público assiste a um jogo de futebol, vivendo-o como uma verdadeira representação de sua existência.

e. Para nós, o Brasil é o país do jogador de futebol. Não conhecemos outro país que tenha tantos jogadores de tanta qualidade por metro quadrado, e é dever de todos nós seguir promovendo as condições para que eles se desenvolvam.

8. Elevado potencial econômico e esportivo

a. Em nossa opinião, o potencial do Brasil enquanto país é o potencial do Brasil enquanto futebol.

b. Economicamente, os jogadores, desde a Série A até a Série B, têm bons salários, comparativamente aos jogadores que atuam, por exemplo, em Portugal. Não é sequer comparável. Conseguir que o futebol gere ainda mais emprego e riqueza será uma tarefa árdua, mas que pode contribuir para o desenvolvimento econômico do país, do futebol e dos clubes.

c. O futebol é o esporte número um do Brasil e de muitos outros países. E o futebol brasileiro, em particular, tem potencial esportivo para se tornar uma potência internacional – uma referência mundial em todos os níveis, tendo em conta as condições de que o próprio país dispõe.

Posto isso, elencamos a seguir os oito aspectos que consideramos que podem ser melhorados no futebol brasileiro.

1. Calendarização anual

a. Em nossa opinião, e talvez de forma consensual, a quantidade de jogos que os clubes brasileiros têm de disputar por temporada é o fator que mais prejudica a qualidade do Campeonato Brasileiro. Em média, um clube brasileiro de Série A que dispute Brasileirão, estadual e Copa do Brasil faz aproximadamente 52-54 jogos por temporada. Já um clube brasileiro de Série A que dispute Brasileirão, estadual, Copa do Brasil e Libertadores/Sul-Americana faz aproximadamente 58-60 jogos. Um clube brasileiro de Série A que dispute Brasileirão, estadual, Copa do Brasil e Libertadores/Sul-Americana e que chegue a uma final de estadual e a uma final da Copa do Brasil pode fazer 68 jogos. Um clube brasileiro de Série A que alcance todas as finais dos campeonatos que disputa (estadual, Copa do Brasil e Libertadores) – como foi o caso do Palmeiras na temporada de 2020 – pode ter de fazer 75 jogos numa temporada. Caso vença a Libertadores, esse clube ainda disputa o Mundial de Clubes, o que implica participar de mais 2 jogos e assim disputar 77 jogos.

b. A quantidade de jogos que os clubes brasileiros precisam disputar tem sérias implicações.

I. Na intensidade e na velocidade do próprio jogo;

II. No número de lesões dos atletas, sobretudo dos que jogam mais;

III. No estado dos gramados das equipas que dividam um estádio, entre muitas outras.

c. Algumas regras que consideramos essenciais serem ajustadas na calendarização anual:

I. Proibição de jogos sem que haja o mínimo de 72 horas de intervalo entre eles. No futebol brasileiro, a regra é de 66 horas. Sugerimos que quando as equipas tiverem de jogar em menos de 72 horas, que sejam raríssimas e muito justificadas exceções.

II. Equipas com jogos de 72 horas em 72 horas não devem ter esse ritmo competitivo durante várias semanas consecutivas. É preciso haver uma quebra de uma semana "limpa" durante esse período de intensa atividade.

III. Seguindo o exemplo de outros países, distribuir os jogos ao longo de 4 dias (sexta, sábado, domingo, segunda) e não somente de 2 ou 3 dias. Uma possível sugestão seria: 1 jogo na sexta, 4 jogos no sábado em 4 horários distintos, 4 jogos no domingo em 4 horários distintos, e 1 jogo na segunda. A realização dos 10 jogos em 4 dias distintos tem muitas vantagens em termos de operacionalização dos jogos dos campeonatos estaduais/nacionais com os campeonatos internacionais.

IV. Quando se prevê uma calendarização anual, deve ter-se em consideração que uma equipa poderá atingir todas as finais de todas as competições; ou seja, a calendarização deve contemplar as datas de acordo com a possibilidade de uma ou mais equipas brasileiras atingirem todas as finais de todas as competições. Seguindo esse princípio, deixa de existir a sobreposição de datas dos diferentes campeonatos – e consequentemente deixa de existir a necessidade de ajustar o calendário com tanta frequência.

d. Temos convicção de que a forma como é definido o calendário anual e os ajustes que vão sendo feitos ao longo da temporada têm influência direta tanto na disputa pelo título quanto na briga contra o rebaixamento. Por isso, sugerimos que as condições sejam equitativas no calendário de todos os clubes, para que a verdade desportiva não seja adulterada.

2. Regulamentação das regras e redução das datas dos estaduais

a. Acreditamos que os campeonatos estaduais fazem parte da cultura do futebol brasileiro, além de serem fundamentais para a sobrevivência das federações locais. Posto isso, não nos cabe sugerir o término desses campeonatos como uma solução para a resolução do problema.

b. Uma das formas de reduzir a quantidade de datas dos estaduais é alterar os atuais formatos desses campeonatos, o que contribuiria para a redução da quantidade de jogos na calendarização anual. Hoje, a realização dos campeonatos estaduais acarreta a disponibilização de 15 datas (Mineiro) ou 16 (Carioca e Paulista), em um total de 4 meses de competição. A alteração dos formatos dessas competições, com redução para 5 a 8 datas de equipas que disputem a Série A e a Série B, contribuiria para uma calendarização anual mais ajustada das equipas envolvidas nessas duas disputas nacionais.

c. Além disso, um ponto bastante importante consiste na regulamentação dos campeonatos estaduais, que consideramos que devem ser iguais em todos os estados das equipas que disputem a Série A e Série B. Não nos parece justo que os estados tenham diferentes normas e regras, contribuindo para a desigualdade na preparação das equipas que posteriormente disputam as duas primeiras divisões do Brasileirão.

3. Adotar datas FIFA na calendarização anual

a. Uma das consequências positivas do ajuste da calendarização anual é a possibilidade de adoção das datas FIFA para as convocatórias das seleções nacionais.

b. Com esta medida, asseguramos que os atletas que representarão seus países não tenham de faltar aos jogos de seus clubes brasileiros, proporcionando assim a presença dos melhores jogadores em todas as partidas e consequentemente um melhor espetáculo de futebol. Todos ganham com esta medida!

4. Regulamentar a profissionalização dos árbitros de futebol

a. A permanente evolução do esporte implicou a profissionalização de muitas áreas de atividade que fazem parte do espetáculo esportivo. A arbitragem é uma das áreas que mais tem evoluído, e cuja profissionalização é mais necessária e urgente, devido ao nível de exigência que hoje se coloca sobre seus profissionais – não apenas pelos interesses esportivos e financeiros envolvidos nas competições, mas também pelo avanço nas condições e recursos para tomarem melhores decisões em campo (exemplo disso é o VAR, que tem ajudado bastante na redução do número de erros). Se houvesse VAR para os treinadores e jogadores, certamente nós também erraríamos menos!

b. Ao contrário de outros países, os árbitros de futebol no Brasil não são profissionais – isto é, apesar de alguns viverem exclusivamente para o ofício, infelizmente não têm a preparação e a possibilidade de capacitação que árbitros de outros países têm para executar a mesma profissão. E não estamos falando da preparação que depende dos árbitros em si – pois acreditamos que eles fazem o melhor com os recursos que têm –, mas sim das condições de trabalho e dos recursos que lhe são oferecidos para se desenvolver na atividade.

c. À semelhança do que se faz em outros países, a profissionalização dos árbitros de futebol traz muitas vantagens em termos de sua preparação para coordenar o espetáculo que é o jogo de futebol. Entre elas, destacam-se as seguintes:

I. Logística de viagens mais ajustadas, em função de o árbitro ter somente um emprego;

II. Possibilidade de treinar todos os dias em estruturas de treino;

III. Possibilidade de contar com uma equipa multidisciplinar de acompanhamento (preparador físico, nutricionista, psicólogo, fisioterapeuta, entre outros profissionais);

IV. Possibilidade de ter mais tempo para rever a performance e as decisões do último jogo;

V. Possibilidade de ter mais tempo para preparar o próximo jogo através de análise dos jogadores e equipas envolvidos no duelo;

VI. Possibilidade de ter mais tempo para se reunir em local próprio e para discutir, debater ideias e partilhar experiências.

d. Outras sugestões para a regulamentação da arbitragem e dos critérios de avaliação desta:

I. Avaliação da performance dos árbitros de acordo com parâmetros previamente estabelecidos por um comitê de arbitragem;

II. Classificação anual dos árbitros por escalões (A, B, etc.), com descida/subida de escalão ao final/início de cada temporada, de acordo com a soma das avaliações do comitê de arbitragem.

5. Controle de qualidade e manutenção dos gramados

a. O controle de qualidade e a manutenção dos gramados é muito importante para a promoção do espetáculo, pois a velocidade e a intensidade do jogo dependem muito de suas condições;

b. À semelhança do que acontece em outros países, a realização desse serviço por parte de uma empresa única e externa aos clubes poderá ajudar à melhoria dos gramados no futebol brasileiro, em que pesem as condicionantes geográficas do país.

c. Mesmo sabendo que já existe uma regulamentação em vigor no futebol brasileiro, a mesma tem-se demonstrado frágil e vulnerável; por isso, sua revisão seguindo as normas e regulamentação da FIFA é importantíssima.

6. Rega obrigatória em todos os estádios

a. Também à semelhança do que ocorre em entre outros países, a regulamentação/obrigação da rega antes dos jogos e no intervalo e a padronização do tempo de rega são dois fatores cruciais para a melhoria do espetáculo do jogo de futebol.

b. No Brasil, temos vivido situações totalmente distintas, dependendo do estádio onde jogamos, uma vez que a rega é opcional. Por isso, a regulamentação da rega obrigatória – para gramados naturais e artificiais – pode ser uma contribuição importante para a qualidade do espetáculo, pois já está comprovado que a velocidade e a intensidade do jogo aumentam.

7. Final de campeonatos disputados em jogo único e campo neutro

a. Uma das regras que mais confusão nos fez desde a nossa chegada ao futebol brasileiro foram as finais disputadas em partidas de ida e volta. Acreditamos que uma decisão de campeonato em jogo único seria uma forma de valorizar o produto, quer a nível comercial, quer a nível esportivo.

b. Entendemos que as condicionantes geográficas do Brasil possam ser um ponto contra a nossa sugestão – por conta de possíveis dificuldades de deslocamento de uma ou duas torcidas para um destino talvez muito distante –, mas pensando somente no futebol e nas vantagens e desvantagens de uma final em jogo único, entendemos que esse modelo de decisão em campo neutro é aquela que mais permite a igualdade de condições esportivas.

c. Desde a edição de 2019, a Conmebol alterou o modelo da Copa Libertadores, maior competição da América do Sul: de uma final de dois jogos a duas mãos (casa e fora), o torneio passou a ser decidido em uma partida em campo neutro. Os resultados a nível financeiro foram espetaculares, com a transmissão da grande final para um total de 191 e 192 países, em 2020 e 2021 respectivamente. Além da Libertadores, existem bons exemplos desse formato nas maiores competições de clubes dos outros continentes.

8. Fair play financeiro nas equipas do Brasil e da América do Sul

a. No futebol brasileiro, a saúde financeira dos clubes é preocupante – e piorou com a pandemia. Existem clubes com dívidas astronômicas que continuam a gastar dinheiro em contratações e salários altos, sem qualquer limite ou controle financeiro; tais ações podem ter implicações drásticas no futuro.

b. Na Europa, existe o mecanismo do fair play financeiro – uma lei que nada mais é do que um controle, por parte da UEFA, dos investimentos e receitas dos clubes, de forma a promover as finanças mais saudáveis das equipas e evitar concorrência desleal.

c. Consideramos que essa norma pode ajudar muito o futebol brasileiro. Um maior controle financeiro por parte das instituições de poder evitará que os clubes acumulem dívidas excessivas e não atinjam altos níveis de precariedade, como estamos a assistir em alguns casos. Além disso, essa será outra forma de promover a igualdade no esporte e entre os que competem pelos mesmos objetivos.

E quais os exemplos a seguir?

Para nós, a inovação é a chave do futuro – e devemos aprender com os melhores modelos esportivos. Acreditamos que um deles está na National Football League, nos Estados Unidos. A NFL constitui-se uma liga esportiva que, mesmo não sendo perfeita, está mais desenvolvida do que a do próprio futebol; há muitos anos, seus profissionais procuram promover maior organização, coerência e justiça no sistema esportivo. Por exemplo, o VAR, que há pouco deu os primeiros passos no futebol – ainda com algumas "zonas cinzentas" –, já existe há muitos anos na NFL, com o nome de "instant replay" e com maior abrangência de decisões do que no futebol.

Outro aspecto que poderia contribuir para a melhoria do futebol brasileiro enquanto produto seria o agendamento de reuniões frequentes com a participação dos capitães de equipa, treinadores, diretores e/ou presidentes, CBF e/ou federações e as televisões responsáveis pela transmissão dos jogos. Entendemos que cada um dos envolvidos tenha diferentes interesses e preocupações; no entanto, para que essas reuniões aconteçam e sejam produtivas, é importante que todos coloquem os interesses do futebol brasileiro acima dos próprios – ou seja, que coloquem os egos de lado no momento de debater o presente e o futuro do esporte brasileiro.

No Brasil, vivemos diariamente um país e um futebol com um potencial econômico e esportivo brutal. Para concretizar esse potencial, porém, é importante, em primeiro lugar, que todos os envolvidos assim o desejem. É preciso que todos trabalhem pelo e para o futebol. E, acima de tudo, que o protejam como algo que é "seu". Com ordem e progresso (como diz a bandeira brasileira), é possível fazer a diferença.

PARTE III

AVANTI PALESTRA!

SCOPPIA CHE LA VITTORIA È NOSTRA!

*"Aqueles que passam por nós não vão sós.
Deixam um pouco de si, levam um pouco de nós."*
Antoine de Saint-Exupéry

Avanti Palestra! Decidi que vínhamos para o Brasil porque devíamos nos juntar aos melhores. Quem me conhece sabe do quão difícil foi este passo na minha carreira, mas também do quão necessário ele foi para hoje eu ser um melhor treinador.

Avanti Palestra! Quando equipas grandes como a Sociedade Esportiva Palmeiras te desejam, as pernas tremem e as borboletas batem na barriga. Da minha experiência, penso que seja natural. Mas ao mesmo tempo: esse desejo aquece-nos o coração, enche-nos de confiança e de motivação para dizer "aqui vamos nós para mais uma aventura em busca de novos desafios e vitórias". Neste caso, atravessamos o Atlântico em busca da "glória". A "Glória Eterna".

Avanti Palestra! Quando aterrissei em solo brasileiro, junto da minha equipa técnica, nossa "fome" e "sede" de vitórias era muito grande e carregada de esperança, que por sinal dizem que é representada pela cor verde. Atravessamos o Atlântico com propósitos muito claros: um sentido de missão de vencer e conquistar e uma vontade de continuar a escrever história neste grande clube, batendo recordes e rompendo com a própria história. "Não viemos passar férias" foi uma frase que disse na coletiva de apresentação e que retratava exatamente o nosso pensamento. Dizem que colhemos o que plantamos. Então, decidimos plantar: trabalho, trabalho e trabalho. E que adubo utilizamos? O adubo da confiança, da dedicação e da coragem.

Avanti Palestra! Juntos, colhemos os frutos do trabalho que plantamos: as conquistas. Quis o destino que o ano de 2021 fosse incrivelmente mágico. Que fosse um ano que ficará gravado para sempre na história do clube, em nossa memória e em nossos corações. Sabemos que nem sempre será assim. Engana-se quem acha que no futebol há equipas imbatíveis que ganham sempre. Mas, todos juntos, trabalharemos com toda a nossa capacidade e sabedoria para que novas conquistas aconteçam. Estamos muito felizes pelo que já conquistamos, mas ainda não estamos satisfeitos! Somos, por natureza, seres insatisfeitos e trabalharemos ainda mais para novos desafios e conquistas em nossa cruzada.

Avanti Palestra! Ao longo destes 13 meses: ganhamos muitas vezes, empatamos algumas e perdemos outras... É assim o futebol e é assim a nossa vida. Aceito e agradeço o fato de a vida ser feita de amores e desamores. "Umas vezes ganhei, outras vezes perdi, mas mil emoções eu vivi." E não abdicaria de nenhuma destas emoções porque todas elas me ensinaram e com todas elas aprendi. Hoje, sou melhor treinador e melhor homem como resultado dessas emoções. Agradeço a Deus as batalhas que me possibilitou ganhar e as batalhas que me fizeram aprender.

Avanti Palestra! Desde nossa chegada, sentimos que o elenco e todo o grupo de trabalho da Sociedade Esportiva Palmeiras tinham um Sonho e uma Obsessão: a Copa Libertadores da América. Reconquistar o continente sul-americano era o grande objetivo de todos: jogadores, comissão técnica, staff, funcionários do clube, diretoria e torcedores.

Avanti Palestra! Bem... Após 21 anos desde a primeira e última conquista dessa Copa, protegemos de tal forma esse Sonho e essa Obsessão que conquistamos a Copa Libertadores novamente. E não conquistamos apenas uma... Conquistamos DUAS Copas Libertadores da América no mesmo ano! O que posso dizer sobre a façanha? Não me atrevo a dizer nada... O tempo dirá por si só. E por acréscimo: conquistamos uma Copa do Brasil!

Avanti Palestra! Esses feitos foram fruto de muito trabalho e dedicação de todos aqueles que dentro da Academia de Futebol se doam diariamente para que não falte nada a mim, à minha comissão e aos meus jogadores.

Avanti Palestra! O que faz a Sociedade Esportiva Palmeiras ser diferente? O que faz o palmeirense ser diferente? De fato, e como diz o poema, é inexplicável! E eu não me atrevo a explicá-lo. Só posso dizer o que sinto: ser Palmeiras é um estilo de vida! Além disso, foi o lado humano e a cultura humanista criada neste clube por todos nós que contribuiu para estarmos quase sempre nas finais de competições e nas grandes decisões... E, a um clube tão grande como a Sociedade Esportiva Palmeiras, esses são os mínimos exigidos: estar nas decisões! Conseguimos estar em 7 de 8 decisões nos últimos 13 meses!

Avanti Palestra! Muitas vezes me perguntam qual é minha filosofia de jogo. Respondo sempre da mesma forma, correndo o risco de ser repetitivo: é mais do que uma filosofia de jogo, é uma filosofia de vida. É uma forma de ser e estar na vida, e de forma especial e particular no futebol. Não me vejo a encarar o futebol de forma diferente como encaro a vida. Não separo o homem do treinador nem o treinador do homem que sou. Não consigo ser ator e fingir emoções; talvez por isso, e por vezes, vejam em mim um extravasar de emoções que retratam o ser humano Abel que há no treinador Abel Ferreira. Sou homem, de carne e osso, como todos vocês. É muito mais o que nos une do que aquilo que efetivamente nos separa!

Avanti Palestra! No futebol e ao contrário do que deveria ser na nossa vida, os casamentos não são "para sempre". Têm prazo de validade. Alguns mais curtos, outros mais longos. Nós, treinadores, vivemos de uma só coisa: resultados. Estamos perenemente em busca de resultados desportivos. No entanto, nossa cruzada e missão no mundo do futebol irá continuar sendo a mesma: ajudar os jogadores a serem melhores; contribuir para que os clubes inovem e melhorem; e, também, contribuir para a evolução deste espetáculo que é o futebol.

Avanti Palestra! As conquistas do ano 2021 podem ter muitas explicações. Acreditamos que uma delas foi a nossa filosofia de futebol (que é também uma filosofia de vida): "todos somos um", "a nossa estrela é a equipa" e, por último mas não menos importante, ter uma "ideia de jogo coletiva onde emerge o talento individual".

Avanti Palestra! Escrever este livro foi um projeto fundamentado num princípio de vida: a partilha de conhecimento e de experiências. E porque a gratidão é a memória do coração, dedico este livro: a todos os que gostam verdadeiramente de viver o futebol, aos meus amigos, a todos os que trabalham na Academia de Futebol, à minha equipa técnica, aos meus jogadores, à diretoria da Sociedade Esportiva Palmeiras, aos torcedores deste grande clube e à minha família, a base de tudo, e de forma especial à minha esposa Ana e às minhas filhas Maria Inês e Mariana.

Gratidão Eterna.
Avanti Palestra! Scoppia che la vittoria è nostra!

O Treinador,

PS: Ah... Não se esqueçam da regra das 24 horas. Hoje, celebramos a temporada de 2021. Mas amanhã há novos desafios e novas conquistas!

Instituto Ayrton Senna
Educação do futuro, agora.

Os royalties dos autores deste livro serão integralmente doados para organizações não-governamentais com trabalhos e projetos de reconhecido impacto social no Brasil.

O Instituto Ayrton Senna, que ajuda a formar professores, gestores e pesquisadores a preparar crianças e jovens para a vida em todas as suas dimensões.

E a instituição Amigos do Bem, que desenvolve projetos nas áreas de educação, geração de renda, saúde e infraestrutura na região mais carente do país, o Sertão Nordestino.